JN027299

# ポスト・ヨーロッパ

## 共産主義後をどう生き抜くか

CAFÉ EUROPA REVISITED : HOW TO SURVIVE POST-COMMUNISM by SLAVENKA DRAKULIĆ

スラヴェンカ・ドラクリッチ 著 ｜ 栃井裕美 訳

人文書院

娘のルヤナへ　愛と感謝を込めて

CAFÉ EUROPA REVISITED : HOW TO SURVIVE POST-COMMUNISM
by SLAVENKA DRAKULIĆ


This edition published by arrangement with Penguin Books, an imprint of Penguin Publishing Group,
a division of Penguin Random House LLC., through Tuttle-Mori Agency,Inc., Tokyo

# 日本語版に寄せて

## リヴィウからのメッセージ

二〇二二年、再びヨーロッパで戦争が起きている。

本書は［侵攻］一年前の二〇二一年一月に出版されている為、目の前にある本ではウクライナ戦争について触れていない。しかし今回の戦争は一九八九年の共産主義の崩壊のように、劇的な相貌を伴った今ひとつの想定外の出来事であった。

ウクライナ人の友人オクサーナ・フォロスティナにとっての戦争は、こうして始まった。

二〇二二年二月二三日、水曜日

朝から晴れていて、書斎は光で満たされている。早めの春が来たみたいだ。近くの公園では小さな白い花が咲き始めている。私はコーヒーを片手にパソコンを開く。ポーランド国境に近いウクライナ西部の都市リヴィウから、オクサーナがメールをくれたようだ。

「最近私たちは皆、必要最低限の食料や水を備蓄し、サバイバル・マニュアルを読み、避難計画を立てておくよう勧められているのよ。戦争の始まりについてスラヴェンカが書いた文章を頭の中で繰り返しリピートしているわ。近頃はあまり逆境に強くあろうとは思わなくなったし、体調も優れなくて。正直、私は八年前の独身で子どもがいなかった、大切な人を失うかもしれないという恐れがなかった頃の気持ちを求めているのかもしれない。でも今は違う。目下、両親と一緒にリヴィウにいる。キーウを離れるのは、正直に言って本当に辛かった。子どもがいなければ考えもしなかったでしょう。キーウでの生活はごく普通で、人々はカフェやレストランにも行くし仕事もする。予定だって立てるし、子どもたちも学校に通っているのよ。多くの人が救命講習に参加して、必要であれば街を守るために抵抗する訓練も受けている（たくさんの特別訓練プログラムが開講されているわ）。来週には気恥ずかしい思いをしながらキーウに戻ることができたらいいのだけれど。いずれにせよこの状況が、特に最初の制裁が発動された二〇一四年以降よりもはるかによくなっているのは事実。ウクラナが今回ほど世界から多くの支持を得たことはないでしょう。私自身プーチンは終わったと感じているけれど、もしかしたら彼の最後の動きが非常に危険なものになるかもしれないと不安を感じているわ。私は大丈夫。でも一分毎にニュースをチェックしないと集中できないし、仕事も進まなくて。そのうちコーヒーでも飲みながら、こんな恐怖なんて笑い飛ばしましょうね！」

オクサーナがメールで触れていた私の文章とは、『バルカン・エクスプレス』[1]に出てくる一九九一年に起こったユーゴスラヴィア紛争のくだりである。しかしユーゴスラヴィアの場合、ボスニア・ヘルツェゴヴィナやコソボで起こった紛争も含め、連邦国家が崩壊しようともヨーロッパに危険をもたらすには程遠い、限られた地域での出来事だと考えられていた。

三〇年前の私の文章と同じ経験を、今、自分の友人が味わっているのだと想像すると胸が痛む。「はじめは戸惑いを覚える。戦争は怪物のよう。どこか遠くからやってくる神話上の異形の生き物。そんな生き物が自分の日常に関係するなんて誰も思いもせず、怪物が迫ってくるのを感じながら、すべては今まで通り、自分の人生には何の影響もないと自分自身に言い聞かせようとする。そしてついには怪物に喉首を掴まれてしまう。些細なことがもはや同じ重みと意味を持たなくなる。その時になってようやく、戦争はすでに始まっていて、自分自身にも降りかかっているのだと実感する」のだ。

ところがオクサーナの最後の一文は、希望に満ちていて私を明るい気分にさせる。しばらくの間流れていたロシアによるウクライナ攻撃の噂も、単なる噂に過ぎないだろうと安堵してベッドに入る。

二〇二二年二月二四日、木曜日

ベランダの温度計は五度を指しているが、今日も晴れ。ラジオを付けるとクラシックの番組

(1) スラヴェンカ・ドラクリッチ『バルカン・エクスプレス　女心とユーゴ戦争』三谷恵子訳、三省堂、一九九五年。

が流れている。朝は静寂に包まれている。それから私は食器を洗い、グラスを一つ一つ光に掲げ、きれいに拭き取られているか確認する。エスプレッソを淹れて新聞を開く。ロシアがウクライナを攻撃！という見出しが目に飛び込んでくる。

昨日のオクサーナのメッセージは、二四時間も経たないうちに突如平和な時代のものとなってしまった。二人でコーヒーを飲んで笑い合おう、というオクサーナの願いはまったくの空絵事になってしまった。ロシアの侵略行為が彼女の言葉を無意味なものにしてしまったのだ。オクサーナはキーウには戻れない。プーチンが彼女の人生を変えてしまったからだ。

オクサーナの朝を想像してみる。ささやかな朝のルーティンはどう変化してしまうのだろう。四〇〇〇万人以上のウクライナ人とともに、不安と恐怖の中で生活していくことになるのだから。私たちが経験した戦争のように、一日たりとも過去と同じ日はないだろう。メガネをかけるという当たり前の仕草が贅沢になるのだ。

私の経験では、都市部に住んでいる人ほど戦争の始まりを把握するのが難しい。店が開き、路面電車が走り、人々が出勤している間は平常心が保てるのだ。だから戦争という言葉を聞くと不信感を持って反応してしまう。おそらくテレビ画面で見るような爆弾や爆発、戦車が通りを走るような光景を期待しているのであろう。しかし、ほとんどの場所で戦争は泥棒のようにひっそりと歩み寄る。

このニュースを読んでからというもの、私の朝はもはや太陽が燦々というわけではなくなってしまった。

プーチンがここまでやるとは誰も予想していなかった。迅速な短期行動を意味する「特別軍事作戦」を宣言さえした。プーチンはウクライナのロシア語話者を大虐殺から、そしてウクライナ政府内のナチス支持者から「救う」と奇妙な正当化もしている。

なおかつ誰も説明しようとはしなかった予兆もあった。二〇一四年のクリミア併合である。このときEU（とNATO）は、クリミアをウクライナの内部問題のように扱った。クリミア危機は現時点で八年続いているが、外部からは戦争だとみなされてはいない。ウクライナの人々は当時、ウクライナが防衛線となってヨーロッパを守っていると主張したが、誰も戦地に兵士を送りたがっていないのは明らかであった。

二月二四日のロシアによる攻撃は、やはりまったく別の問題なのだ。今ヨーロッパはウクライナ人を見守り、耳を傾け、支援をしている。『ニューヨーク・タイムズ』は社説で信じがたい出来事が起こってしまったと書いている。ある風刺画では、雪に覆われた荒野を歩くプーチンが描かれている。彼の頭上には二機のヘリコプターが迫り、巨大で邪悪な鳥のように見える。戦争の鳥だ。

プーチンは一体どこまでやる気なのだろう。核兵器を使う勇気はないだろうと思いながら眠りにつく。オクサーナであれ私であれ、眠りにつく唯一の方法。

二〇二二年二月二五日、金曜日

今朝はコーヒーを飲む前に、ニュースとメールを緊張しながらチェックする。オクサーナのメッセージはすでに届いている（リヴィウは私のいるクロアチアのザグレブより時計が一時間進んでいる）。

「リヴィウは安全です。ＡＴＭや薬局に長蛇の列ができているだけで、ほぼいつも通り。今朝は近所にある小さなスーパーの棚が空っぽになっていたわ。でも町の中心部はすべて相変わらず。キーウはもっと悲惨な状況になってしまった。夫の両親は今朝キーウからリヴィウへ向かったけれど、その日のうちには到着できず途中で一泊したみたい。普通だったら六時間の距離なのに。現状について書いてみようと思って、しばらく放置していた日記を取り出してみたのよ。書き留めようと思い立ったのは何を守りたいのかを決めるため、というのが正直な気持ち。今の状況下で荷造りをするのは、必要なものだけでなく、不要なものも含めて破壊されては困るもの、永遠に失われては困るものを選択する行為なのではないかしら。日記は後者の一つ。こんなに恐ろしい状況下においてさえ不思議な安堵感があるのは、今、他者と重荷を分かち合っているからかもしれないわ」

キーウが恋しくて、戻った後の計画を立てようとしています。それも長くは続かないけれど。

昨日からウクライナ戦争のニュースが、オクサーナだけでなく私たちの日常にある現実と化した。ウクライナは大きな国で、ロシアには強大な軍事力があり、ＥＵもかつてのユーゴスラヴィアのように今回の戦争を放置するというわけにもいかなくなった。

無力感は寒さと同じように私の骨の髄まで浸透していく。何か慰めになるようなことを書こうとするけれど、言葉に裏切られる。読んでいて一番辛いのは、オクサーナの「それも長くは続かないけれど」という一文。私自身も幾度となく同じことを思ったが、戦争は延々と続く。キーウの街角に響く車の騒音や、中庭で遊ぶ子どもたちの声はいつになったらオクサーナの耳に届くのだろうか。

しかしオクサーナはそれでも前に進む強さを見出していた。五月一八日にはこう書いている。

「返事が今ごろになってしまってごめんなさい。昨日リヴィウから二〇〇キロメートル離れたイヴァーノ＝フランキーウシクへ行き、夜遅くに戻ってきたところなの。私たちは無事です。夫は昨日キーウに行き、今しがた私たちのアパートが無事だと教えてくれたわ。私たちのチームは来週アルセナールで討論会を開催し、参加する予定です。ブックフェア『ブック・アルセナール』はいうまでもなくキャンセルになったけれど、せめて一つだけでもイベントを実現させることにしたのよ。今年は『ブック・アルセナール』の特別議題『移住の時代』のキュレーターを務めました。一一月から議論し準備していたので、もちろん戦争になる可能性も考えていて、当初は『デジタル・ノマド』から『人口動態の課題』までというテーマで広い議論を展開しようとしていたのだけど、じきに特別議題は本来の狙いを得たわ」

もちろんオクサーナが触れているのは、戦争が始まってからウクライナを離れた六〇〇万人近くの難民についてである。

二〇二二年六月二四日、金曜日

オクサーナとは連絡を取り合っているが毎日というわけにはいかない。戦争は軍事行動や砲撃、死者や負傷者の数など、顔の見えない数字となって日常的に報じられるようになった。戦争は続く。終わる気配はない。

プーチンのいわゆる「特別軍事作戦」は、短期間でもなければ迅速でもない。リヴィウにいる私の友人オクサーナにとっても、ヨーロッパにいる私たちにとっても不安なまま四ヶ月が過ぎ去った。この戦争は突如、前触れもなくヨーロッパを変えてしまった。私たちも戦争が日常生活にもたらした変化、例えばガソリンから食品までほとんどすべての価格が上昇し、冬には暖房費の高騰に見舞われるのを覚悟しながら生活しなければならない。

しかし重要であるのは心理的な変化で、言ってみれば将来への不安だ。第二次世界大戦後平和に暮らしていた世代は、戦争の恐怖を忘れてしまった。政治的な不確実性と相まって、再び恐怖が戻ってきたのだ。このような状況が右派のポピュリスト勢力の台頭を助長しているというのは、以前にもまして明確になっている。ヨーロッパの一致したウクライナへの支援は今後も続くのだろうか。ハンガリーはすでに反対意見を出している。私たちヨーロッパ人は、他者の自由や自立よりも自分たちの快適さを重んじるのだろうか。その答えは、おそらくヨーロッパの未来を決定し得るのかもしれない。結局ウクライナ人は正しかったのだろう。自国の運命がヨーロッパの運命をも左右すると予言したのだから。

# 序文

## 想定外の変化

一九九六年、私は『カフェ・ヨーロッパ』[1]を執筆した。一九八九年にまったく予期せぬ形で共産圏全体が崩壊した後の、新しいヨーロッパを描き出そうとした。突然の歴史的大変動に私たち東欧人は衝撃を受け、それから高揚感と子どもじみた期待感を抱くようになった。我慢強い国民ではなかったからか、あまりにも早く多くを期待しすぎてしまったのだ。私は「ヨーロッパは、長い間ネグレクトされていた子どもに責任を負う母親ではないし、機嫌を伺うべきお姫様のような存在でもない（中略）。ヨーロッパは国家として、民族として、個人として私たち自身で作り上げるものなのだろう」と、期待を込めて書いたのだった。

崩壊から三〇周年を迎えた今、私はかつての共産主義世界が現在どのように見えるのかを一瞥するために、「カフェ・ヨーロッパ」を再び訪れる。時代の重要な節目は何だったのか、それを予測することはできていたのだろうか。各地を旅していて疑問に思う。旧東欧諸国が各々

（1）スラヴェンカ・ドラクリッチ『カフェ・ヨーロッパ』長場真砂子訳、恒文社、一九九八年。

の違いを主張しているときに「私たち」について書き、ひとまとめにしてしまう権利が自分にはあるのだろうか。それから「私たち」の中にカフェに残っている人はいるのだろうか。あるいは社会に大きな変化をもたらした三〇年という年月は長いのか、それとも短いのだろうかと。

カフェという比喩にこだわってみよう。どんなカフェでもそうだが、入った時にまず感じるのは空気ではないだろうか。もちろん空気というものには形はなく、その場の感覚に過ぎない。三〇年前、二〇年前、あるいはほんの一〇年前であれば、空気中に興奮、希望、良い雰囲気さえ感じたことだろう。

カフェは、kavana（カヴァーナ） kavarna（カヴァルナ） kávéház（カーヴェーハーズ） kawiarnia（カヴィアルニャ）など、中欧独自の場所として様々な言葉で呼ばれていて、昔はいくぶんみすぼらしく、照明も落とされ多くの人がタバコを吸っていたものだった。しかし客の声は大きく笑みも溢れ、グラスの音も響きわたり、一種の祝宴が行われていたことは一目瞭然だった。

今ではドアを開ければすぐに新しい調度品やモダンな電化製品が目に入り、照明は明るく、コーヒーはエスプレッソになっていて、昔ながらの新聞を読む客はもういないと気づく。カフェの内装はデザインされ、時代遅れのカヴァーナというよりはバーのようである。客もまた以前よりもスマートさを増し、身なりも良くなったばかりか雑音も少なくなっている。とは言え慧眼を持ってすれば、それぞれのグループや声のトーンの違い、立ち振る舞いが同じでないことでさえも見抜けよう。訪問者の多くは、特に年配者となれば、腐敗したエリート層、果たされなかった公約、国民意識の喪失や雇用の不安定さ、さらには抱いてきた幻想が奪われたことについて不満を漏らしている。これでカフェの客が東欧の人々だと見分けられる。若い人たちはどこに行っても同じで、職を求めて移動しお金の心配ばかりしている。一方カフェにいる西欧人もまた期待を抱いている。かつては政治、経済のシステムが変わればポスト共産主義の国々は急速に発展し、再統一されたヨーロッパ内での格差はすぐに解消されると信じていた。しかし周囲を見渡せば彼らもまた落胆の色を隠せないでいる。

そこにしばらく座っていれば、一九八九年以降のヨーロッパで人々を繋いでいるものは共通の価値観であり、反対に分断し続けているのは歴史の違いであると理解できるようになる。

もし五〇年前、私が生きているうちに共産主義の崩壊を目の当たりにするかもしれない、と言われたら苦笑していたと思う。東欧、それもソ連圏ではなく旧ユーゴスラヴィアで暮らしていた自分たちの世代が唯一想像し得たのは、同じことの繰り返し、あるいはもう少しだけひどい状況くらいだった。当時ジョージ・オーウェルの反ユートピア小説『一九八四』が称賛されたのは、描写されたニュースピーク、そして支配や検閲に見覚えがあったからだ。オーウェルの『動物農場』の「すべての動物は平等である。しかし、ある動物は、ほかのものよりももっと平等である」[2]という状態を私たちはとうに凌駕していた。一九六八年五月のパリの学生運動や、同年八月にプラハに侵攻したソ連の戦車を目の当たりにし、政治体制の違いに絶望感を深めるばかりだった。良い方向への変化なんて期待できなかった。

それでも一九八九年以降ヨーロッパは好転した。ドイツは再統一され、旧共産圏の国では民

(2) ジョージ・オーウェル『動物農場』高畠文夫訳、角川書店、第四九版、二〇〇五年、一四一頁。

主主義への移行が始まり、国境は開かれ自由と人権がもたらされたし、東欧の人々がそれまで目にしたこともなかった商品でいっぱいのスーパーマーケットも出現した。旧共産圏の中でもポーランドやハンガリーのような国は早くからEUに加盟し、ブルガリアやルーマニアのように後にメンバーとなった国も現れた。直近ではクロアチアが二〇一三年に加盟したが、今でも承認待ちの国がある。多くの人はこれを「ヨーロッパへの回帰」と呼ぶ。より良い暮らしへの希望が初めて生まれたし、当然のことながら悪い方向への変化は予想されていなかった。

バラ色の欧州統合像に最初の亀裂が生じたのは、おそらく二〇〇八年の金融危機のとき。二〇一五年にはデンマーク、オランダ、イタリア、フィンランドの選挙で右翼政党が登場した。するとどうだろう。突然民族のアイデンティティとその喪失という「ほとんど」忘れ去られていたテーマについて、公の場で多くの議論が交わされるようになった。グローバリゼーションと金融危機が相まって、ヨーロッパ全土に不安が生じたとすぐさま明らかになった。しかし、この三〇年間における決定的な出来事はヨーロッパの外部からやって来ていた。またそれに対する反応や、その後の政治的変化という観点から言えば、ヨーロッパをさらに深く分断させるものだった。つまり二〇一五年から二〇一六年にかけてヨーロッパ大陸を襲った突発的な難民の大波、いわゆるヨーロッパの難民危機である。

もし三〇年前に、欧州連合が再び危機に見舞われ、EU域外からの大量移民によって再び崩壊の危機に瀕するだろう、と誰かが言ったとしたら私は笑っていたに違いない。一九八九年の大転換を乗り越えてもなお、さらなる変化がやって来るのだろうかと。

およそ一年の間にアジアやアフリカから二〇〇万人を超える難民が地中海を経由し、トルコとギリシャの国境を超えバルカン経路でヨーロッパにやって来た。歓迎したのは最初だけで、EU加盟国は政策を変更し、ブルガリア、ハンガリー、スロヴェニアなどの一部の東欧諸国は国境に鉄条網のフェンスを張り巡らせた。難民の受け入れ数を制限することでヨーロッパは門戸を閉ざしただけではない。挙げ句の果てにすでに国内にいる難民に対処する意思すらないことが判明したのだ。フランスやベルギーで移民の親を持つ市民によるテロ事件が発生したことにより事態は悪化した。約二年の間にメディアやマリーヌ・ル・ペンのような右翼政党のリーダーによる大衆受けするレトリックが流布し、難民をイスラム教徒や潜在的な強姦犯、テロリストと同一視してしまった。その間にもすでに存在していた不安は、現実や想像上の危険に対する恐怖へと変わっていったのである。

西欧と東欧の間には、以前から存在してはいたが統一のために語られはしなかった多くの相違点が再び浮かび上がり、決定的な役割を担うようになった。一九八九年以来、自分たちが二流に扱われていると感じていた旧共産圏の市民は、ついにEUによる「独裁」と呼ばれる状況に反対する機会を得たのである。例えばポーランドとハンガリーははっきりと難民の受け入れを拒絶した。モスクワがこうした国々に命令を出さなくなったので、ブリュッセルからの命令を受ける雰囲気もなくなってきているようだ。オルバーン・ヴィクトルがハンガリーの選挙で圧勝した翌日、二〇一八年二月一一日付けで『ニューヨーク・タイムズ』は「ハンガリーは、西欧の恐れる専制の台頭を見せつける」という見出しを掲げたのだった。

外国人嫌悪はヨーロッパの社会的、政治的な展望を変えつつある。かつては消極的だった国家のアイデンティティに関する議論は、今や本格的なナショナリズムとなろうとしている。この種の考え方は以前であれば西から東へと伝わるものであったが、今では逆方向に進みつつあり、ナショナリズムやバルカン化はもはや東欧だけの現象ではなくなったようだ。感情を利用した政治が行われている昨今、過去が現在より強くなっている。ブレグジットや、カタルーニャのスペインからの独立運動などはその典型例にすぎない。

ルーマニアの哲学者アンドレイ・プレシュは、「解決策は脱構築的なパニックでもなければ、輝く未来を語る楽観的なデマゴギーでもない。ヨーロッパはその歴史の中で生き延びるために鍛えられてきたし、断片を統合し、傷跡を生きている証へと変えてきた」[3]と述べている。しかしながら、統一されたEUと、分裂して縮小された連合の存続は異なるものである。目下このどちらにも傾き得る兆しがあるため、ヨーロッパのカフェを再訪している間は他の観察者と同様、私もちょっとした占い師のように手相を読んだり、水晶玉を覗き込んだりして未来を見てみようという気分になっている。

東欧各国の「カフェ」、つまり「カヴァーナ」の物語のなかで、読者は今ではめったに聞こえなくなった新聞をめくる音、旅の思い出や蘇る過去の記憶、将来の計画などの話、意見やゴシップを交換する客のくぐもった声を聞くこととなるだろう。

読者には私のヨーロッパ観というものを感じ取っていただければ幸いである。

（3）引用は、二〇一七年七月にウィーンの Institute of Human Sciences で行われたスピーチからだと推測される。
Pleşu, Andrei. "The anti-European tradition of Europe." *Eurozine*. Feb. 2018.

目次 — contents

記憶のない歴史は不可能、しかし歴史のない記憶は危険である

ティモシー・スナイダー　歴史家

政治システムが変わるまでに六カ月を要した。経済システムが変わるまで六年を要した。さらに社会がかわるには六十年要する。

ラルフ・ダーレンドルフ　社会学者

## 昔々、一九八九年のある日のこと

ベルリンの壁が崩壊し、東欧の人々は共産主義なき新時代を謳歌していた。しかしルーマニアの独裁者ニコラエ・チャウシェスクは、一九八九年一二月二一日、国民に向けて最後の演説をするまでこうしたニュースを気にも留めなかったようだ。拍手や歓声ではなく、ブーイングが巻き起こっているのを悟った瞬間のチャウシェスクを、カメラはクローズアップで捉えていた。その顔に浮かんだ動揺と懐疑の念は、変化の象徴的な光景として私の心に永遠に残るであろう。

どうやら人は、自分が目の当たりにしている出来事の全体像を把握し、真の意味を即座に理解することは滅多にないらしい。共産主義崩壊の場合、当時の感情の大半は驚きだったように思う。喜びはほんの少しの疑念まじりに後から湧いてきた。

こうした断片化された光景や感情は、私たちの記憶に深く刻まれている。大地震の全体像も、原因や結果も、そのときは記憶から呼び起こせなくても後から歴史と化して甦る。だから昔から知られているように、歴史には矛盾や隔たりがつきものであっても、過去をいかに記憶しておくのかが重要なのである。

一九八九年を振り返ると、歴史と空想の間にある矛盾がまず頭に浮かぶ。東欧には、共産主義の崩壊によってその後の自分たちの幸せな暮らしが約束されたはずだという、ある種の稚拙な「ナイーブ」さが漂っていた。稚拙という言葉を選んだのは、私たちが先を見越せていなかったのに西側のきらびやかで華やかな世界を求めていることは理解していたからである。田舎のサーカスの演目のような、純粋で昔ながらの魔法以外に何が考えられるだろう。おとぎ話でもいい。私たちのイメージでは、当時の出来事は、ある貧しい青年が王によって課された乗り越えられそうにもない障害を克服し、お姫様の心をつかみ王になるといった作り話に過ぎなかった。ほかにどのような概念、つまり今日で言うところの「ナラティヴ」があっただろう。民主主義は漠然とした遠い思想であり、実際には決して到達できない理論だった。人権はなおさらである。さらに私たちが理解していた資本主義は、目を奪わんばかりの素晴らしい食べ物や、見たことのない商品で一杯のスーパーマーケットに限定されていた。それは触れたり、匂いを嗅いだり、消費したり、購入したり、所有したりできる現実であり、自分たちの成功の尺度そのものだった。端金のために一生懸命働くことや、貧困や失業など含まれてはいなかった。

私たちは目前に開かれた新しい世界を体験したことはなかったし、テレビの映像や映画、表現の自由があるという噂、きれいに包装されたチョコレート、ウィーンやパリのショーウィンドウの輝く照明などでできた夢を見ていただけだ。

自分たちが稚拙だったと思う理由はもう一つある。政治体制全体の崩壊という激動が、犠牲者も少なく争いも限定的で、順調かつ穏やかに進むと信じていた点だ。私たちは変化が進歩的で現代的、自由で寛容的であると同時にその逆も当然成り立つという別の側面を含め、重大な変化が起こっているとは予想していなかった。コインには裏表があり、一方には民主主義と自由が、もう一方には搾取と貧困があった。新しい現実を信じて疑問を抱かず、民主主義よりも贅沢を、人権よりも欲望を受け入れる方が単純に楽だったのかもしれない。たとえ「ヨーロッパ」と、それが意味するものすべてに関する自分たちの幻想が長くは続かなかったのだとしても。

大きな変化の下では反動が起きていた。足元から大地が揺らぐと、人は自分の知識や記憶、共産主義の崩壊以前にあった物事に安心感を求めるようになる。

しかし現実には何を拠り所としていたのだろう。多くはないが民族と宗教が二大柱として集合的アイデンティティを支えていた。抑圧されていたとはいえ、共産主義の時代にも言語や文化の中に民族のアイデンティティは保たれていたのだ。宗教も各民族で重みは違いながらも維持されていた。宗教は民族のアイデンティティとは不可分の関係にあり、通常の宗教活動というよりは伝統や文化という形で表現されてはいたが。現に一九八九年以降、民族的アイデンティティと宗教は公的な言説を支配するようになる。ナショナリズムは過去に属し（当時はそう信じられていた！）、宗教は純粋に個人の問題であると考えていた西側の人々や政治家は驚いた。当初は東欧の人々が別の場所から来ただけでなく、別の時代から来たように映ったのである。

しかし誤解はそれだけにとどまらない。私たちの考え方やメンタリティに対する西側の認識にも問題があった。この現象が何なのかを説明するのはことさら難しく、正確に特定することも困難だとしても、東欧の人々を心理的な観点から理解するのは極めて重要であろう。一九八九年当時、人々の多くは人生の大部分を共産主義の下で過ごしていた。誰にも共通するこの経験が、人々の価値観や認識、習慣や期待感といった世界観を形成していた。つまりある種のメンタリティを築いていたのであり、政治体制は一夜で変化し得ても、人々の精神構造までは変えられない。考え方を変化させるには、何世代にもわたって時間がかかる。

共産主義以降の新たな現実のなかで、喜びはすぐに貧困の拡大、国有財産の民営化で財を成した人と極貧層との格差、汚職、政界のエリートや不透明なEUの官僚主義に対する不信などに端を発した猜疑心に取って代わった。もちろん良い変化も多かった。なかでも西側のようにあらゆる種類の新製品を手に入れる機会だけは何の異論もなく受け入れられた。安定性は商品、ビジネス、人々の流動性に置き換えられた。しかし、移動の自由があっても金がなければ無意味だ。「ヨーロッパ」は私たちの空想に応えてはくれなかった。そのような夢物語は決して現実になり得ないからだ。それどころか、ヨーロッパこそ経済的不正義、雇用問題や民主政の減退を招いただけでなく、単純に私たち東欧諸国に十分な資金を送ってくれないという理由で新植民地主義の拡大だと非難されたのである。

その間にも私たちは、自分たちが同種類のヨーロッパ人ではないと、ある者はよりヨーロッパ人らしいということを思い知った。周縁部に住んでいたり別の時代からやって来ているだけなのに、東欧の人間は二流のヨーロッパ人となってしまうのだ。スーパーマーケットの洗剤や缶詰さながら、ブランド名は同じでも東欧と西欧では品質が異なる。まるで頬に平手打ちをくらったかのようだとでも表現するとうまい喩えになろうか。しかし、こんなにはっきりとした不平等があっていいのだろうか。

おまけに西側から東欧を見てみると、汚職の蔓延という別の点で不平等が見えてくる。二〇一六年に公開されたルーマニアのクリスティアン・ムンギウ監督による『エリザのために』［原題：Bacalaureat 卒業の意］という一本の映画は、東欧の汚職問題が見事に捉えられている。主人公のロメオは四〇代半ばの医師で、民主主義への転換や、真実や良識といった原則を信じていた世代に属している。自分たちがルールを守り、より良い人間になれば現実は変わるだろうと考えていた人々だ。ロメオの理想主義は消え去りはしたものの、一つの希望が残る。娘のエリザである。エリザは確固たる信念を持って育てられ、イギリスで留学生活を送る準備を終えようとしていた。奨学金を獲得し、父の（娘のものではない！）夢を現実のものとできるか否かは最終試験に委ねられた。優秀な学生にとって試験は単なる形式に過ぎない。しかし試験開始日にレイプ未遂の被害に遭い、心に傷を負ったエリザは試験を受けることができなくなってしまう。娘の将来を案じたロメオは生涯をかけて抵抗してきた腐敗への道を歩み始める。汚職は学校、警察、省庁、病院、金融機関の検査官に至るまで、ルーマニア社会のあらゆる組織に浸透している。今や蜘蛛の巣に絡め取られたロメオは、汚職の権化と化してゆく。結局は汚い手を使わないで目的を達成する方法などないのだから。

ルーマニアは民主主義かつ資本主義を奉ずるEU加盟国であるとは言え、それはまだ表面上のことに過ぎない。一皮剥けばありのままのルーマニアが見えてくる。党員や要人とのコネクションが生き残る手段であり、汚職へとつながる主たる方法であった二五年前とさほど変わらないようだ。実のところ、これはほとんどの東欧社会にも当てはまる。私たちの世代では汚職を払拭できなかった。西欧にも個々の事例として汚職はあったとしても、東欧のシステム、つまり社会のあり方としての汚職とはわけが違う。これは二五年経っても変わっていない。この映画は私に苦い敗北感を残した。変化を期待できないというのは、次の世代にとって最大の損失ではなかろうか。多くの人が憂鬱になるのも不思議ではない。ルーマニアだけでもおよそ二〇%もの人が国を去っている。

ドナルド・トランプがアメリカの大統領となり、EUからのイギリスの離脱が現実のものとなった。排他的な政治が主流となりつつあり、EUの国境には有刺鉄線の柵が、アメリカには「巨大な壁」が設置されるとともにナショナリズムと移民排斥が台頭してきている。フランスやオランダ、さらにはドイツにおいても右翼政党への支持が高まり、欧州の統合が危ぶまれている。難民の負担も公平に分配されていない。ウクライナの紛争［二〇一四年］やクリミア併合により、ロシアが再びヨーロッパにとって真の脅威となったと感じられるようになった。EUは崩壊の危機に瀕しているかのようであり、加盟国はたった一つの切迫した課題でさえ合意し立ち向かえないでいる。私たちは混乱を目の当たりにし不安を抱いているが、全体像を把握しているわけではない。変化は多岐にわたり、しかも速いスピードで進んでいる。昨日までの説明はもはや通用しない。

ほんの数年前までヨーロッパはまったく異なる場所だった。現在まで持ち越している問題はあったとしても、印象は今と違って活力ある雰囲気に包まれていた。新たな国々がEUへの加盟を希望していたし、ウクライナを少なくとも貿易の対象に加えたいと考えていた。EUは依然として平和と安全を約束し、誰もが目指すべき価値観とより良い生活への可能性が漂っていた。

私の住む地域では、あるレベルではヨーロッパの基準や期待に合わせ、見習おうとしていた。しかしながら、私たちは民族と宗教に基づいた集団的アイデンティティという心理的な防衛システムも同時に作り上げていた。新しい状況に立ち向かうにはこれ以上のものはなかったのだ。民族のアイデンティティという概念には、EU内での自分たちの立場からくる不満、グローバル化に対する恐れ、より困窮する新たな犠牲者として出現した、私たちの身代わりである移民への恐怖など、EUに対するすべての失望が集約されている。

私たちは、ジグムント・バウマンによる「レトロトピア」と非常によく似たものを生み出してしまった。レトロトピアの主な特徴は「同族主義をモデルにしたコミュニティの復権」[1]である。私たちは記憶するよりも想像することで以前の状態へと立ち返ったのだ。今日西欧の多くの人がそうであるように。ノスタルジア？　そうなのかもしれない。もし懐旧の情が理解し難い現実に直面したときに、過去に戻ることで防衛装置を確立するための有効な手段となるならば。だがそれだけにはとどまらない。これは復古的で反近代的なタイプのノスタルジアであって、ユーゴスラヴィア紛争でピークを迎え、現在ではヨーロッパ中、そして世界中の有権者を魅了している民族主義の復活なのである。

問題は、民族のアイデンティティの概念がまったく時代にそぐわない点だ。アイデンティティ

(1) ジグムント・バウマン『退行の時代を生きる　人々はなぜレトロトピアに魅せられるのか』伊藤茂訳、青土社、二〇一八年、一七頁。

ティは強固で不変だと考えられていたからこそ、安定性があって着実な、堅固な拠り所だ思われていた。しかしながら民族のアイデンティティは実際のところそうではない。現在の人類学ではアイデンティティとは歴史や神話、民話や本当に存在するのかも分からない王たち、さらにはごく最近になって考案されたシンボルなど、ありとあらゆる材料を組み合わせて作られた構築物だと定義されている。新しく誕生したクロアチアが国旗や国歌、ユニフォームや名誉勲章まで、基本的なシンボルをすべて創り出さなければならなかったのも一例である。

他の東欧諸国と同様、連邦国家であった旧ユーゴスラヴィアにおいても民族のアイデンティティを決定する要素の一つは、ローマ・カトリック、正教、そしてイスラムといった宗教だった。宗教活動は禁止されていたわけではないが、国民の大半は（わかりやすい理由で）遵守していなかった。それでも諸民族の文化、慣習や価値観、神話や民話から宗教は消滅してはいなかった。あるいは別の言い方をすれば、宗教は共産主義者のプロパガンダによって根絶されたのではなく、身を潜めていたのである。それがユーゴスラヴィア紛争の直前から終結までの間に再び姿を現し、地位を取り戻したに過ぎない。突如文化や民族への帰属意識が宗教に結びつけられ、また宗教によってアイデンティティが決定された。特定の宗教を信じていようがいまいが関係なかったが、一連の紛争下ではそのような「微妙な差異」は認められはしない。クロアチア人は言ってみればカトリック教徒を意味し、セルビア人であれば正教徒を意味するのだ。

当然ながら、一九九一年から一九九五年にかけて旧ユーゴスラヴィアで起きた紛争に触れないわけにはいかない。一連の紛争は当時の一般的なイメージとは異なり、他の国で見られた平和的な統合と移行のプロセスとはまったく対照的であった。当時の状況を理解している西欧の人間は皆無であり、残念ながらそれは現在も変わっていない。しかもユーゴスラヴィアは、ソ連圏と比較しても共産主義国の中では最も豊かで自由な国だった。紛争は単にバルカン半島の好戦的な民族間で起こった憎悪の爆発だったのだろうか。実際まとまった説明がないなかで、多くの人が「何百年にもわたる憎しみ」というバルカンの古い決まり文句を受け入れようとしていた。ところが鍵はすぐそこにあった。つまりユーゴスラヴィアがソ連圏に属さなかったという事実こそが、数々の争いの土台となったのである。ユーゴスラヴィアは独自の社会主義を展開していたため、独裁政治に対する抵抗力がチェコスロヴァキアやポーランドに比べて弱かった。ユーゴスラヴィアにはヴァーツラフ・ハヴェルも、アダム・ミフニクも、レフ・ヴァウェンサ［ワレサ］もいなかった。共産主義の支配下では民主的な反対勢力は存在しなかったし、ナショナリズムの高まりにも抵抗なかったのだ。

ユーゴスラヴィア連邦に緊張をもたらし、反対勢力を形成する政治的・経済的な理由は確かに多く存在したが、政治的に組織されていたのは民族主義者以外にはおらず、戦争という代償を払ってでも政治権力を握ろうとする者は他にいなかった。民族主義的な指導者はスロボダン・ミロシェヴィッチ、ラドヴァン・カラジッチ、ヴォイスラヴ・シェシェリ、フラニョ・トゥジマン、アリヤ・イゼトベゴヴィッチ。セルビアが最初にクロアチアを、続いてボスニアを攻撃したし、コソボ情勢はいまだ不安定で完全には解決されていない。しかし重要なのは、およそ二〇年の歳月と、一五万人の犠牲者を経て独立した国民国家がEUの目前に立っていたということだ。そして「バルカンのパラドックス」としか言いようのない逆転現象のなかで、旧ユーゴ諸国は獲得したばかりの主権を放棄する覚悟を持って別の連合に加ろうとしている。旧ユーゴスラヴィアの紛争から何か学べるとすれば、過去に遡るのはいつでも可能だという点であろう。

一連の紛争は民族主義的なプロパガンダによって引き起こされた。そのプロパガンダでは民族と宗教を結びつけ、また逆に宗教と民族を同一視することが主たる戦略であった。紛争以前のプロパガンダでは、民族と宗教は「敵」を明らかにし見分ける手段となっていた。加えてそれは排除の手段でもあった。何十年のも間宗教が力を失ったとみなされていた文化の中で、民族への帰属意識と融合した宗教が突如として生死に関わる問題となったのである。カトリック教徒のクロアチア人対正教徒のセルビア人、正教徒のセルビア人対ムスリムのボスニア人といったように。

「民族を宗教に還元する」というアイデンティティの政治的への利用は、今日ヨーロッパの他の地域で起きている出来事の先駆けとなった。つまり現在の移民や難民も同様、もはや個人であることは許されないし、国家や民族の一員ですらない。移民や難民は宗教的なアイデンティティへと単純化されているのである。

アイデンティティを流動的で多層的な、強固な概念として定義付ける行為は、私たち全員、そして何より移民にとって深い意味を持つ。信者であるかどうかにかかわらず、すべての移民をイスラム教という一つの属性に還元してしまえば、イスラム教徒全員がテロの容疑者となりかねない。個々の人間を本人の（主張する）宗教的アイデンティティへと引き戻す行為は、何もヨーロッパに限ったことではない。トランプの「ムスリム・バン」（イスラム教徒の入国禁止令）は同種類の考え方による所産である。

しかし私たち東欧人も同様に、最小公倍数に還元されている点は忘れがちだ。それは自分たちが望んでもいなかった、再び現われるとは想像もできなかったヨーロッパの醜い顔に他ならない。

## ヨーロッパのフードアパルトヘイト

### すべての胃袋は同じにあらず?

ある日の朝食時、黒パンを切りバターを塗っていると、一九五〇年代の旧ユーゴスラヴィアの古いキッチンにタイムスリップした。食べていたのは子ども時代とまったく同じ、バターを塗り、スプーン一杯のジャムを乗せた一切れの黒パン。当時パンといえば、黒パン、穀物パン、白パンの三種類以外はあまり食べられなかった。高級なコーンフレークも、クロワッサンやデニッシュ・ペストリーもなかった。家庭では大麦やチコリが原料のコーヒー(ミルク入り)や、いわゆるロシア風の紅茶を飲んでいた。一九六〇年代半ばにイタリアの親戚を訪ねたとき、ヌテラというチョコレートスプレッドを初めて食べてみたのだが、それまで味わったことのない美味しさだった。朝食のヌテラはこれ以上ないご馳走だった。

だから、ブラチスラヴァの友人マルタが六歳の孫のトマシュを連れてウィーンに遊びに来たときも、朝食にヌテラを出してあげたのだ。トマシュはチョコレートを指に、ほんのちょっぴり鼻にも付け大喜びで食べていた。

すると突然トマシュは言った。「おばあちゃん、どうしてウィーンで食べるチョコレートは、お家のものよりも美味しいの?」

意外にも、マルタは頷いた。

「その通りね」、とマルタは言った。「ここでは色々な食べ物が美味しく感じられるわ。見た目は同じでも、こちらのほうが『良いもの』だから。お家で食べるのとは同じではないのよ。ここのスーパーマーケットで売っているイチゴのヨーグルトを見てごらんなさい。お家で買う同じブランドのヨーグルトよりも、イチゴがたくさん入っているんじゃないかしら」

でも瓶はまったく一緒なのにヨーグルトが違うわけがない、とトマシュは抗議した。好奇心旺盛な男の子トマシュは、味の違いを感じながらもEUの食品生産や流通について何も知らなかったのだからもっともな質問だ。

このやりとりは、最近話題になっている東欧と西欧の食品の違いをめぐる論争の核心に迫るものだった。ラベルは同じでも、中身が違うのである! 大した違いではないのだけれど。

このヨーグルトはウィーンの方が四〇%も多くイチゴが含まれているわ、とマルタが言い添える。

本当に? 今度は私が驚く番だ。思い込みじゃないの?

でもね、中身の違いは今に始まったことではないのよ。私たちスロヴァキア人、特にブラチスラヴァの人間は、買い物のために三〇キロから四〇キロ離れた近隣の町へ国境を越えているわ。値段だけではなく味の違いもあるから。皆商品が同じではないと感じていたのだけれど、今では違うという証拠があるのよ。例えばイグロ社のフィッシュスティック。トマシュの大好物の一つで実は夕食にと出そうと思っていたのだけど。ウィーンで買えば含まれている魚の量が多いのよ。もちろんネスカフェやコカ・コーラ、ミルカのチョコレートみたいに味もずっといいのよ。

このリストに終わりはあるのだろうか。

消費者保護団体や地元メディアに苦情が寄せられると、様々な団体が製品を比較し、相当数の違いを指摘した。スロヴァキアだけでなく他の東欧諸国においても同じだった。やっと西側の人々と同じものが手に入ったと思った矢先である。八九年以降アパートの近くに初めてできた大型のスーパーマーケットを共に訪れ、並んでいる商品を見て信じられないような気持ちになったのを思い出してほしい。

早起きしなければパンは手に入らない、野菜はキャベツとじゃがいもだけ、といったうら寂しい近所の小店と比べると、西側のスーパーマーケットは確かに大きな感動を与えてくれた。しかしスロヴァキアはまだしも、ポーランドとブルガリアははるかにひどい状況だった。一九八〇年代後半のソフィアでは、ピクルスの瓶とシロップ煮の缶詰しか並んでいなかったし、牛乳も簡単には手に入らなかった。一九九〇年代初頭にブカレストで最初の民営のスーパーマーケットが開店したとき、私は人々が棚を眺めながら歩き、商品に感嘆の声を上げているのをテレビで観ていた。しかしそんな時代はとっくに終わったのだ。今やどの村でもスーパーマーケットがあって、チーズやサラミ、チョコレートや乳製品、魚やパックされた上質な野菜など外国製品であふれている。これこそが人々が共産主義を嫌った最大の理由を明らかにする、消費者天国の光景ではないのか。当時、輸入品は資本主義経済への移行がうまくいったという象徴的な証の一つだった。ＥＵに加盟したとき、私たちはＥＵがすべての市民が平等に自由を享受する権利を持つ共同体だと信じていたし、コーラとヌテラが同じ品質でないなどとは思いもしなかった。そんな高級食品を買うお金がないという事実は、少なくとも当時はあまり重要ではなかった。

誰かがコカ・コーラはスロヴェニアの方が甘いと言っていた。試しに飲んでみると本当にそうだった。会社に騙されているのだろうか、と思いはしたが妄想だと片付けてしまった。誰かが外国からコーラを持ち帰ったときには、ボトルや缶を集めて飾りにしていたものだった。憧れのコカ・コーラがなぜ私たちを騙すのだろう。ネスカフェもどういうわけかウィーンの方が美味しかったのだけれど、街のバロック様式の美しさからくる副作用だったのかもしれない。

私が夏を過ごすクロアチアの小さな町の美容師は、品質の違いを教えてくれようとした。美容師は月に一度、車を走らせイタリア国境を越えてすぐのスーパーマーケットへ大量の買い出しに行くのだそうだ。そのスーパーの方が安い商品が多いのだが、節約のために行くのではないという。品質の違いの話なのだと説明していた。だからね、私はトマトの缶詰や、冷凍食品からコーラまで何でも買って来るのよ。でも本当の目的はアリエールとペルシル。愛用の洗剤なの。毎日タオルをたくさん洗わなくてはならないけれど、東欧産のアリエールで洗うのと、西側産のもので洗うのとでは全然違うから。

特にコメントはしなかったが、私の国の人々は自分たちが手に入れたものに決して満足することはないのだと思った。昨日まで買うものがなかったのに、今日は「品質」の違いで落胆しているのだから！　美容師や他の人たちの話を聞いていると正しいような気もしてきたが、私はどうしても否定したかった。自分たちが二流の消費者だと認めると、ジョージ・オーウェルが小説『動物農場』で描き出した「すべての動物は平等である。しかし、ある動物は、ほかのものよりももっと平等である」という状況へと向かってしまうだろう。そんな社会になってしまえば私はEUに幻滅するだろうし、自由市場経済に対しても信用を失いかねない。

二〇一三年に調査と研究の必要性を主張し、最初に行動を起こしたのはクロアチアのビリャナ・ボルザンとチェコのオルガ・セフナロヴァーの欧州議会議員の二人だった。二〇一七年にスロヴァキアの消費者協会は、ドイツ、オーストリア、チェコ、ポーランド、スロヴァキア、ハンガリー、ルーマニア、ブルガリアのEU加盟国のスーパーマーケットの食品を選んで検査した。その結果、一部の製品では微量程度、他の製品では膨大な違いが発見されるに至ったが、いずれにせよ製品はまったく同じではないとわかった。クノールのスープやイグロ社のフィッシュスティック（後者は魚肉含有量が六五％ではなく五八％だった）のように味も違えば中身も違っていたのだ。スロヴァキアの農業省は、ブラチスラヴァと国境を越えたオーストリアの二つの町で購入した二二種の同ブランドの商品を比較し、同様の結論を導き出した。うち半分は味も見た目も異なり、成分も別様だった。ブラチスラヴァで購入したドイツ製のオレンジ飲料には果汁が含まれていなかったが、オーストリアで販売されている同製品は果汁が一定量入っていた、などである。

他の国が検査に追随すると、ほぼ同じ違いが発見された。ハンガリーの食品安全局が同国とオーストリアで販売されている二四種の製品を調査したときは、国内版のマンナーのウエハースはサクサクとした食感が少なく（しかしウエハースの歯応ごたえは同社が提供する最も重要な「成分」である！）、ヌテラはオーストリアの製品よりもクリーミーではない事実が判明した。

小さなトマシュは正しかったのだ。

ポーランドにおいてはライプニッツ社のビスケットにはバターが五%、パーム油が一部含まれているが、一方同社の本拠地であるドイツで販売されている同じ商品はバターが一二%で、バターの代用品である安価なパーム油は含まれていない。スロヴェニアの消費者団体が同国とオーストリアで販売されている三二種の製品を調査し、品質に差がある一〇製品を特定した。要するに粗悪品は西欧諸国ではなく、いつも東欧諸国で並べられていたのである。

スロヴェニアのミルカ・チョコレートは同等品ではあるが、オーストリアのミルカにはない添加物が含まれていた。しかしながら含有添加物を知るにはわざわざ食品成分表を読まなければならず、目を通す人は極めて少ない。何も隠蔽されていないとは言え、誰が小さなラベルを読むというのだろうか。

私のとっておきはコタニの胡椒に関する発見だ。冗談だと受け取られるかもしれないが、胡椒だってどこも同じというわけではない。コタニの胡椒はすべて同じ工場で梱包されているため、まさか成分が違うだなんて思いもよらないだろう。ところが案の定中身は国によって違っており、スロヴァキアやハンガリー(オーストリアも!)の胡椒は本来の製品より湿気っていたのである。ブルガリアの胡椒は粉砕された種が多く入っていたし、パプリカはオーストリア市場向けのパッケージでは一キロあたり赤唐辛子エキスが一四〇グラムも含まれているのに対し、一〇八・九グラムしか含まれていなかった。

コカ・コーラやネスカフェ・ゴールドも違っているが、少なくともネスカフェは「(中略)ヨーロッパの各市場では、市場ごとに異なる消費者の好みに応じてレシピが異なっております」と違いを認めている。

一連の調査や食品に関する話題の中で、チェコの人々がクロアチアの美容師の主張する液体洗剤（後者の場合は粉末洗剤）を忘れていなかったのは喜ばしかった。ここで「当社の粉末洗剤の洗浄力が弱いのは、チェコの人々が洗濯機に洗剤を入れ過ぎるからです」という生産者から得た説明に触れておく。


分析結果はメディアで大きな反響を呼んだものの、専門家のなかには検査された製品のサンプル数が少なすぎるうえ、発見された違いも微量過ぎると考える者もいたようだ。とは言えドイツの大手日刊紙『フランクフルター・アルゲマイネ・ツァイトゥング』は、「東欧の人々に豚の餌？」というトップ記事を掲載し、検査結果を著しく問題視した[1]。東欧を「ヨーロッパのゴミ箱」というように報道したメディアもあり、食糧事情を表現するには想像力を欠くことはなかった。

もちろん該当企業は弁明せねばならず、もっともらしい説明をしようとした。端的に言えば「現地の好みの味、好物に合わせている」に帰着していた。イギリスに拠点を置くイグロ・フィッシュスティックのメーカーは、オーストリアとスロヴァキア、チェコ、ハンガリーでは製品は同じではなく、地域の嗜好に合わせて作っていると述べている。こうなるとスロヴァキア人、チェコ人、ハンガリー人、ポーランド人、クロアチア人、あるいはEUとなったポスト共産主義圏全体の味覚が悪いということを仄めかせ、傷口に塩を塗ることになりかねない。

では生産者は何と言えばいいのだろう。このような事態を招いた理由を、東欧市場の資金不足と競争力のなさに求めるのは確実に違う。生産者は食品価格を抑えつつ利益を上げるためにときに最も高価な原材料の量を減らす。結局のところ、東欧の消費者は西欧よりも収入が低いため、入手できる食品は人々の購買力の差を反映しているのだ。欧州労働組合研究所の報告書によると、ポーランド、ハンガリー、チェコとドイツの二〇一八年の賃金格差は、一〇年前よりも拡大していた。つまりポーランド人、ハンガリー人、チェコ人はスーパーマーケットでヌテラなどに支払える金額が少ないため、生産者は購買する人々の嗜好でなく財力に適合させているだけ、というわけである。ところが味覚の話をした方が聞こえはいい。現実には生産者は地理的、政治的なことで選択をしているわけではないだろう。ポスト共産主義の国であるとか、移行期であるといった事情には無関心で、利益しか考えていない。フィッシュスティックの価格が高ければ誰も買わなくなるだろう。解決策は魚肉を減らすこと。そのため含有量の違う内容物を包装したり、缶詰にしたり、パックしたりして、同じ商品名を恭しく付け、疑う余地なく中身がまったく同じであると印象付けるのだ。

法律に反することを何一つしていないという事実があっても、生産者が信頼を失う理由はここにある。成分が表示されている限り、EUではこの行為は合法だ。中身を変える行為の倫理性はまた別問題なのである。チェコの国家農業・食品検査庁が行った二〇一八年の世論調査によると、チェコ人の八八％がチェコ市場と東欧市場向けの食品の違いを懸念しており、七七％

---

（1）Geinitz, Chrustian. "Schweinefutter für Osteuropäer?" *Frankfurter Allgemeine Zeitung* 3 Mar. 2017. 17 Sep. 2011 https://www.faz.net/aktuell/wirtschaft/oestliche-eu-laender-kritisieren-schlechte-lebensmittel-14908021.html (3 Jul. 2022).

が成分の違いは地域の嗜好に基づくものだという主張を否定している。被害者の目には、成分の違いは市場経済の利益追求の論理の結果としてのみ映るのではない。生産者が食品をそれぞれの味覚に合わせていると主張するのは屈辱的であるし、東欧の人々を二流の市民とみなしていることを意味する。もしメーカーが自らの決断を市場の資金不足に関連付けて説明するならば、東欧市民がより良い商品を得るに値しない、得られる品なら何にでも満足すべきだと考えている、ということになる。西欧の企業は、東欧市民が長年にわたって奪われ続けてきた、西欧のあらゆる物への渇望を悪用してきたのだ。

東欧の政治家が食品の問題を取り上げるまでにそう時間はかからなかった。「旧来」のヨーロッパが東欧の新加盟国に対して行ってきた不正に対して激しい抗議が起こると、ブリュッセルの欧州委員会との会合が開かれ、断固たる措置が求められた。チェコ人で司法および消費者・男女平等担当であるベラ・ヨウロバー欧州委員は、「加盟国内において同じブランドの食品が二重に品質表示されている問題は、消費者に誤解を与え、容認し得るものではなく、不公平です。二重品質問題を阻止するため、私は最善を尽くす所存です」と発言している。ハンガリーのオルバーン・ヴィクトル首相はこのフードスキャンダルを非倫理的だとしているし、ブルガリアのボイコ・ボリソフ首相は「フードアパルトヘイト」とまで言ってのけた。

資本主義の生産理論が政治問題と化した。食品の質における不平等は、反ＥＵ感情を煽るチャンスだと考えた東欧の指導者たちの民族主義的なポピュリズムの格好の土台となった。食べ物ほど怒りや誇りを与えてくれるものはない。ハンガリー、ポーランド、チェコ、スロバキアの政治同盟であるヴィシェグラード・グループ（Ｖ４）[2]は、最大の民族主義者にブリーフィングを行った。食品の検査結果と世論調査を利用してブリュッセルに公正さを求め、EUのエリート層から自分たちの利益を守っているのだと有権者に示したのだった。

食品スキャンダルは、EUへの帰属意識が市民の胃袋から始まることを呈している。さらにEUの一体感の強さは、食品の品質の水準を指標とすることができそうだ。欧州委員会のジャン＝クロード・ユンケル委員長は事情を十分に理解していたのか、EUに当問題に対処するための法整備が必要であると考えていたようだ。二〇一七年の一般教書演説で、「ヨーロッパの一部の地域において、パッケージやブランドが同じであるにもかかわらず、他の国よりも低品質の食品が販売される事実を認めるつもりはありません。スロヴァキアの人々が魚の含有量が少ないフィッシュフィンガーに、ハンガリーの人々が肉の量が少ない食品に、チェコの人々がカカオの量の少ないチョコレートに相応しいはずはないのですから」と述べている。

一年後、欧州委員会は中東欧の加盟国からの苦情や圧力を受け、連合全体で二重品質の食品を禁止すると発表した。

「フードアパルトヘイト」は不平等についての苦い教訓となり、利益の追求という目先の経済的合理性を超え政治的な意味合いをも含むようになった。ところが私たち東欧人自身による行いも良くなるどころか悪くなる一方で、利益のために不正行為をしている。東欧はサルモネ

---

（2）地域協力の枠組みを作ることで、EUにおける中東欧の発言力強化を目指している。

ラ菌に感染した卵、古い冷凍肉、何年も前のリンゴ、低品質の中国産蜂蜜などの粗悪な食品に「偽装の食品表示」を付けて輸入している。国内で生産されている少量の食品はあまりに高すぎる。こちらは東西ではなく、持てる者と持たざる者の間の分裂である。慰めになるかどうかはわからないが、貧富の差はかつて二つに分かれていたヨーロッパの間にある境界線の両側に存在している。

東欧の人々が生産販売している「ゴミ」のような食品もそうだ。騙しているのはなにも西欧の消費者だけではない。ポーランドの調査テレビ番組「スーパーバイザー」の記者によって、この手の最新の事例が明らかとなった。二〇一八年末、ポーランドの食肉処理場を舞台に、病にかかった牛の屠殺に関するドキュメンタリーが放送された。潜入した記者は当食肉処理場でおよそ三週間働いたという。ドキュメンタリーは動物を違法に屠殺しているという密告から始まる。病気の動物を秘密裏に撮影し、死体から疾患の痕跡を消す行為に対する潜入捜査を行うなど、さながら犯罪小説のような内容だ。菜食主義者のパトリック・シュシェパニャク記者は、正体を隠すために施設内の食堂で肉を食べさえした。立ち上がれない瀕死の牛はロープでトラックから引きずり出され、屠殺場に連れて行かれた。

規則に基づいて立ち会うべき獣医師は、本映像が撮影された当日の朝、違法に処理された肉が健康な牛のものだと確認する申告書に署名した。当調査の放送後当局は処理場を閉鎖したのだった。

ポーランドは肉の輸出大国であり、現に牛肉の約八五%が輸出されている。アイルランド、スペイン、イタリア、イギリス（二〇二〇年以前）、ドイツ、フランスに次ぐEU第七位の牛肉生産国なのだ。調査番組が放送され食品安全上の懸念が叫ばれると、ポーランドは当食肉処理場から九・五トンの牛肉を特定し、うち約二・五トンがエストニア、フィンランド、フランス、ハンガリー、リトアニア、ポルトガル、ルーマニア、スペイン、スウェーデン、ドイツ、スロヴァキアに輸出されたと突き止めた。少なくとも該当の肉は東欧だけで終わらなかったのだと言えよう。

ポーランド産の疑惑の肉に関するニュースがクロアチアに伝わると、同国の農業省は直ちに製品の輸入を否定した。しかしわずか数週間後には、病気の牛肉が回収される前に少なくとも五〇〇キログラムが五七ケ所のケバブスタンドに流れていたと判明した。

ポーランドで食肉処理施設が閉鎖されたのは今回が初めてではない。専門家が危機感を抱いているのは、違法な食品供給の流れが非常によく組織されている為である。フードチェーンの問題は、以前起きたいわゆる馬肉スキャンダルでも証明されている。二〇一三年、アイルランドの食品検査官が同国とイギリスの企業が製造し、イギリスの複数のスーパーマーケットチェーンが販売した冷凍ビーフパティから馬肉を発見した。冷凍ビーフパティに馬のＤＮＡが検出されると、ヨーロッパの多くの企業が販売を取りやめた。該当の馬がルーマニアで屠殺され、牛肉として輸出されたと判明するまでにはかなりの時間と労力を要した。肉はまずオランダの食品業者に、続いてキプロスの業者に、それからＥＵ内の様々なハンバーガー生産者に販売されていたのだ。

馬肉食は至って健康的であるし、ウィーンでもザグレブでも馬肉のステーキやソーセージ、ひき肉を販売している店を私は一店舗は知っている。そうはいっても自分が食べているものが何からできているのかを把握するのは至極当然であるはずだ。自分のお金で何を買おうとしているのかを知るのは消費者の権利なのだから。イギリスやアイルランドの多くの人々にも当てはまるが、馬肉を食べないのは文化的な理由からなのであろう。意に介さない人もいるかもしれない。しかし食品が何からできているのかがわかりさえすれば、判断可能だということが重要なのである。さもなくば、次に何が起こるかを問わなければならない。未申告の犬や猫の肉かもしれないのだ。でもなぜ？　繰り返しになるが、病気の牛の肉や馬肉とまったく同じ理由である。はるかに安いからだ。

結局牛肉として申告された該当の馬肉は、食の安全のためではなく食品偽装の問題であると認定された。ごまかしや不正行為、虚偽申告などは定期的に突として発見されはしても、東欧の食品業界では日常的に行われている。しかし大々的に報道された数件の事例は、新たな規制を必要としない例外的な事件であると片付けられてしまうのが現実である。しばらくすればかくの如き問題は忘れ去られ、数人が職を失って物事は「正常」に戻る。サプライチェーンに関わる工場や生産者は、状況が許すからこそ犯罪行為を行っているのである。現状が続く限り犯罪行為は繰り返されるより他はない。一連の負の連鎖こそ、実は一番心配すべきなのだ。繰り返しになるが、食の安全性の問題は民族主義的なポピュリズムの土台となるだけでなく、別の政治的な意味をも孕んでいる。つまり獣医による管理や検査から、各省庁や司法制度、選挙で選ばれた政府自体まで人々の不信感が波及するのである。

結局、食というのは人間にとってさまざまな意味で価値があるのだ。それがプライドと混ざれば、政治的にも混乱を招きかねない破壊的な組み合わせとなり得る。

# ウクライナの不機嫌な女の子

## 人は何を見て、何を見落とすのか

二〇一四年五月、初めてキーウを訪れた。ウクライナは東欧出身者でも度々訪れるような場所ではない。どういうわけか東側の人間は東に惹かれないのだ。西に行けるのであればなおさらのこと。ところが二〇一四年の冬から春にかけて、ほとんど知られていなかったウクライナがヨーロッパで最も重要な国となったのである。

親欧州主義の政策をめぐる衝突が終わってすぐの訪問だった。中央広場のマイダン・ネザレジノスチ（独立広場）はさながら戦場のようで、広大な敷地にはゴミ、バリケードや土嚢、急拵えの焚き火の残骸が散乱し、迷彩服姿の人が集まっていた。キーウ市当局はマイダン・ネザレジノスチの処遇に頭を悩ませていた。とりわけホテル・ウクライナ付近の路地は、スナイパーの狙撃で百人以上もの死者を出した追悼の場所でもあったからだ。広場を一掃してしまえばユーロマイダン革命や、ヨーロッパの名の下権力者に対して蜂起した記憶を消し去ろうとしていると解釈されかねない。だがマイダン・ネザレジノスチは市内最大の広場でもあるため、荒果てた状態のまま放置するわけにもいかなかった。

国際会議「ウクライナ：共に考える」に参加し、キーウ・モヒーラ大学の校舎で学生と話をした。若く好奇心旺盛で楽観的な学生たちは、自分たちがヨーロッパ人であることに何の疑問も抱いていないようだった。ベルリンやミラノの学生と同じに見えたし、皆英語を話し、国外への旅行も経験していた。何人かに話を聞いていると、一九八九年以前の旧共産主義国の人間である自分たちが抱いていた期待を彷彿とさせた。かつて私たちは「ヨーロッパへの帰還」を果たしさえすれば、独裁政権から牛乳やトイレットペーパーの不足に至るまで、すべての問題が解決するのだと思っていたのだった。まるでヨーロッパへの帰還は地理的な問題に過ぎないのだとでも言わんばかりに。同年初頭に起きたユーロマイダン蜂起の際、EU内で反政府勢力を正式に支援するか否かという議論が交わされていたが、学生たちは自分たちとウクライナが依然としてヨーロッパの一部だと考えていたために悲観はしなかった。EU全体の命運をかけた戦いがウクライナで決まると信じる学生たちの姿は感動的ですらあった。

だが、学生たちは正しいのかもしれない。皆が生きている間にウクライナがEUに加盟する可能性だってある。[1] EUがまだ存在していればの話ではあるが。

一年後の、二度目の訪問のときにはマイダンは片付けられていた。三度目以降の訪問ではこの大都会も次第におなじみとなり、ベーカリーに並ぶ数々のパンや、行き交う車の車種、ストリートファッション、お店やレストランなど日常生活を観察して回った。キーウのブックフェアにゲストとして参加したときには、日曜日の朝に旧アルセナールビルの前にある通りに長蛇の列ができているのを見て心温まる思いがした。一歩足を踏み入れれば中庭には若い親子連れが遊んでいて、フィンガーフードの屋台やバンドによる生演奏などさながらピクニックのような光景が広がっていた。そこで私は、作家で編集者のオクサーナ・フォロスティナにウクライナ語に翻訳中である自著の最新作の表紙について相談した。オクサーナは、最近特に話題になっているという写真を見せてくれた。ノートパソコンの画面に写真が映されるやいなや、これだ、これこそ表紙にしたい写真だ！と思った。

一九六八年、晴天の日に撮影されたリヴィウのメーデー祭の写真で、褪色、あるいは露出オーバーのように色褪せており、鮮明な前景とぼけた背景の差が特徴的だ。[2]

前景は強い日差しで照らされ、人々の行き交う通りを見下ろす芝生の上に一人の女の子が立っている。木が隣にあるところをみると、公園なのかもしれない。八歳くらいの女の子で、水色のシンプルなワンピースに白のベストを羽織っている。ワンピースは手作りでよそ行き用の服らしく、コットンのタイツを合わせている。まったくサイズの合わないタイツで、膝にも足首もシワが寄っている。ウエスト部分のゴムが悪いのか、ずり落ちているのだろう。小さな靴は真っ白で、祝祭日のような特別な日にしか履いてなさそうだ。背景には立派な建物があって、ファサードには赤旗、共産党指導者の四枚の拡大写真、そしてスローガンが書かれた赤い

---

（1）二〇二二年六月、ウクライナは加盟候補国に承認された。だがEU加盟には政治、経済、法律の面でなどさまざまな条件が課されている。本書でたびたび登場する東欧の汚職問題の解決をはじめ、民主主義や人権などに対するEUの基本価値を満たす必要がある。さらにウクライナは一人当たりのGDPがEU加盟国よりはるかに低く、現時点では加盟実現までに時間がかかりそうだ。

（2）言及されているFacebookのページ。話題となった女の子の写真とコメントが掲載されている。Музей історії фотографії у Львові, <https://www.facebook.com/photomuseum.lviv.ua/photos/5124265657906l3> (18 Nov. 2022).

垂れ幕が飾られている。共産主義時代に生まれた人間であれば、どんな公休日にも見られる典型的な装飾であるとすぐにわかるだろう。あの時代、五月一日のメーデーは国の祝日として祝われていた。計画経済がもたらした驚異的な生産実績、労働者の共産党に対する揺るぎない支持に関する演説から政治指導者への賛辞まで、大々的なプロパガンダのチャンスであったのだ。女の子の手に握られた風船と、髪につけた大きなリボンがいかにも祝祭の雰囲気を醸し出している。茶色の髪を耳の下まで伸ばし、前髪を作った典型的な六〇年代風のおかっぱの女の子は、カメラに向かってポーズを取るため遊びを中断されたかのようで、少し困ったような表情で佇んでいる。見る者の視線を釘付けにするのは女の子の顔だ。当時二種類しかなかった国から支給される処方箋で作るメガネ。その奥にある、不機嫌そうで少し怒ったような表情。ああ、あの頃の自分に似ている。大嫌いだったリボン、もっと嫌だったメガネ、遊びに着るのは許されなかったドレス、ずり落ちてきてイライラするタイツ……。写真を見ていると、メーデーのときの自分の姿が目に浮かんでくる。クラスメートと一緒に沿道に並び、ブラスバンド、労働者、農業機械、若いスポーツ選手や兵隊のパレードに向かって手に持った小さな紙の旗を振っていた。拡声器からは同志による大袈裟なスピーチが延々と流れていた。メーデーを祝う方法は、ソ連時代のウクライナでもユーゴスラヴィアでも違いはなく、写真の女の子は、共産主義体制下で暮らす何百万人もの少女であった私たちの一人だったのかもしれない。皆、プロレタリア階級の連帯や体制への支持を日常的に示していた親によって行事に引きずり出されていたのだ。何も知らない人にとっては、女の子の表情は自分の置かれた状況に対する気まずさや苛立ち、あるいは少なくとも不快感を表しているように見える。だが彼女の表情は、体制に対する一般的な態度の象徴を表現しているという拡大解釈が可能でもある。

女の子の写真を見て、私は自分が内包している偏見に気がついた。私たちは皆、自らの経験や記憶を通して物事を見ているのだと。

これは女の子の父親が、外国から輸入した新品のカメラとカラーフィルムで誇らしげに撮った家族写真なのだろうか。当時カラー写真の撮れるフィルムカメラは極めて新しく、とりわけ東欧ではカメラ自体珍しい品だった。七〇年代の終わりになっても家族アルバムにはまだ白い縁取りの小さなモノクロ写真が挟まれていた。だが女の子の写真は家族写真ではなかったのだ。写真家イリヤ・パブリュクが撮影した街角の風景で、現在はリヴィウの写真史博物館に収蔵されている。二〇一七年に写真が博物館のウェブサイトに掲載された際には、七〇〇〇以上の「いいね！」と五〇〇〇以上の「シェア」を獲得した。掲載から数日で数百ものコメントが投稿されるに至ったが、ウクライナでは決して少なくない数である。これだけでも十分驚くべき反響だったが、女の子の写真がたとえ良い写真であったとしても、ネット上で多種多様の反応や解釈を呼び起こさなければ、今回ほど人の興味を集める現象にはならなかっただろう。写真が人によってまったく異なる意味を持つとすぐに明らかになったのである。

カメラに収められてから五〇年、おそらく偶然の産物である写真に写っている何気ない光景の何が論争を生むのだろうか。一見しただけでは部外者、別の世界や異なる過去から来た人間にはわからない。何がそんなに面白いのか。ソーシャルメディアで反響を呼んでいるのは何故なのか。投稿内容もほとんどが平凡であった。「女の子は貧しそうだし、身なりも良くない。いじめを受けていそう」、「絶対孤児！」、「孤児にしては良い格好だと思う」など。明らかに共産主義下で育った世代からの反応も多くみられた。「似たような写真を持っています！」、「私も同じ髪型でした！」、「ああ、あの膝の部分が弛むタイツだわ！」、「昔の写真を見返してみたら、自分も女の子みたいに不機嫌だったわ」。さらに「ソ連の生活はこんな感じだったのよ」、「女の子の目つきを見れば、ソ連の体制のすべてを物語っているのが一目瞭然」といった感想も投稿されていた。一連のコメントが世代、階級、あるいは歴史的な視点を持つ人と持たない人の間で類似性があるのは、経験を詰んだ観察者でなければ気づかない。しかし、コメントの微妙な違いが今重要である理由は何なのか。

　オクサーナ・フォロスティナによると、「不機嫌な女の子」の写真に大衆が反応を示した現象は、ウクライナで最も人気のある作家の一人、オクサーナ・ザブジュコ[3]の関心を引いたそうだ。二〇一七年一一月、国際放送ドイチェ・ヴェレが展開するウクライナ語のニュースサイト内にあるコラム欄で、ザブジュコは一連の投稿の分析を発表し、投稿者の反応はエッセイだけでは論じきれない背景を持ち、さまざまな角度から社会学的研究の対象にさえ値する、と述べている。ザブジュコは一連のコメントを読み、女の子の写真は「偽りのない瞬間」を的確に捉え、現在のウクライナを物語る上で重要だと感じ取った。写真に映る何気ないシーンやエピソードは、カメラで捉えるからこそ突然「物語」となる。そんな何気ない出来事、平凡なディテールが過去への扉を開いてくれるのである。だが女の子の写真が特別となったのは、異なる解釈の可能性を与え、ザブジュコの言う「集団心理」の状態が「読み取り」可能となるからに他ならない。さらに「視覚的全体主義」と呼ぶシステムの下で、人々が思い描くよう仕向けられた顔が女の子に内面化されているとも指摘している。ネット上の人々にとって最も身近な顔がテレビや映画のスターではなく政治家の顔であったからだ。現にコメントを寄せた多くの人は、写真の女の子がアルセニー・ヤツェニュク[4]やユーリヤ・ティモシェンコ[5]、あるいは現代の政治家の子ども時代に似ていると言っている。しかしザブジュコは多くの投稿者の症状が、一見するよりもはるかに深刻であるという見解を示している。最も知名度の高い人物が映画スターやテレビ司会者、芸能人ではなく政治家であるという社会では、政治やイデオロギーが内在化され、疑問視すらされない当たり前の現象となっている。つまり政治が人々の日常生活やプライベートな時間、友好関係、思い出や感情を支配している証拠なのだ。「ビッグブラザー[6]はすべての人々を監視する必要はない。林檎に巣食う虫のように、とっくに内面化されている」とザブジュコは言う。

ザブジュコはネット上のコメントにも階級差が見られるとも指摘している。閲覧者のコメントがタイツ、靴、リボンなどに関するものであれば、一見取り上げる価値のない、馬鹿らしい

(3) 一九六〇年、ウクライナ西部の都市ルーツィク生まれ。詩人、作家として活躍する一方で、ウクライナの歴史やジェンダー問題にも関心を寄せ、エッセイやノンフィクションを発表している。ソ連後のウクライナ文学の担い手として人気を博し、二〇二二年欧州委員会でEU市民でも政治家でもない人物として初めて演説を行いウクライナの現状を訴えかけた。代表作『ウクライナの性のフォールドワーク』(一九九六年)など。

(4) 一九七四年生まれ、ウクライナの政治家で第一五代首相。経済学者で弁護士でもあり、経済大臣や外務大臣、ウクライナ最高議会議長を歴任。二〇一四年にヤヌーコヴィチを政権から追いやり、人民戦線党を発足、反露・親欧米路線を推し進めた。

(5) 一九六〇年生まれ、ウクライナの政治家、実業家。オレンジ革命で台頭した第一〇代首相、第一三代首相。

(6)「Big Brother is watching you」のもじり。ビッグ・ブラザーはジョージ・オーウェル『一九八四』に登場する架空の人物。スターリンがモデルと言われ、全体主義国家「オセアニア」の独裁者。

意見だと思うかもしれない。だが女の子の写真が撮影された当時の、ウクライナが属していた旧ソビエト連邦の無階級社会における階級の実情を示唆するコメントだとしたら話は別だ。写真の女の子に対し「だらしない」、「みすぼらしい」、「貧しそう」と書き込んでいるのは、レオニード・ブレジネフのソヴィエト連邦時代のキッチュな視覚映像を伝えるロシアの映画やテレビ番組を観て育った世代の裏付けだ、とザブジュコは説明する。要するにロシアが映画・テレビ産業を通じて海外に大量に売り込んでいるイメージそのものなのである。過去二〇年間にロシア人は、ソヴィエト連邦を失われた「黄金時代」として描く「ソ連ノスタルジー」産業を大量に創り出していた。

ソ連崩壊後の新世代にとって、写真の女の子が貧困層ではなく特権階級に属す人間だと理解するのは難しいのかもしれない。靴やタイツなど、今では簡単に手に入るように見える商品でも昔は全然購入できなかった。対してソ連時代に生まれた女性に起きた記憶のフラッシュバック（ザブジュコの言う、「女の子は私だ」と思わせる作用）は、私自身も経験したように明らかに上の世代の経験である。マルセル・プルーストの、紅茶にマドレーヌを浸す「プチ・マドレーヌ効果」のように、女の子の写真は社会主義時代を生きた女性の子ども時代の記憶を呼び起こすのだ。

だがザブジュコにはもっと臆病な「第二の声」も聞こえていた。「ソ連の労働者の子ども」たちのグループである。声の主である小さな町や村の少女たちは、綿のタイツがずり落ちないように何十ものテクニックを駆使していたし、その経験で「ソ連式」の社会化という屈辱のシステムを初めて味わっていたのであろう。数十年後に写真を見た農村部のかつての少女たちは、自分の経験からすると女の子のタイツは夢のまた夢で、はるかに不恰好な旧式のタイツや靴を履かなければならなかったと述べている。地方ではタイツすらなく、最小限の物資も不足していた。

五〇年代後半にユーゴスラヴィアで育った私たちは粗末なタイツを履く必要もなかったし、当時はもっと体にフィットする新商品が出ていた。だが孤児院で暮らす同級生の中にはまだ旧式のタイツを履いている子もいて、ずり落ちないように上部をゴムバンドで結んでいたのを今でもはっきりと覚えている。

「自分の世代がなぜロシアのプロパガンダから子どもたちを守れなかったのだろう。私は戸惑うばかりだ。家族レベルでの記憶の継承という点では、プロパガンダはまったくうまくいかなかったのに」とザブジュコは綴る。そして二〇一四年の春、マイダンでの抗議行動の最中に「なぜソ連時代ついて口を閉ざしていたのですか?」と、一人の若い男性に尋ねられたと振り返り、過去に関して黙っていたのは「トラウマ的な沈黙」からであり、暴力の被害者に共通する典型的な羞恥心の症状なのだと結論づけている。今では母親や祖母となったかつての「ソヴィエトの少女たち」は、女の子の写真について意見を交わす時だけなく、子育ての場であるキッチン台でも政治に関しては沈黙してきた。自分たちの身に降りかかった、押し付けられた政治なんて忘れたほうがいい。だがもちろん「私たちが黙っている間にも、他の誰かが自分たちを代弁してくれた」のではあるが。ザブジュコの「自分の言葉で話せるようになろう」という呼びかけは、単なる意思決定の問題ではない。まず自分が一個人であるという感覚を身につけなくてはならない。同志、庶民、労働者といった集団として扱われるのに慣れた人たちにとって、自己を身につけるのは一朝一夕にはいかない。だからこそ女性が自らの屈辱やトラウマに対する気持ちを大胆に共有する行為は、たとえソーシャルメディア上であったとしても、ソ連時代の全体の沈黙よりもはるかに健全なのである。

一連の投稿で最も興味を引くのは歴史的な言及がない点で、一種の盲点とも言えよう。投稿者のほとんどは背景の建物に注目していない。リヴィウで撮影された写真であると気づいてさえいなかった。ドネツクでもレニングラードでもウラジオストクでも、閲覧者は何の違いも感じなかっただろう。ザブジュコは建築物だけでなく、背景のファサードにあるポートレートやスローガンすらも閲覧者は完全に見逃していると記している。むろん二〇歳から三〇歳の閲覧者がメーデーの祭典やパレード、あるいは共産主義時代の祝賀行事等について知らないのであれば、背景の写真や垂れ幕に注目するはずはないのは私の経験からも明らかだ。若い世代はソ連時代のプロパガンダを知らないだけなのだ。特別な日にはモスクワから遠く離れた地方に至るまで、すべての町の中心部に党執行部の同志らの写真や肖像画を飾る慣わしだったのを誰も教えはしない。ザブジュコ自身、七〇年代の政治局員の名前を今でも挙げられるほどで、「壇上にいるのは同志ブレジネフ、アンドロポフ、ゴルバチョフ、（ヴィクトル）グリシン、グロムイコの各氏である」というように幹部の名前はスピーカーから流れていた。若い閲覧者は共産主義時代の半強制的な装飾には気が付かず、別世界の、時代遅れの飾りとしてさえも心に留めなかった。あるいは「この奇妙な装飾にはどんな意味があるのだろう」という好奇心を示すこともなかった。

女の子の写真に寄せられたコメントで最も興味深いのは、写真が持つ政治的背景がまったく意識されていない点である。

だからこそ歴史が気まぐれを起こしたかのように、ソ連世代の「子どもたち」である無知な若い世代が、二〇〇四年のオレンジ革命と二〇一四年のユーロマイダン蜂起の両方で中心を担ったことは一種のパラドックスなのだ。若者が戦っているのは旧全体主義体制の残骸、古いメンタリティや価値観であるからこそ、過去を一から学び直さなければならないと私は思ったのである。

二〇〇四年の大統領選挙では、若者の票が決め手となり親ロシア派のヴィクトル・ヤヌコーヴィチに対抗して立候補した、親ヨーロッパ派のヴィクトル・ユシチェンコが優勢となった。だがヤヌコーヴィチに有利となるよう選挙結果が操作されたために政治危機が生じた。大規模な街頭抗議運動、いわゆる「オレンジ革命」が起こり、二度目の決選投票でユシチェンコが勝利するに至っている。ところが二〇一三年一一月、ヤヌコーヴィチ大統領（一時的に就任）がウクライナと欧州連合との連合協定への署名を拒否すると、反政府の街頭デモが展開された。すぐにウクライナ政府は崩壊し、ヤヌコーヴィチはロシアに逃亡した。冬の間もマイダン・ネザレジノスチを中心に市民の混乱は続いた。後に新大統領に選ばれたのは、いくぶん太ってはいるが好意的に受け入れられたチョコレート王で、地元の大富豪ペトロ・ポロシェンコであった。三ケ月にも及ぶ主要都市の広場の占拠やスナイパーによる銃撃戦や市街戦により、ほんの一瞬ウクライナはEU加盟に手が届くところまで来たかと思われた。だが二〇一四年二月二〇日にロシア軍がクリミアを併合すると、EU加盟への希望は崩れ去ってしまった。

政変とユーロマイダン革命が、海外でのウクライナ情勢の認知度を高めるための取り組みと、ウクライナ人としてのアイデンティティを構築する時期と重なったことで状況は複雑化していった。

ウクライナは地理的な国境も定まっておらず、精神的な境界が強固にできているヨーロッパでは未だ知られていないのも事実だ。しかも政治的な意味でも、歴史物語の中においても支配的だったのは常にロシアだった。ウクライナの著名な知識人ミコラ・リアブチュク[7]は、ウクライナ人は民族的なアイデンティティを確立しておらず、他の共産主義圏よりもソヴィエト化されていたと説明する。また、西側ではウクライナの人々は「二流のロシア人」とみなされていた。リアブチュクは「天気予報がなかったらヨーロッパの地図上にウクライナは存在しない。そこはポーランドとロシアに挟まれた広大で未知の領域である。チェルノブイリ原発事故、ユリア・ティモシェンコ、ボクシングのクリチコ兄弟……。ヨーロッパは他に何をヨーロッパ的だと認めているのだろうか。一例を挙げるなら、ニコライ・ゴーゴリはロシア語で執筆しているが、ウクライナ人であることは知られているのか？　世間ではもっぱらロシアの作家としてのイメージが定着してしまっている」と述べている。

そのうえで非共産化という過去をめぐる闘いが続いている。「非共産化」という言葉は、意味するところが必ずしも一致していてはいないが、誰もが理解できる重要ワードだ。市民を信頼していない国は過去を法律で定めねばならないし、法制化のプロセスは国家によってコントロールされている。例によってウクライナの国家記憶院[8]も四法[9]を起草し、二〇一五年四月に議会で可決された。「一九一七年から一九九一年までの共産主義的全体主義体制の犯罪性質を公的に否認する」とともに、共産主義、ソビエト、そしてナチスのシンボルを違法とすると定めたのだ。一連の法律は正式な政策と化し、旧体制の痕跡を消すための国家計画となった。例えば歴史を修正する指示だけでなく、記念碑や通りの名前といった共産主義の過去の遺物を消し去る手続きなどである（特別な法律が「なくても」旧共産圏ではすでに起きていたのではあるが）。一連の新法は、かつてのナチス協力組織をウクライナ独立のための勢力として復活させるものでもあり物議を醸している[10]。

非共産化は非ロシア化と並行して行われるので、ウクライナ人口の一七・二％をも占める同国内のロシア人マイノリティと、彼らの権利、言語、文化にも影響を与えないわけにはいかない。約三〇％のウクライナ国民がロシア語を母語と宣言しているのにもかかわらず、ロシア語はウクライナの公用語としては承認されていないのはほんの一例だ[11]。

---

（7）一九五三年、ルーツィク生まれ。ウクライナのポスト共産主義時代の変容、ポストコロニアリズム、ナショナル・アイデンティティ、文化、言語政策、ロシア・ウクライナ問題など幅広く研究対象にしている。

（8）Український Інститут Національної Пам'яті　二〇〇六年、ウクライナ民族の国家的記憶の回復と保存のための中央執行機関として設立される。

（9）共産主義の過去との訣別の意思を明確に打ち出した四法は、ナチスや共産主義体制のプロパガンダ、名称、旗、記念碑や記念プレートに至るまでそのシンボルを使用禁止としている。マルクスやエンゲルス、現在のウクラナ共産党は禁止されておらず、あくまでソ連時代にウクライナを支配していた共産党政権が対象である。

（10）第二次世界大戦中にナチスに協力した勢力の末裔組織を指す。そもそもは第二次世界大戦前に発生したウクライナ・ナショナリズムの運動から始まり、その指導者ステパン・バンデラとウクライナ民族主義者組織（ＯＵＮ）がユーロマイダンあたりから再評価されるようになった。プーチンがウクライナ侵攻で主張した「ウクライナの非武装化と非ナチ化」は、ウクライナ南東部で影響力を持つ民族主義勢力やネオナチを指している。

（11）本書で指摘されているように、ロシア語はドンバスやクリミアをはじめ東部や南部でも一般的に使用されてきた言語だ。だがユーロマイダン以降ロシア語の置かれている立場は変化し続けている。ウクライナ政府による言語政策でロシア語離れが進んでいる。

編集者のフォロスティナは、ウクライナの複雑な言語事情を次のように説明している。「ディアスポラというわけではないのです。ウクライナはバルト諸国とは異なり、ロシア語話者とロシア人ディアスポラは同じではありません……。ロシア語を話す人のほとんどはウクライナ人農民の子どもや孫です。当地域ではロシア帝国の支配下であれソヴィエト時代であれ、都市化はロシア化を意味していました。大抵の農民は都市に着いた翌日にはロシア語を話し始めていました。つい二〇年前までは、キーウをはじめとする大都市でウクライナ語を話せば田舎者か二流の市民とみなされていたものですが、今でもこの手の話は珍しくはありません。社会的進出のためにロシア語に切り替えてしまったという心の傷、ウクライナ人としてのアイデンティティを恥じる気持ち、ウクライナ語に対するヘイトスピーチ等々……。長い話になりますが、民族のアイデンティティや言語が今の政治的なスタンスや忠誠心を定義しているわけではないのです」と。

問題は、継承した全体主義的な政治体制や理念を育み続けながら、いかにして共産主義の亡霊を消し去るかである。ソ連時代に製作されたモザイク画を例に、芸術の非共産化を考えてみよう。写真家のイェヴヘン・ニキフォロフは三年にわたってウクライナを巡り、一九五〇年代から一九八〇年代までのソヴィエト・モダニズムの時代に作られたモザイク画を撮影した。一〇〇〇ほどの町や村で一〇〇〇点以上のモザイクを発見したが、なかには赤旗やハンマーと鎌といった、共産主義のシンボルが微塵も描かれていないものも存在していた。ところが、モザイク画はソ連時代に作られたというだけで軽視されても仕方がないかのように感じられた。当時の美術品は良作も含めて（！）すべて悪い作品であるかのように。

ニキフォロフのフィールドワークの成果は、二〇〇枚の写真とともに『非共産化：ウクライナのソヴィエト・モザイク』として発表されている。写真集はウクライナとドイツの出版社が共同で出版した。ドイツの出版社はインタビューで「モザイク画を考察する際、モザイク自体は共産主義者が考案した手法ではないという事実を忘れてはいけません」と説明している。「元来ウクライナのモザイク画の伝統は約二〇〇〇年の歴史があり、ビザンチン建築の影響を色濃く受けています。六〇年代から七〇年代にかけてソヴィエト・モダニズムの時代に再評価を受けはしました。だからと言って今日のウクライナのアイデンティティからモザイク画を消し去るべきではないのです」と、フロマドスケ・テレビの番組で出版社は語っている。

もちろん新しく制定された法律など聞き流されるだけの僻地において、ボリシェヴィキの記念碑が復元される可能性だってないとは言えない。

粛清や脱共産化を試みているのはウクライナだけではない。ハンガリー、チェコ、ポーランド、スロヴァキア、ルーマニア、クロアチアなどの旧共産圏も同様の政策を導入してはいるが、結果は千差万別である。他の国々と同様にウクライナの歴史家の間でも公式の政策があるにもかかわらず、進め方に関しては総じて意見が一致していないようだ。「ウクライナで『粛清』が行われていない理由は至って単純です。『何を排除すべきか』という明確なヴィジョンがまだ存在しないのです」と、最近ザブジュコから便りがあった。「ロシアとの戦争はまだ終わってはいないし、過去を処理しようとしてもクレムリンの干渉（直接的、間接的を問わず）が暗い影を落としています。ウクライナの政治は、複雑な情勢下で一切が動いているようです」と。

若い世代はネザレジノスチの市街戦で、自ら歴史を創りながら身をもって学ばざるを得ない。それでも無知や無関心から中途半端な真実やイデオロギーを信じ、容易に操られてしまうよりはましだ。

リヴィウの女の子の写真は、少女たちが不恰好なメガネとタイツを身につけていた霧のかかった過去の、ほんの一瞬を捉えた最たる例なのかもしれない。だが過去を知るための情報源でもある。ザブジュコが写真に対する多種多様な反応を読み解けば、旧世代が抱く共産主義の過去を恥じ忘れたいとする願望に加え、ロシアの娯楽番組の華やかさに染まり、過去がどれほど壮絶だったかを想像できない若者への困惑や不信感がコメントで語られているとわかる。フェイスブックのコメントは、無邪気で単純、そして愚かなだけでなく、沈黙という形の抑圧がどのように作用するのかを明らかにしたのだ。

民主化されたばかりのウクライナでは、近過去は未だ微妙な問題である。事実を提示するだけでなく、その事実に対するさまざまな解釈が必要なのだ。だからこそ写真の女の子が何に対して怒っているのか、あるいはそもそも怒っているのかどうかもわからない。

# アンゲラおばさんとドナルト・トランプの会談
## アンゲラ・メルケルとオルバーン・ヴィクトルのシーソーゲーム

ドイツのアンゲラ・メルケル首相を見ていると、どうしても思い出してしまう。叔母のマリアによく似ているのだ。叔母はふくよかで少し猫背。実際の年齢よりもやや老けて見え、まったく印象には残らない。アンゲラは典型的な東欧の母親タイプで、実在するとしたら子を案じ、助け、往々にして心配そうな顔をしていそうだ。マリアもメルケルも母親ではないのにお母さんのような顔をしている。テレビでメルケルの顔を見るたび、叔母に連れられて海水浴へ出かけたり、アイスクリームを買いに行ったりした記憶が蘇るほどの親近感がわく。おかげで私は首相が好きだ。五〇年代後半、故郷クロアチアのリエカ一の高級店「ナーマ」[1]へ新しいワンピースを買うために、母と私に同行したのはマリアではなくアンゲラだったのかもしれない。一階が婦人服売り場で、女性は「同志」と呼ばれていた（この先五〇年は女性と呼ばれはしない

---

（1）NAMA（Narodni Magazin）一八七九年創業の百貨店。オーストリア・ハンガリー帝国時代にユダヤ系商人が始めた商社を起源とするデパート。

だろう！）。質素極まりない服ばかり並んでいたが、母は絶対に買おうとはしなかった。代わりにいつも仕立屋に注文していた。一方マリア叔母さんは、ナーマでの買い物に特に躊躇しなかった。正直なところ、どんなワンピースを着ても同じように見えてしまうのだ。叔母は、当時は下品でエレガントさのかけらもないと思われていたズボンは履かなかった。たぶんチトー軍に入り戦った女性が、男性物の制服を着ていたからではないかと思う。

だが私の記憶はすべて一九五四年にアンゲラ・メルケルが生まれる前の出来事である。とはいえアンゲラはいつも黒のズボンに赤、青、緑、ピンク、黄色、時にはグレーのジャケットを一種の制服のごとく羽織っている。特別な美容院に行くほどでもないシンプルな髪型にほぼノーメイク、ジュエリーはいつも宝石類を最小限身に付けるのみで、急いで出勤する朝は身支度に時間を割けないのは見てとれる。

メルケルの出で立ちは、共産主義時代の東ドイツ版『ピープル』[2]で購入したような、東ドイツの女性の一九八〇年代のワードローブそのもので特段目立つところはない。典型的な外見が権威や権力、さらに国家権力に伴う危険性を連想させないという点がアンゲラにとって重要なのだ。スーパーマーケットや仕事帰りのバスの中で会う、買い物袋を片手に帰宅する女性が取り立てて危険な存在であるはずがない。二番目の夫で科学者のヨヒアム・ザウアーと暮らすベルリンの質素なアパートの近くでアンゲラが買い物をしていてもおかしくはない。

私の叔母のような懐かしい風貌と身のこなしからは、アンゲラ・メルケルが一〇年半にわたりドイツとEUを代表する政治家であったとは想像できないだろう。だからこそ二〇一七年にマリア叔母さん、もといアンゲラおばさんが初めてアメリカ大統領ドナルト・トランプを訪問した姿は、私にとって衝撃的な出来事となったのである。

トランプの非礼ぶりは驚愕に値するものだった。トランプが会談に耐えられず、蔑みの感情を無理矢理抑えていたのは誰の目にも明らかだった。両者が同じソファに腰をかけている間、トランプはドイツの首相が疫病にでも罹っているかのごとく極力距離をとっていた。あるいはテンプリンという小さな町（東ドイツにあるメルケルの故郷）からやってきた主婦が、何かの手違いでボディーガードに通されてトランプの隣に座ってしまったかのようだった。トランプのボディランゲージには絶えず不満が滲み出ていた。度を越えて落ち着かない大統領に代わり、メルケルが当惑しているようだった。普段あまり見せないような笑顔を見せる場面もあったくらいだ。おまけに母親が英語教師で語学堪能なメルケルは、トランプに英語で話しかけようとさえした。だがうまくいかなかいようだった。マナーや外交の訓練を受けていない「自由世界のリーダー」の子どもじみた振る舞いに、メルケルは辛抱強く寛容さを保ち、石のような顔で耐えていた。

平凡で控えめでありながら、絶大な影響力と権力を持つ女性はトランプの身近にはいない。立場に関係なく、女性をまず外見で評価するのは間違いない。アメリカの女性政治家は平凡に「見えない」ように気を遣うものだが、メルケルは極めてアメリカ的でない。しかし当然なが

（2）東ドイツのファッション誌『ズィビレ』（Sibylle）を指す。西側の消費主義とは一線を画し、東ドイツや共産圏のブランドを取り上げ女性のエレガンスとファッションを奨励。文学、演劇、旅行なども取り上げる総合文化誌のようでもあった。一九五六年から一九九五年まで刊行。

ら、トランプも会談でのやりとりのどこかでメルケルが鉄の意志と決意を持ち、大義のために献身的となり、事態の流れを把握し導く能力が高いという隠し持った一面を感じたに違いない。メルケルの性格に欠点があるとすれば、どんなに頭の回転が速く知的でも、信じられないほど（時に耐えられないほど）決断が遅くなる点である。また謙虚な性格でありながらとても野心的でもある。

容姿は似ていても地方銀行の行員以上にはなれなかった私の叔母とは異なる特徴だ。

メルケルには根本的にどこかで見たことがあるような、あるいは実際に知っているかのような親しみやすさがある。いずれにせよ私たちの仲間であると感じられるのは確かなようだ。本人は決してフェミニストだとは明言していないが、メルケルの親しみやすさは東ドイツの女性たちが首相に感情移入する潜在的な理由の一つなのかもしれない。女性解放が政治制度の一部であり、西欧型のフェミニズムの必要性はないと考えられていた共産主義国で育ったからなのかもしれないが、メルケルは女性として自分たちが「不利な状況に置かれている」と言う程度には認めてはいる。(3) 西ドイツで生まれたメルケルは生後まもなく両親と一緒に東ドイツに移り住むという生い立ちを持つ。西ドイツに「戻った」のはベルリンの壁崩壊後の三五歳のとき。つまりメルケルは共産主義によって形作られた完全なるオッシ［旧東ドイツの人間］なのだ。

メルケルの外見を説明するには多くの言葉を必要としないと思うかもしれないが、実は間違っている。平凡な外見と慎ましいライフスタイルは、「私は合理的で信頼できる人物だと評価されています」という政治的メッセージでもあるからだ。東ドイツらしい容姿ではあるが、メルケルが穏やかに、そして恥ずかし気に振る舞う姿は、庶民の悩みに対する心からの関心と理解を見事に表現しており、ドイツ人がメルケルを「Mutti［ママ］」と呼ぶ理由の一つにもなっている。もちろん親しみやすさが決定的な票の獲得につながるわけではない。しかしドイツ人がメルケルを四回にもわたり当選させているのも事実である。

メルケルの政治家としてのキャリアは奇跡としか言いようがない。三五歳の無名の物理学者が科学界から政界へと転身し、わずか一〇年で再統一後のドイツの最大政党、キリスト教民主同盟（CDU）の首相に就任したのである。メルケルの分析的アプローチと組織力という武器が、後の指南役となるヘルムート・コール首相をはじめとする政治家の目にとまったのは幸運であった。だがコールが汚職事件に巻き込まれると、メルケルはブルータスのごとく真っ先に師の辞任を要求する。メルケルの行為を、コールが自分の「娘」と呼んでいた女性による反逆行為とみなしたのも無理はない。メルケルは二〇〇〇年に党首に、二〇〇五年にはドイツ初の女性首相に就任する。以来メルケルはEU最大最強の国家を率い、時としてEUの事実上のリーダーとしての役割を果たしてきた。問題児を束ねるクラスのリーダーのごとく、少年たちを優しく確かな手で導きながら、メルケルが大人だと納得させているかのように見えるシーンもあった。少年たちがメルケルを信じたのは奇跡としか言いようがない。

メルケルの衰退はその出世以上に興味深い。ドイツを金融危機から救い出し、特にギリシャをはじめとするスペイン、ポルトガル、イタリアに課された緊縮財政に反対するヨーロッパ全

（3）女性の権利向上にはずっと消極的ではあったものの、ナイジェリアの作家チママンダ・ンゴズィ・アディーチエとの対談でフェミニスト宣言。二〇二一年、在任一六年目のことである。

土の抗議活動を切り抜け、彼女の冷静で感傷的でない人柄が実証された。あとは国内での人気が高まり、輸出が増え、失業率が下がってさえいればよかったのである。二〇一六年まで、つまりメルケルの人気が少しずつ、しかし確実に落ちていくまでは。

「ムッティ」に大きな信頼が寄せられただけ失望も大きくなっていった。理性的で注意深く思いやりのある有能なリーダーが、自らの政治キャリアのみならずEUの政治情勢をも変えてしまうような決断をしてしまったのはなぜだろうか。二〇一五年、メルケルはドイツ、ひいてはEUの国境を解放し、非ヨーロッパ系の難民の急激な流入を招いている。

些細な出来事の積み重ねがメルケルの没落を招いたようだ。

今にして思えば、終焉の始まりは極めて正確に判断できる。二〇一五年九月初旬、メルケルは予告なしにベルリンにある二ケ所の難民センターを訪れた。センターでは多くの人が首相と一緒にセルフィーを撮っていた。写真に映ったメルケルも終始笑顔であった。微笑みを浮かべて写真に映るという行為も普段とは異なるため、彼女の態度が大きく変わったのだと解釈された。一連の写真でメルケルは親切で温かく友好的な人物のように見えた。だが難民訪問はまったくの気まぐれでなく、突然湧き上がった一種の意思表明であったはずだ。メルケルのような立場の政治家が自発的に行動する機会は滅多にない。センターを訪れ、微笑みながら難民との自撮りに応えたのには理由がある。つまり主たるターゲットはドイツ国民だったのだ。難民は私たちと同じ人間で、顔も名前もある個人だと印象付けることで恐怖心を払拭しようとしたのだ。難民はヨーロッパを今にも蹂躙しようと国境に列をなし、我々を脅かす闇の集団ではありません。怖がらないで我々に任せてください、というメルケルのメッセージだったのだ。多くのメディアはメルケルの行為をスタンドプレイだと捉え、難民の訪問を評価しながらも、実質的な助けにはならないため追加援助が必要だと結論づけた。しかしメディアによるメルケル批判は完全な誤りだった。メルケルの行為はスタンドプレイなどではなく、難民支援を促進させるための視察だったのだ。

一連のセルフィーがさらなる難民を招く一種の招待状となるとは、当のメルケルを含め、誰一人として知る由もなかっただろう。首相が（主に）若い男性と笑顔で写っていたのは、おそらく男性の方が数多く居合せ、女性よりも押しが強いためなのかもしれない。写真はソーシャルネットワーク上でも話題になった。国内では難民受け入れに積極的なドイツの最も強力な宣伝材料と化し、メルケルはすぐさま微笑む「ムッター」アンゲラとして知られるようになった。同月の『シュピーゲル』の表紙を飾るなどして現代のマザーテレサとして紹介されるに至っている。「ドイツに来てください、我々があなた方を引き受けます！」とは実際に口にしなかったとしても、シリア、アフガニスタン、リビア、ソマリア、パキスタンで一連のセルフィーは都合よく解釈されたのである。

歴史における偶然の一致と言えば、スマートフォンで撮影された何の変哲もない写真が有力な政治家の失脚の引き金となった点であろう。遺憾にも突飛な意見に聞こえるかもしれないが、写真が拡散したときからトルコやギリシャに押し寄せるEU域外の移民が増え、地中海を渡ってイタリアやスペインに向かうようになりメルケルの没落は始まったのである。

すぐに「侵略」と言われるようになりはしたが、当初ヨーロッパでは難民に対する溢れんばかりの共感が湧き起こっていた。ちなみにきっかけは別の写真だった。同じ運命の年、二〇一五年の九月二日トルコ南西部ボドルムの海岸に、シリアのクルド人難民アラン・クルディの遺体が打ち上げられているのが発見された。砂の上にうつ伏せで横たわる幼児の死体という心揺さぶる一枚の画像は、何百万人もの人に閲覧され、難民の運命の象徴となった。皆突然目を覚ましたかのように衣類、食料、資金、薬などを集めて仮設キャンプで配布し、手を尽くして難民支援に動き、難民自身もドイツやスウェーデンに向かう列車やバスに乗り込んでいった。歓迎ムードだという噂はスマートフォンなどを介してすぐに本国に伝わった。すぐさま大量の難民と移民（戦争から逃れるためではなく、より良い生活を求める人々）が押し寄せるようになり、EU内での管理が困難と化した。国連やEUのダブリン規約で義務付けられた登録が事実上実施不可能となり、さらなる混乱状態に陥ってしまった。規定では、亡命希望者はEU内の入国した場所で申請書が処理されるまで留まるのが理想だとされていた。登録後改めてEU加盟国に配分されるのだ。ところが地中海を渡る難民に加え数十万人がトルコを横断し、ギリシャ、北マケドニア、セルビア、クロアチア、スロヴェニア、ハンガリーを経由するいわゆるバルカン・ルートを進むようになっていた。

国境や近隣の町や村、市民公園や広場、バス停や鉄道駅、仮設キャンプなどの至る所で混乱が生じるなか、メルケルは「もし欧州が今回の難民問題で失敗すれば（中略）、我々が理想としたヨーロッパではなくなる」という有名な言葉を残している。ところが二〇一五年八月末、ブダペスト中心部の東駅が数千人の難民で溢れかえり巨大な仮設キャンプと化した際、ハンガリー警察は一週間にわたり駅を閉鎖し、難民がオーストリアやドイツ行きの列車に乗車できないようにしてしまった。メルケルが介入してはじめて難民は登録なしで移動を続ける許可が下りた。多くはドイツや北欧への渡航を希望していた。
二〇一五年末までに、一〇〇万人近くの亡命希望者が身元確認なしにドイツに入国していた。メルケルはドイツ国境を解放することで国境規則を一時的に停止し、反対する人々の怒りを買った。他のEU首脳陣に相談することなく一方的に重大な決断を下し、メルケルも傲慢極まりない振る舞いができるのだと見せつけた。しかしメルケルの善意も長くは続かなかった。EUに流入する難民が増えるにつれ、人間の洪水と化してしまった状況に対し誰も責任を負おうとしていないようだった。ドイツやスウェーデンに向かう中継国の政府は難民を次の国へ通過させるだけだった。しかもどうやって人間の洪水を終わらせるか、あるいはすでに到着している難民の処遇をどうするのかという問題に対し、EUには共通の計画がないと明らかとなった。

ハンガリーのオルバーン・ヴィクトル首相を中心にレジスタンスが始まった。オルバーンは難民を食い止めるため、セルビアとクロアチアとの国境に鉄条網のフェンスを設置した。首相の行為を不道徳だと断じる人もいた。だがオルバーンは、自らの行動を自国のキリスト教文明と文化を「イスラムの侵略者」から守るための、「敵」に対する保護政策に他ならないと断言した。またEU加盟国の中で比較的少数派とはいえ、難民を分配するクオータ制を最初に拒否したのもオルバーンだった。程なくしてポーランド、スロヴァキア、チェコも同調する。西欧諸国は理解に苦しんだ。なぜ東欧諸国は難民を拒絶するのだろうか。一九八九年の共産主義崩壊後、西側が東欧の人々に与えたような連帯感をなぜ難民に見せないのだろうかと。だが実のところ、東欧の人々は共産主義下の生活であれ、もっと前のオスマン帝国やハプスブルク帝国による占領下であれ、自らを最大の被害者だとみなしている。現実に東欧諸国は数々の占領、民族浄化、少数民族の移住、領土の大幅な損失に見舞われてきた。人々の潜在的な被害者意識が、独立し、民族的に均質な国民国家を追求する欲望に結びついているのだ。ハンガリー人は自国内のマイノリティや隣人でさえほぼ受け入れることができなかったのだから、まったく異なる文化や世界の諸地域からやってくる人々と共に暮らすなどあり得ないのであろう。[4] 移民の受け入れはハンガリーの存亡の危機を意味し、オルバーンは人々の恐怖を利用したのである。

続いて二〇一五年の大晦日、ケルンをはじめとするドイツの各都市でイスラム系移民のバックグラウンドを持つ男性によるレイプやセクシャルハラスメント事件が多発した。一連の事件は当初地元の住人による報復の懸念から、地元警察によって隠蔽されていた。だがメディアの扇情報道が過熱化すると、レイプの恐怖が野火のように大陸へと広がっていった。たちまち移民やイスラム教徒は潜在的なレイプ犯となってしまった。まさにドイツや周辺諸国の世論が動いた瞬間だった。メルケルの国境解放政策から、西洋のイスラム化に反対する欧州愛国者やドイツのための選択肢（ドイツ語の頭文字をとってAfDと呼ばれている）などの極右グループへと世論が転換し始めたのである。これらは当時は小さいながらも急成長と遂げていた運動だったが、やがて反移民を掲げる政党となった。パリ、ニース、ブリュッセルで犠牲者を出したテロ事件も、難民やフランスとベルギーの市民によるものではなかったが（ただし、犯人グループは移民の子孫だった）流れを変える一因となった。オルバーンが宣言したように、一連の暴行はヨーロッパが包囲されている「証拠」となったのである。しかしEUにたどり着いた二三〇万人の難民のうち、一体どれだけの人が真の脅威となり得るのだろうか。

なりはしない。だが、難民は存在するだけで十分な脅威だったのだ。

海、国境、キャンプで繰り広げられる難民たちの壮大な人間ドラマの裏やブリュッセルの権力の回廊での駆け引きの陰で、なぜメルケルは難民を受け入れたのか。タフで決断力があり、計算高い政治家が突然感情に屈したということなのだろうか。あるいは、結局は女性であるがゆえの「母性本能」が働いたのだろうか。またあるいは戦争や飢饉に巻き込まれた人々への苦しみに同情しての行動だったのではないか。女性として、粗末な船に乗る小さな子どもや赤ん坊の映像に圧倒されたのではないか。はたまた決断は安い労働力を必要としていたからだ、という意見まであった。ではメルケルの行動は経済原理によるものなのか、それとも人間の感情によるものなのだろうか。

メルケルの決断に、感情が決定的な役割を担ったとは想像し難いだろう。二〇一一年の福島原発事故を受けてドイツの原子力発電所を閉鎖したときのように、予期せぬ事態に対して以前のように早期の警鐘を読み取ったのだ。しかしメルケルがこの問題を調査し、専門家に意見を仰ぎ、比較検討することなしに決断を下せなかったのは明らかである。難民に国境を開放するという決断は、透明性が十分であるとは思えなかった。

メルケルを知る人によれば、国境開放の決断には二つのことが関係するらしい。第一に、メルケルの道徳感に大きな影響を与えたルター派の教育。第二に、オッシとして国境や壁、有刺

---

（4）マイノリティはロマ（特にワラキアのロマ、オラー［Oláh］）、隣人はルーマニア人だと推測される。ハンガリーは国内に少数民族を抱えておりＥＵ加盟を目指すなかで問題改善を求められていたが、ＥＵ加盟後も依然差別は続いている。

鉄線に耐えられなかった、という見解である。

多くの人々のように、メルケル自身も難民の惨状に圧倒されたに違いない。根底には困っている難民を脅威としてではなく、人間として扱うべきだというモラルがある。だが、あまりにも多くの難民が一度に流入してきてしまった。メルケルの過ちは難民を登録手続きなしに、実質的に何のコントロールもせずに受け入れてしまった点にある。EU国境での登録は多くの人員と資金、また迅速で効率的な組織を必要とするためほぼ不可能に近かったと誰かが擁護すべきだった。だが口を開く者はいなかった。すぐに規制が敷かれて加盟国は国境を大幅に封鎖し、以前は批判対象としていたオルバーンに倣って独自の鉄条網を設置する国も出た。ヨーロッパの文化を守る、というオルバーンの言葉が繰り返されたのだった。

難民を未来の労働力として受け入れるという判断は合理的であるとしても、メルケルに思いやりがなかったわけでも、感情だけで行動したわけでもなかった。メルケルはマザー・テレサとしての役割、つまり難民の母親としての役割を一年余り続けた。だが思いやりのあるリーダーとしてのイメージはそれほど長く続かず、政策の転換を余儀なくされた。特に東ドイツの人々はメルケルに対して怒りを感じていた。本質的に自分たちの仲間でありながら、同胞をほとんど気にかけなかったからである。それどころか彼女は外国人を助けるために奔走していたのだ。二〇一七年の総選挙で極右のＡｆＤが一二・六％の得票率を獲得し、その支持のほとんどが東ドイツからであったという事実からも、当地におけるメルケルの支持率の低下は明らかであろう。

メルケルは自らの立場を守るため、およそ三〇億ユーロと引き換えにヨーロッパに流入する難民の数を減らすようトルコとの交渉を取りまとめた。二〇一六年までに難民の数は二六万人に減少し、それ以降も減り続けている。バルカン・ルートは閉鎖されたのだ。メルケルは連帯感や人権といったヨーロッパの価値観を維持するのは困難で、コストもかかるという事実を受け入れなければならなかった。

ところがメルケルが政策修正に費やした努力は政権維持には十分ではなかった。四回目の首相となったのは紛れもない事実ではある。だがメルケルの中道右派の政党は、一九四九年以来最悪の結果を記録した。二〇一八年には党首の座を放棄し、二〇二一年の任期満了時には首相に再び立候補しないと発表し、政治から用心深く遠ざかっている。

では、メルケルは人々をだましていたのか。

メルケルは自分の「子どもたち」と養子にした難民との間で残酷な選択、象徴的な選択を迫られたのだ。EUによる難民の受け入れが根本的に不可能であったわけではない。すべてが唐突に、準備不足と無秩序の中で起こってしまった。政策が状況に敗北したのであり、メルケル個人が衝動的、あるいは非合理的な決断をしたわけではない。とはいえメルケルの政策がもたらした政治的帰結は、予期せぬことに大きな影響を招いたのだった。EUの東側と西側の加盟国間の亀裂が再び開いてしまったのだ。双方のアプローチの違いはさらに深まりを見せている。ナショナリズムも高まり、ブレグジットやオルバーンの「非自由主義的民主主義」をめぐる論争はさらに熱を帯びている。難民排斥、反EUの極右政党が初めて連邦議会で代表となったドイツのみならず、自由主義社会全体にも被害が及んでいる。フランスでは非常事態宣言が二年間延長され（二〇一五〜二〇一七年）、軍によるパトロールが実行されるなど、ヨーロッパ社会はますます閉鎖的になった。いわゆる難民危機がもたらした最も重要な影響は恐怖の拡散であり、ナショナリズム台頭の基盤や、ポピュリストの指導者を駆り立てる原因となってしまった。メルケルはEUを分裂させた女性として歴史に名を残すかもしれない。一人の人間がこれほどまでの重大な結果の責任を負うことは可能だろうか。一般的にはあり得ないとしても、特定の状況では明らかに責任がある。

遊び場のシーソーの片側にアンゲラ・メルケルが、もう片側にはオルバーン・ヴィクトルが座っているシーンを思い浮かべてほしい。メルケルが下がればオルバーンが上がる。二人の間には、一方が下がるともう一方が上がるという奇妙な均衡がある。二人の難民政策も同様だ。メルケルが打ち出した「門戸開放政策」に反対するリーダーとして、オルバーンにパワーバランスが傾き始めた。偶然にも難民の波は絶望にある人々を海岸に打ち上げただけでなく、新たな政治的スーパースターをも生み出したのである。

オルバーンは比較的身長が低くがっしりとしていて、腹回りの肉付きを見れば体型、ルックスともに疎かにしているとわかるが（なにしろ東欧では男性であれば十分なのだ！）、顎を上げ鋭い目つきで人を支配する術を心得ている。メルケルが主婦らしい風貌だとしたら、オルバーンは東欧のマッチョのイメージだ。努力しても服装は垢抜けず、シャツはきつそうだし、スーツも安物ではないのかもしれないがいかにも安っぽい。東欧の政治家には、今だに東側出身であるとわかる何かがある。服のサイズが合わないからなのか、外見を気にしないからなのか、それとも体格や顔つきによるものなのかは一概には言えないのだが。

オルバーンが私の叔父に似ているとは言えないが、確実に似たような男性を多く知っている。だが孔雀が羽を誇示する姿を上回る押しの強さがオルバーンにはあると認めざるを得ない。誰にも臆することがない。だからと言って単純なわけでもない。むしろ頭の回転の速さと雄弁さは、オルバーンの何よりも際立つ特徴である。彼の報道担当官や発信される資料から判断すると、信じ難いことにオルバーンは少なくとも一日一回は長い演説を行ったりインタビューを受けているようなのだ。用意周到で聴衆を飽きさせない能力は政治家として非常に大きな意味を持つ。だがオルバーンは世論を極めて巧みに操るポピュリストでもあり、権力行使のやり方はやはり権威主義者でもある。

双方のヨーロッパのリーダーに共通しているのは、共産主義の過去である。だがメルケルは宗教的な生い立ちが違う。メルケルの両親は西側で生まれはしたものの、父親は東ドイツに派遣されたルター派の牧師で、マルクスが「民衆のアヘン」と批判した宗教を原則として認めない国で教導していた。まるでメルケルは生まれながらにして異端であり、その後何をしても出自の「失敗」は埋め合わせられないかのようだ。一〇歳近く離れて生まれた二人が異なっているのは、メルケルが少女時代によく訪れていた民主的な西ドイツと密接な関係を持って育ったからである。

対照的にオルバーンは農民の出身だ。一九六三年にブダペスト近郊の村で生まれ、水道もない家で育った。普通の子どもと同じように外で自由に走り回り、サッカーをし、他の男子と喧嘩をしたりする姿を容易に想像することができる。村からの脱出を可能とするのは教育、つまりオルバーンの頭脳と野心のみ。共産主義下の社会進出には教育が大きな役割を果たしていた。

オルバーンの日和見主義が明らかとなるのは後々になってからであるが、若い頃は無神論者ではあったもののプロテスタントの改革派教会（カルヴァン派）の信徒となってカトリックの妻アニコーと再婚し、成人した子どもたちに洗礼を促すなどをしている。これは啓蒙的な親欧米派のエリートの代表から、労働者や農民の代表へと転向したときの計画的な政治的決断でもあった。敬虔に見せた方が労働者や農民の心に届くと気づいたに過ぎない。

オルバーンは八九年以降の自由民主主義学校のクラスで最高の生徒だったのか、それとも最悪の生徒だったのか。最初はトップだった。ベルリンの壁崩壊直前の一九八九年六月、オルバーンは世間の注目を浴びるようになった。一九五六年のソ連によるハンガリー占領後に処刑された元首相ナジ・イムレの再埋葬式に集まった群衆を前に、当時はまだ細身の青年であったオルバーンが演説を行っている。ソ連軍のハンガリーからの撤退と、自由選挙を果敢にも要求したのである。それまで無名だった男が西側の寵児となり、ソロス財団からオックスフォード大学入学への助成金を受け、民主化運動の活動家として一九八八年に青年民主同盟（FIDESZ）を結成したオルバーン・ヴィクトルとなった瞬間であった。この男こそが選挙に勝利する機会が現実化したとき、たった一人でFIDESZを右翼化させたのだ。

自ら掲げた「非自由民主主義」の未来の党首は、九〇年代はじめには外国のマスコミ、旧共産圏の民主主義への迅速な移行を信じる人々、アメリカの慈善家や異色な人物を好む人々に関心を持たれ、皆世界最後の目新しい有力者の一人としてハンガリーの野党リーダーを見ようとしていた。わかりやすい人物や思想を必要としていた欧米のマスコミは、すぐにオルバーンをレフ・ヴァウェンサやヴァーツラフ・ハヴェルと同じ文章に詰め込み、連帯運動の活動家や長年勤めてきたチェコの反体制派の名前を、権力を握る機会を窺う野心的な青年と同列に並べてしまった。

だが権力は人をも変える。オルバーンのケースも例にもれない。堕落を避けるためには厳格なルター派のしつけを持ち込むか、少なくとも遅れて受けた洗礼式で聖水を数滴垂らす以上の行為が必要であるようだ。

保守主義、民族主義、権威主義を混合させたオルバーンの現在の姿は、民主主義の活動家や自由や人権の伝道師としてかつて期待されていた姿とは正反対である。一方で、旧友や協力者はオルバーンの姿勢はイデオロギーなどではなく単なる日和見主義からきていると口を揃える。成り行きに合わせてその都度態度を変える人物であるという意味では、オルバーンはおおむね同地域のもう一人の人物、セルビアの政治家で戦犯の故スロボダン・ミロシェヴィッチを彷彿とさせる。ミロシェヴィッチは共産主義の指導者でありながら、政権維持のために民族主義へと転向した。そしてクロアチアやボスニアでの戦争と、旧ユーゴスラヴィアの国際戦犯法廷への道を歩んだ。理論的には民主主義を知っていても、オルバーンは共産主義の支配下で育ち、権威主義的な規範を身をもって体験しているため考え方は権威主義に最も近い。銀行やメディアを支配し司法制度の独立性を制限することで、オルバーンとその取り巻きに権力が集中するのにそう時間はかからなかった。かくしてオルバーンは、数年後にポーランドのカチンスキー兄弟のロールモデルとなったのである[5]。

難民危機はヨーロッパの舞台にのし上がる絶好の機会でもあり、オルバーンもチャンスを逃さなかった。難民のクオータ制とヨーロッパのキリスト教的価値観の擁護は、国内外において極めて核心的なテーマであると判明した。オルバーンは比喩的な意味で、可能な限りあらゆる場面で境界を押し広げたし、状況的にもさしたる抵抗もなく拡大を可能にした。まだ地獄のように暑かった二〇一五年九月のこと、トルコ、ギリシャ、北マケドニア、セルビアを超え憔悴しきった難民がハンガリー国境で足止めされた。世界中のテレビが国境に張り巡らされた鉄条網と兵士の一軍、そして背後に迫る大量の人間の姿を忘れ難い映像として伝えていた。目前の新しい現実を人々は理解しようと必死になっていた。だがショック、不信、混乱、さらにはオルバーンに対する反発が起こる。ヨーロッパでは有刺鉄線は第二次世界大戦中のナチスの強制収容所の象徴そのものなのだ。

東欧の小国の指導者が、メルケル率いるドイツの難民受け入れ政策にあえて反対した。オルバーンは難民がドイツに向かっているのを知りながら、他の政治家やメルケルを含むEU諸機関に相談することなく独断でフェンスを設置した。ブルガリアはすでにギリシャとの国境にフェンスを設置していたものの、以前は東欧の政治家たちはブリュッセルに黙って従っていただけに、オルバーンが反旗を翻した瞬間はとても印象的に映った。金と権力がどこにあるのかを熟知している東欧の政治家は、一般的に大きな決断に影響を与える立場にはなかった。だがオルバーンは、EUから罰せられる可能性はまずないと承知の上でクオータ制に反対したのである。オルバーンのような、自分自身で行動できる好戦的なタイプがいるとはEUの文書や協定、契約やプロコトルの作成者は夢にも思わなかっただろう。そしてオルバーンもEU内の混乱に乗じて好機を見出したのは明らかだった。EU加盟国間で難民をどう扱うかの合意が存在しない状況下で、チャンスを逃すなという直感が働いたのだ。フェンスを設置する活動が最初は非難されるのは分かっていた。しかしEUに何ができるのだろうか。

オルバーン側のシーソーが上昇したのは誰に目にも明らかだった。

旧共産圏と欧米諸国との連帯感の違いが膠着状態を生んだ。オルバーンは専制的政治家、そして西側の右翼政党の指導者たちがそろって自分を支持すると察知し、自らの決断を正当化した。オルバーンが自己弁護のために使った言葉は不安や心配、恐怖を煽る右翼政治に露骨に便乗し、一方で自分を救世主のように見せかけるものだった。

EUの状況と、ハンガリーにおけるオルバーンの権力基盤はまったくの別物である。二〇一七年に選挙が近づくとオルバーンは国境の蛮族から国とヨーロッパを守るためにさらなる材料を投入すると決心する。ここで再び、オルバーンとメルケルに共通するもう一つの特徴に行き着く。両者とも恩師を裏切っているのだ。メルケルはヘルムート・コールの首相選への出馬を阻止することに成功している。オルバーンもジョージ・ソロス[6]に恩を仇で返し、後の政治活動の足掛かりとなった助成金と、アメリカの大富豪で慈善家でもある人物がハンガリーに注ぎ込

(5) 一九四九年、ワルシャワ出身。二〇〇一年に兄弟で右派・国民保守系「法と正義」(PiS)を創設、二〇〇五年には議会総選挙で第一党となる。二〇〇七年、兄ヤロスラフが首相に、弟レフが大統領に就任し「双子政権」の誕生として話題を集めた。設立当初は中道的なキリスト教民主主義政党を目指したものの、右派ポピュリストへ移行。民主化から右翼化への道程はハンガリーと類似している。

(6) 一九三〇年ブダペスト生まれ。ハンガリー系ユダヤ人の投資家。第二次世界大戦のナチス占領期を生き抜き、ロンドンで経済を学んだ後アメリカで金融・投資で財を成す。思想家、慈善家としての顔も持ち、奨学金や文化財団への支援など慈善活動を開始し、中央ヨーロッパ大学を設立する。ソロスの活動には「民主的で開かれた社会を作る」という理念が根底に流れている。

んだ資金に対し、同じやり方で「報いた」のだった。

助成金をオルバーンに授与してからというもの、ソロスは民主主義の発展を促進するNGO（非政府組織）[7]に資金提供し、旧共産圏の国々に多額を投入してきた。また援助の過程で母国ハンガリーにも相当な資金を費やしている。だがオルバーンは、ハンガリーが難民を受け入れなくなれば、英雄的な防衛戦はすぐさま忘れ去られると分かっていたため、反ソロス運動を展開したのである。ソロスはイスラム系難民がEUに押し寄せる事態を招いた黒幕で、ブリュッセルと共にヨーロッパのキリスト教文化やアイデンティティを弱体化させようと画策した人物だと言われていた。もちろん、オルバーンはソロスがこの狡猾な手段を考えついた理由を、彼がユダヤ人であるという明白な事実を除いて何の説明も証拠も示さなかった。もっともオルバーンも明言したわけではない。ただ必然的に反ソロス運動には強力な反ユダヤ主義的要素が潜んでいた。反ソロスを掲げる戦術は功を奏し、オルバーンは選挙に勝利したのである。また、一九九一年よりソロスの資金援助を受けていた中央ヨーロッパ大学をハンガリーから実質的に強制退去させた。同大学はウィーンに移転している。ウィーンではオーストリアのセバスティアン・クルツ首相が率いる右翼政権の行き過ぎた行為を覆い隠すためのイチジクの葉として重宝されるかもしれない。

オルバーンは反ユダヤ主義、反EU、反難民のプロパガンダを融合し、最悪な形で一括りにしてしまった。ポーランド、チェコ、スロヴァキアのヴィシェグラード・グループの首脳が、クルツ首相、イタリアのマッテオ・サルヴィーニ内相、スウェーデンからフランスまでの右派ポピュリストのリーダーらと共にオルバーンを支持し、EUでの主張を後押しするのにつながった。

オルバーンをよく知る者は、彼が自由主義から民族主義、そしてポピュリストへとカメレオンのように変身し、大衆の人気取りで権力を掌握する能力を備えていると語る。反ユダヤ主義者でも人種差別主義者でもなく、宗教家でも保守的でもないオルバーンは、イデオロギーを自分に都合のいいように利用するだけの巧者なのだ。オルバーンは自分の政治体制を「非自由主義的民主主義」と呼んでいるが、形としては民主的であるものの権力行使の仕方は確実に非自由主義的だ。しかし、オルバーンを信じて投票する人々はどこに魅力を感じているのだろう。演説家としての能力だろうか。それとも与えられる約束なのだろうか。堂々とした人格や、まるで自分だけが最も良く知っているかのような話し方だろうか。いかにもわかりやすい。だがもっと重要な側面がある。オルバーンが「どのように」、「何を」話すのかはさほど重要ではなく、発言したという事実が重視されるようなのだ。国民である有権者は、オルバーンを自分たちがすべき行為を示し、自分たちに良い選択をわかっているリーダーだと見ている。つまりオルバーンの権威主義的な考え方が支持者の心的傾向でもあるということだ。民衆は自らの行動や利点を教えてくれる誰かを「求めて」いるのである。

現に一九八〇年以降実施された多くの研究や世論調査によると、東欧では議会制民主主義に対する国民のコミットメントが低く、関与の薄さに応じて強固なリーダーシップへの支持も強

(7) オープン・ソサエティ財団を指す。もともとはアパルトヘイト下の南アフリカで黒人の大学生に奨学金を提供しはじめてスタートし、共産主義の東欧で西側で学ぶための資金を提供するなどの慈善活動へと発展。ソロスは個人資産のうち三二〇億ドルを財団に寄付している。

いことが明らかになっている。民主的な手続きは不慣れで複雑であるし、市民は耳を傾け、考えて選択しなくてはならない。そのうえ自由には責任が伴う。もし政府が悪ければ、市民である個人が責任を負う。全体主義の長きにわたる伝統を考慮すれば、多くの人が何を選ぶべきかを教えてくれる強力なリーダーを求めるのも不思議ではない。さらに東欧における短い民主主義の経験は、汚職、不安、多くの人々の貧困化と結びついている。オルバーンは東欧の事情をよく理解している。だからこそシャツのようにイデオロギーを変え、合う、合わないにかかわらず野党、左派、ソロスの優秀な生徒、自由民主主義の模範生、ポピュリスト、右派の独裁者となることも意に介さない。

一方メルケルは、国民の母「ムッティ」から難民の母、そして今ではAfDの母と呼ばれるようになるまで長い道のりを歩んできた。だがメルケルは予期せぬ圧力に直面して抵抗を余儀なくされることはあっても、イデオロギーの変更はせず貫徹できた。メルケルとオルバーンの最も重要な違いは、両者の性格や、反全体主義を掲げて政治的キャリアをスタートさせたという事実にあるのではない。権力行使の方法にある。

二人の政治家の成功は象徴的なレベルでもつながりがあるように思われる。メルケルとその政策が輝きを失っていくなかで、オルバーンは大胆にも将来のビジョンを発表した。「一九九〇年世代がヨーロッパの政治に登場するだろう。反共産主義のキリスト教徒で、民族的な精神を持つ世代だ(中略)。三〇年前、我々の未来はヨーロッパだと考えていた。今では、我々こそがヨーロッパの未来なのである」と。

過去五年あまりの間にヨーロッパで起こった変化に、大陸の二つの地域からやってきた、まったく異なる二人のリーダーほど影響を与えた人物はいない。二人の錯綜する政治的運命は、今日のヨーロッパの二つの顔を象徴している。だが、大多数の市民が想像していたようなヨーロッパではない可能性が高い。

# 一九六八年プラハ：なぜ共産主義はウールのセーターに似ているのか

……あるいは犠牲者の追悼が不快な理由

一九六八年といえば私が一人娘を産んだ年。新生児というよりむしろ年老いたような、赤みを帯びたしわくちゃの小さな顔。それを見た瞬間が、波乱に満ちたこの年の唯一の思い出ではないものの、最も幸せなこの上なき僥倖の記憶として残っている。

その年の五月、パリの街頭では学生が車を燃やしバリケードを築いていた。反乱は大規模な暴動に発展し、警察による激しい弾圧を受け二週間ほどで鎮圧された。しかし八月二〇日の夜、共産主義下で暮らす私たちにとってははるかに悲惨で重大な出来事が起きた。ソ連率いるワルシャワ条約機構軍がチェコスロヴァキアに侵攻したのである。チェコスロヴァキアの指導者は、短命の改革を理由に「真の共産主義」に対する反逆罪に問われていた。

それから五〇年後の二〇一八年八月は、チェコとスロヴァキアにとって、共産主義後の社会でなお重荷となり続けている「正史」と個人の記憶の間にあるずれを埋める機会になると期待されていた。しかしずれをなくすためには、チェコ政府が侵攻を主導した旧ソ連の役割を明確に非難する必要がある。どうやら糾弾には時期尚早であったようで、プラハでの国を挙げた追悼式典はある種の恥辱と化してしまった。二〇一八年八月二一日、ミロシュ・ゼマン大統領は演説を一切拒否し、アンドレイ・バビシュ首相による演説は占領五〇周年を記念して首都に集まった群衆から抗議の口笛で迎えられた。チェコの公共テレビ放送は、当イベントの威厳を取り戻そうとゼマンの代わりにスロバキアのアンドレイ・キスカ首相の演説を放送するという前代未聞の決定を下した。チェコスロヴァキアが二つの国家に分かれたのはつい一九九三年のことであり、スロヴァキアも一九六八年に占領されているのだからキスカによる演説は当然だと判断したのだろう。

このひどく不名誉な出来事は他のヨーロッパの国々ではほぼ注目されず、歴史的背景を欠いた、詳細な調査による説明を加える価値のない奇妙なニュースとして受け取られた。ヨーロッパは猛烈な熱波に見舞われていたし、イスラム難民とテロへの恐怖が野火のように広がっていた。ウラジーミル・プーチンはオーストリアの外務大臣[1]の結婚式に「プライベート」で出席し、一九六八年をめぐる重要な追悼イベントはメディア的な価値がなくなってしまった。

チェコスロヴァキア侵攻を忘れ去りたいという思いがあったのだろうか。もしそうだとしたら、一体なぜ。

---

(1) カリン・クナイスル（在任二〇一七～二〇一九年）を指す。オーストリアの外交官、ジャーナリスト、無所属政治家。シオニズムや欧州難民危機に関する発言で多くの批判を生んだが、ポピュリストと右派には称賛を浴び、オーストリア国民党と自由党の連立政権で外務大臣に抜擢される。自身の結婚式でプーチンとダンスを踊り、EUや国内で非難の的となる。二〇二一年にはロシア石油最大手ロスネフチの役員に就任したが、ロシアによるウクライナ侵攻後、個人への制裁が検討されていると報じられると役員を辞任。

チェコ政府が妙な沈黙を守り、不快感をはっきりと示した理由は何なのか。十中八九政治的な事情だ。言ってみればゼマンとプーチンは癒着関係にあり、ウクライナのクリミア占領との関連性を示唆するような発言をすれば、ロシアの激甚な怒りを買いかねない。ゼマンにとってクリミアは、二〇一四年にロシアが侵攻したときも述べたように「既成事実化」された地域である。その上共産主義の歴史を再解釈する新しい波として、ロシアは一九六八年のチェコスロヴァキアの指導者がソ連の兄弟的援助を求めたとまで主張する見解も出ていた。

結果として、侵攻から五〇周年目にしてチェコ政府はまたしても事実を明らかにする機会を逸してしまった。占領軍によって一三七名の死者と五〇〇名以上の負傷者を出したのにもかかわらず。しかしながら半世紀を経た今、チェコ国民は犠牲者に対して意欲的に敬意を表そうとはしていないようだ。さらに式典では打ち砕かれたプラハの春を象徴するヤン・パラフの運命にもほとんど触れられなかったし、哀悼の意を表する場面もなかった。

私の世代にとって一九六八年は象徴的な一年であり、世界を変えるために表舞台に登場した年でもある。私たちは平和的な抗議活動や座り込み、プロテストソング、哲学や詩によって戦争や人種差別と戦うことができると信じていた。第二次世界大戦後に生まれた世代は、カウンターカルチャーで「時代の精神」を変えていった。髪を伸ばしてカラフルな衣装を身にまとい、「殺し合うのではなく愛し合おう」と書かれたバッチを付け、ピースサインを作り、「勝利を我らに」を歌い、ビートルズやマハリシ・マヘーシュ・ヨーギーの瞑想に耽り、マリファナを吸い、ＬＳＤを試し、玄米を食べたりしていた。だがそのほとんどはアメリカや西欧を中心に起こったことだと言わざるを得ない。それにアメリカ人の当時の記憶は西欧人のものとはずいぶん違う。ヒッピー、フラワーパワー、ウッドストック、ジャニス・ジョプリンやボブ・ディランなどは、大西洋の両岸に共通する記憶となっているものの、ベトナム戦争への抗議活動、警察による黒人学生への暴行、マーティン・ルーサー・キング・ジュニアやロバート・ケネディの暗殺などはすべて向こう側で起こった出来事だった。だがパリ、ベルリン、フランクフルト、ローマでの抗議活動はそれぞれ異なる様相を呈し、まったく違った結果をもたらしている。例えばイタリアでは学生運動はパリのような大衆的な支持を得られなかったし、国内では赤い旅団[2]が活動を始め、西ドイツでは赤軍派など極左やテロリストに転向するグループも現れた。

一九六八年夏、戦車がチェコスロヴァキアの首都に侵入するわずか一一日前に、ユーゴスラヴィアのヨシップ・ブロズ・チトー大統領がプラハを公式訪問していた。一九四八年にスターリンと対立し、ソ連から「修正主義者」の烙印を押されたチトーは、同年一月にチェコ共産党第一書記になった同志アレクサンデル・ドゥプチェクにきわめて好意的に迎えられた。人間味のあるドゥプチェクは、スターリン主義の社会主義を徐々に解体し、ユーゴスラヴィアのような緩やかで民主化が進んだ社会を実現する改革を始めたばかりだった。

一九七〇年、私が三ヶ月の学生ビザを取得して行ったスウェーデンへの旅では、ソ連圏の内と外の違いを見せつけられた。プラハ経由で行ったのは共産圏の国を通るチケットの方がはるかに安かったからで、西側へも自由に移動することはできた。その頃ユーゴスラヴィアからド

（2）Le Brigate Rosse　一九六九年に結成されたイタリアの極左過激組織。民間企業に対する破壊行為や銀行強盗、実業家や政治家、ジャーナリストなどの誘拐や殺人を実行。

イツに出稼ぎに行く、いわゆるガストアルバイターが何十万人もいた。労働者は貯めたお金を本国に送金していたが、母国は失業に悩まされていた。不思議なことに、私たちの世代が働くために国を出なければならなった理由を考えようとはしなかった。だが、この事実だけでも計画経済全体の失敗を示唆し得るのかもしれない。

ドゥプチェクによる最も重要な改革は、メディアの検閲廃止と自由な議論と批評の導入である。当時は政治情勢全体も変わろうとしていた。一九四八年二月に一党独裁制が敷かれて以来、それまで禁じられていた社会民主党の再結成が話題となった。当時の改革は、今日の視点から見れば時期尚早のペレストロイカのようである。だが常に監視の目を光らせていたソ連は、経済改革とこの多党制復活の試みに西側資本主義の傾向を見抜いていたのだった。

チトーが訪問したとき、ソ連共産党書記長のレオニード・ブレジネフはすでに軍隊を動員していた。ブレジネフはチェコスロヴァキアが新たに導入しようとした社会・政治改革によって、「人間の顔をした社会主義」への道を歩んでいると確信していたし、チトーの訪問はその裏付けに過ぎなかったのである。ソ連はドゥプチェクを何としてでも阻止せねばならなかった。さもなくば一九五六年のハンガリー動乱のようなシナリオがいつ再来してもおかしくはない。その当時ブダペストに戦車を派遣し、共産主義政権に対する民衆の蜂起を鎮圧していたのだ。数週間にわたって激戦を繰り広げ、敗れた数千人のハンガリー人の血と屍が文字通り街中に散乱していた。動乱で二〇万人ものハンガリー人が国外に逃れている。ソ連の指導部は、反乱が鎮圧された後、ユーゴスラヴィア大使館に逃げ込んだ当時の首相ナジ・イムレをとても許せそうにはなかった。

ソ連はチェコスロヴァキアにさらなる反逆の兆候が出るのを放っておきはしなかった。ソ連圏の他の国々があらぬ考えを抱かぬよう、早くことを進めた方がいいとブレジネフは判断する。一九五六年のブダペストは、一九六八年のプラハへの警告と受け止められたのである。ソ連はドゥプチェクを何としてでも阻止せねばならなかった。

八月二〇日の深夜、共産主義を「防衛」するために数百台の戦車が三〇万人の兵士とともにチェコスロヴァキアの国境を超えた。翌朝早くには、プラハ市民は飛行機やサイレン、ラジオで相反するニュースを聞く。ドゥプチェクが国民に語りかけるまでの数時間、人々は完全に混乱した状態にあった。ドゥプチェクは共産主義の理想に忠実な、文明のある市民として日常生活を続けるよう国民に伝えた。今にして思えば、ドゥプチェクは血で血を洗う争いを避けたかったがため、結果的にソ連との協力に関する屈辱的な議定書に署名したのだ。これは降伏であった。

誰もがドゥプチェクに従ったわけではない。最初の数日間は街頭での抗議活動や占領軍兵との小競り合いが生じていた。人々は戦車に石や火炎瓶を投げつけ、命を危険に晒していた。双方で命を落とす者もいた。

当時のモノクロ写真には、若者が純粋な好奇心から兵士に話しかけたり、兵士に火炎瓶を投げつける、あるいはただ無視したりとさまざまな様子や行動が記録されている。通行人の顔には怒りや落胆、恐怖や絶望、そして戦車の存在に無関心をよそおい通り過ぎる反骨精神も写っている。ハイヒールを履きドレスアップした若い女性が、脇道から迫ってくる戦車を横目に道路を横断している写真はいまだに忘れられない。驚いたことに女性は戦車に気づいていないようにも見える。だが戦車とは五〇メートルほどしか離れていないのだからそれはあり得ないだろう。女性は戦車の存在を無視することはできないし、反抗心から見て見ぬ振りをするしかなかったのだ。だが多くの市民はドゥプチェクに言われるがまま、街頭には戦車や兵士が存在して当然であるかのように、仕事や学校、買い物などの用事を淡々と済ませていた。目前に立ちはだかる巨大な力の誇示に逆らったとしたら、自分はどうなってしまうのだろう。身のすくむ思いで進むことも引くこともできなくなっていたのかもしれない。

数ヶ月後、同胞の恥ずべき振る舞いが理解できず一人の学生が自らに火を放った。

私がプラハを訪れたのは、占領から二年が過ぎた頃だった。当時プラハは輝きを失って久しい陰鬱な灰色の街だった。一見したところ少し前の出来事の痕跡は見当たらない。一九六九年一月一六日、一九歳のヤン・パラフがソ連による戦力に抗議して、あるいは抗議がない現状に絶望して自らに火を放った場所だと友人に聞き、ヴァーツラフ広場に足を運んでみた。同年代の学生仲間への敬意の念を込めた、いわば巡礼の旅である。パラフは一国の良心を揺り動かすという厄介な問題を自ら引き受けてくれた。この占領には正常なものなど何もないと信じながら。

国立博物館の堂々たるファサードを背に、広場に向かうパラフの心境を想像してみる。おそらく到着する頃には寒さも恐怖も感じなくなっていただろう。彼の決意が自殺という行為そのものに集中させていたのかもしれない。なぜこのような事態に陥ってしまったのだろうか。私は自分の生々しい想像力に怯えつつ、自問自答した。

ある寒い冬の日の昼下がり。広場はいつも通り賑わっていた。朽ち果てたバロック様式の家並みは、物思いに耽りながら行き交う人々のように静寂に包まれていた。パラフは博物館の前と場所を決めていた。厳粛な儀式に臨むため、一番良い服に身を包んでいたのではないか。プラハに別れを告げるためにもう一度周りを見渡す時間はあったのだろうか。兄とともに育ったヴシェタティの町で一人暮らす母親のことを思い浮かべたかもしれない。それとも感傷にふけるにはもう遅過ぎたのだろうか。自らの行動が警察の疑いを招くからというだけでなく、一度痛みに襲われると自分を失ってしまいかねない。早く行動しなければならないと思っていたのか、すぐさま頭からガソリンをかぶり、濡れた手でマッチに火をつけたのだろう。

その瞬間は、ヤンに注目する人はいなかったと思われる。青年が自らに火を放ち、走り出し、人間のものとは思えない苦痛の叫び声をあげたときに初めて、人々は立ち止まって生きたトーチを恐怖と混乱に満ちた眼差しで凝視したに違いない。救急車で運ばれたときパラフはまだ生きていた。三日後レゲロヴァ通りの病院で息を引き取っている。

パラフはプラハのカレル大学で経済学を学びながら、年老いた母親と暮らすヴシェタティ出身の平凡な若者で、英雄となる運命を背負っているようには見えなかった。他の生徒たちの間でもリーダーや政治活動家として優れていたわけでもなかった。しかしソ連の占領下にあっても大多数の学生や市民が受動的であることには敏感だったに違いない。あるいは、社会全体がほんの数ヶ月で受け身になってしまったようには若いパラフは新しい状況に対し妥協もできず、恐れも抱いていなかったのだろうか。パラフによる抵抗への個人的な関与は最初のうちとても大甘なものだった。彼は手紙やビラを書いて配り、現状を理解させ行動を呼びかけさえすれば、きっと人々は共にソビエトに対抗し、立ち上がるに違いないと考えていたのである。ところが一九六九年一月までにはいわゆる正常化の期間が始まっていた。改革の生みの親であるドゥプチェクが、少なくとも一九六九年に辞任に追い込まれるまでは、国をソ連型共産主義の道に戻そうとしていたのだから皮肉としか言いようがない。目に見える抵抗運動はなかった。次第に何万人ものチェコ人とスロヴァキア人が職を失い、知識人、学者、作家はゴミの処理、道路の清掃、窓拭きなどの肉体労働を強いられるようになっていった。

一九六八年八月以降、月日が経つにつれパラフはますます絶望に打ちひしがれていき、警鐘を鳴らそうと過激な行動に出ようと決意した。当局に宛てた手書きの遺書のような手紙のなかで、パラフは五日以内に検閲を廃止し、占領軍の発行する新聞を禁止しなければもっと多くの人が焼け死ぬであろうと警告している。署名は「トーチ一号」。パラフの手紙には、ソ連がドゥプチェク（一九六九年四月まで正式に政権を担当）と並行して設置した、いわゆる「健全派」[3]も大騒ぎになった。次の「トーチ」、つまり「犯人」となりうる人物を見つけなければならない。焼身自殺が続けば、当局が事態をコントロールできていないことになる。現に、一ヶ月後の二月二五日には二人目の学生ヤン・ザイーツが、ヴァーツラフ広場付近の民家の庭で焼身自殺を遂げている。ザイーツは計画していたようには道に飛び出せなかった。

パラフもザイーツもプラハの悲劇の中で英雄とならざるを得なかった。一九七〇年あの現場に立ち、パラフを追悼しながら、娘を産んだばかりの私は母親リブシェのことを考えずにはいられなかった。リブシェの最愛の息子が焼身自殺で先刻病院に運ばれたとどのように伝えたらいいのだろう。自分の身体に火を放つという行為を理解できる母親はいるのだろうか。事件を聞いた母親がどれほど辛かったか、故郷の我が子を思い浮かべれば十分に伝わってくる。息子のヤンが、どんな理由であれ別れも告げずに命を絶つなんて到底受け入れられるわけがない……。

パラフの物語は彼の死だけでは終わらない。事件後、警察はヤンが精神障害の青年で、自我を喪失し狂気に陥った瞬間火を放ったのだと処理しようとした。そこでリブシェ・パラチョヴァと若き弁護士ダグマル・ブレショヴァは、ヤンの汚名を返上するためにリスクを承知で権力との戦いに挑んだ。法廷に立った中央委員会のメンバー、党幹部のヴィレーム・ノヴィーも、ヤンの焼身自殺は政治的な抗議活動とはまったく関係のない精神異常者の行為であると断じた。一九六九年当時、党の幹部を訴えるというのは前代未聞である。真相究明はなおのこと。二人の女性は非常に大胆で、頑固なまでに勇敢だったに違いない。異例の裁判を題材にしたHBOヨーロッパの連続ドラマ、アグニェシュカ・ホランド監督の『バーニング・ブッシュ』〔原題：Hořící keř 二〇一三年〕で、ノヴィーが「真実とは人民のためになるものである」と皮肉めいて語っている。このドラマは表立って抵抗するのでもなく、無関心というわけでもなく、むしろ不本意ながら従うという当時の精神をよく捉えている。人々は占領下を生き延びるには頭を下げて黙るか、さもなければ……ハンガリーのシナリオが待っていると聞かされていたのだ。死者が出るかもしれない、ブダペストで何千人もの人々が殺されたという暗い記憶を抱えなが

---

（3）中央委員会書記のインドラ・クマール・グジュラール、幹部会員のドラホミール・コルデル、幹部会員候補のアントニーン・カペク、ビリャークといったチェコスロヴァキア共産党内の「健全派」保守勢力。八月三日のブラチスラヴァ会議で軍事支援を要請する書簡をブレジネフに出している。

ら、リスクを冒すには並々ならぬ勇気が必要だっただろう。
ノヴィーの裁判には、チェコスロヴァキア市民の勇敢で実に文化的な一面が現れている。ソ連圏で党の幹部を裁判にかけられる国は他になかった。しかも占領直後のことである。ソ連国内でもハンガリーやポーランドでも、告訴の試みは始まる前に止められていただろう。しかし短命に終わったプラハの春の改革精神は、その後も数ヶ月間根強く残っていた。チェコの作家イヴァン・クリーマの自伝に、秘密警察が家宅捜索に訪れた際、妻が靴を脱ぐように要求したというエピソードがある！　秘密警察といえども靴を脱いでアパートに入り家宅捜索するという市民的な振る舞いは、チェコスロヴァキアと他の共産主義社会との違いを物語っている。また運命を決した朝、ドゥプチェクが市民に対し普段通りの生活を送るよう呼びかけたときの心境も説明できよう。

もちろん秘密警察はパラフ事件の裁判を阻止しようと母親と弁護士を脅迫したが、それでも原告側が勝訴した。さらにブレショヴァは一九八九年の共産主義崩壊を目撃し、民主化した新チェコスロヴァキアで初の法務大臣になるまで時世を切り抜けた。リブシェの息子の汚名は返上され、パラフに関する記憶も守られた。息子はもういなくなってしまったが、チェコスロヴァキアには一九六八年のシンボルが残ったのである。

一九七〇年、暗く圧するようなファサードの影で、私はパリとプラハの若者の信念が大きく異なっていたことを回想していた。パリとプラハは千キロも離れてはいないが、当時は別世界であった。占領の数週間前、欧米のジャーナリストから西側の若者をどう思うかと尋ねられたチェコの学生たちは次のように答えている。「パリの暴動は理解できません。現地の学生は木を切り倒し、車を壊し、破壊的でした……。自分たちがどんなに幸運なのかをわかっていないようです」と。

パリでは消費主義、ブルジョワ的な価値観や生き方に反抗する勢力が立ち上がったのに対し、プラハの若者はまさに資本主義的な生活を望んでいた。さらにパリの学生は文化を左翼的なイデオロギーで支配しようとしたが、プラハでは文化からイデオロギーを排除しようとしていたのである。このプロセスは一九六八年春の改革ではなく、その何年も前から芸術界で始まっていた。作家のルドヴィーク・ヴァツリーク、ミラン・クンデラ、イヴァン・クリーマ、ヨゼフ・シュクヴォレツキー、劇作家のヴァーツラフ・ハヴェル、パヴェル・コホウト、映画監督のミロス・フォアマン、イジー・メンツェルなどはほんの数例でしかない。しかし占領後の数十年の間、チェコスロヴァキアの作家たちが路上のゴミ拾いや移住を余儀なくされる一方で、フランスでは「新哲学派」を筆頭に同世代の作家たちが文化や哲学の分野で重要性を増し、影響力を持つようになった。チェコスロヴァキアの占領は、その後二〇年にわたり東欧に多大な影響を与え、ただでさえ政治的に分裂していた大陸にさらなる分断をもたらしたのである。

プラハの春の終焉とともに、ソ連圏の共産主義改革派による全体主義体制に自由主義的な改革を導入しようとする最後の実験は終わった。チェコスロヴァキア侵攻は改革派の幻想を終わらせたのだ。プラハ後も何一つ改革されないと明らかになったため、一九六八年はおそらく共産主義の終焉の始まりでもあった。いやむしろ、プラハの春は共産主義がウールのセーターのようなものだと明らかにしたのである。糸を一本引き抜けば全部解けてしまう。だからこそ、プラハの春は一九六八年という記念すべき年に起こった他のどんな出来事と比較しても極めて重要だったのだ。ヨーロッパの二つの地域の政治的、経済的、文化的な確然たる違いは、五〇年たった今でも消えてはいない。その理由の一つは私たち東側の人間が歴史を振り返り、そこから学ぶのが不得手だからだ。後になって気づいたが、ミハイル・ゴルバチョフは、一九八〇年代後半まではドゥプチェクのような改革を成し遂げられると単純に信じていたのではあるまいか。

しかし当時の欧米列強は、重要でもない中欧の小国のために冷戦の勢力図を変えようとは考えもしなかった。一九三八年にヒトラーがチェコスロヴァキアの一部、ズデーデン地方を併合する数日前にネヴィル・チェンバレンが述べた、「遠い国のまったく知らない人々の争いのせいで、こんなところで我々が塹壕を掘り、ガスマスクをかぶるなんて本当にとんでもないし、信じがたいことだ」という言葉を思い出す[4]。二〇一四年にロシアがウクライナのクリミアを占領したときも、ほんの数年前まではパワーバランスの変化は考えられなかった。

ヤン・パラフの死が同胞の意識を目覚めさせ、反乱へと駆り立てるのに成功しなかったとしても、彼の自己犠牲の行為は痛みをもたらし、社会構造に深い傷跡を残しただろう。パラフによる捨て身の、当時としては無益とも言える焼身自殺は、無力であっただけでなく道徳的な圧迫を感じていた何百万もの人々の記憶とこの国の良心を染め上げたのは疑いようもない。

自分の信念に基づいてこのような過激な行動に出たのには、何か深い理由があったのではないか。公の場で起こる焼身自殺を無視したり隠蔽したりはできない当局からの注目を可能な限り集めるために、パラフが意図してやったのは確実だ。しかしその一方で、チェコ人らしからぬ、あまりにもドラマチックで大胆な行為であったために戸惑いも生じたようだった。なにしろ私たちが大衆文化や文学から抱いているチェコ人のイメージは、『兵士シュヴェイクの冒険』なのだから。絶大な人気を誇り、広く翻訳されたヤロスラフ・ハシェクの風刺小説の主人公は、物静かで控えめな普通の人間であり、注目を浴びることなく冷静に足元を固めてトラブルを乗り切っていく。一方で同じ文化圏には中世の宗教改革者ヤン・フスや元反体制派で当時の大統領であったヴァーツラフ・ハヴェルのような、自らの主義や信念のために何年も獄中で過ごしたり、火あぶりの刑に処せられるのもいとわなかった人々の伝統も息づいている。一見普通の学生であったヤン・パラフも、実は脈々と受け継がれる思想に沿った行動をとっていたのだ。

遠い昔、あの日、私は歴史を痛感した。自分と同年代の人間が自らに火を放ったのだ。皮膚や肉が焼ける痛みは想像を絶する。想像の域をはるかに超えているからだ。私が共感し得たのはこの果てしない痛みに至った悔しさと怒りである。だが歴史と記憶の両方に残ればどんな行為も無駄にはならない。意図的に消されたり、忘れ去られたりしないのであれば。望んだわけでもない、意図せざる一九六八年の象徴として、戦車に屈しなかった者の叫びとして傷は残る。今日記念式典が残っていてもいなくても、私の世代の東欧の人間や我が娘はパラフを忘れることなどできなかった。一九六八年以降のヨーロッパにおける、西側と東側の断絶もそうだ。

だが若い人々はどうだろう。犠牲者であれ加害者であれ、彼らの子孫たちは今日まで何を記

(4)歴史的にドイツ人が多く居住し、軍需工場もある工業地帯。一九三八年の独仏英伊によるミュンヘン会談で、当時チェコスロバキア領であったズデーテン地方をヒトラーの要求を大幅に受け入れる形でナチス・ドイツに割譲することが決定された。

憶しているのだろうか。共産主義の運命を悪い方へ向けた［一九六八年の］出来事の五〇周年に問うには良い質問である。追悼記念式典に先立って行われた世論調査では、興味深い事実が明らかとなった。二〇一八年六月のチェコ公共ラジオによる世論調査では、一八歳から六五歳までのチェコ人のうち、四人に一人が一九六八年のソ連主導の侵攻前と占領後の出来事を答えられないことが判明したのだ。一八歳から三四歳では五〇％強が一九六八年について知っていた。ちなみに二〇一八年に『ガーディアン』が入手した世論調査データによると、ロシア国民の約半数が侵攻についてまったく知らないと答え、三分の一以上が一九六八年のソ連による「チェコスロヴァキア介入は正しかった」と回答している。プラハの春を知っていると答えたロシアの一八歳から三五歳の若者はわずか一〇％だった。

おそらく今となっては誰が六八年を思い出したいのか、ということの方が問題なのであろう。ロシア人にとっては、歴史に対する知識の欠如は自分たちが占領軍であっただけでなく、政治的背景（すなわちロシア政府が正当化したい二〇一四年のクリミア占領）からも理解可能であろう。しかし犠牲者の世代、あるいはその子どもや孫たちはどうか。ポスト共産主義を歩む他の国々と同様、占領について学校で学んでいないため知りようがない。家庭で議論する機会もない。

同志ドゥプチェクがプラハのラジオでの演説の際、市民に権力への抵抗は無駄である為やめるように訴えた。だがなぜ、この時点で無意味になりそうだとわかっていたのだろうか。結局アドルフ・ヒトラーへの抵抗も無駄だったと言うのか？　一九五六年のブダペストの後ではソ連にさらなる流血の余地がなかった為にプラハから撤退したとでも言うのか？　ゼマン大統領を含めドゥプチェクに耳を傾けた人々が今日話を避けているのは、ソ連が撤退すると知っていたからなのだろうか。しばしば起こる議論ではあるが、この三〇年間に生まれた人間にどうして一九六八年の出来事や、プラハの春の遺産に関心を持つ必要があるのだろう。答えは簡単である。それが歴史であり、歴史は私たちすべてに影響を与えるからなのだ。歴史は何十年にもわたってその地域の人々を形作ってきた。私の経験では、旧共産圏の国々では歴史と記憶の間にいまだにずれが存在している。プラハで行われた占領五〇周年の恥ずべき記念式典もその一例でしかない。五〇年前、歴史は共産党が認めた「正史」としてのみ存在し得なかったが、個人の記憶はその正史を修正する機能を持っている。つまり個人の記憶は歴史的事象にかなり近づいているのである。

一九六八年八月、占領下のブラチスラヴァで撮影された、当時をよく物語っている写真がある。写真家ラディスラフ・ビエリクがシャファーリコヴォ広場で撮影したものだ。半ズボン姿でポケットに手を突っ込み、興味津々といった様子で立つ小さな男の子が写っている。男の子は犠牲者が出た場所を示す、花が添えられた簡素な十字架に寄りかかり、背後には誰かが家の前に書いた「自由のために死す」という白い文字が見える。写真の男の子はサミュエル・アブラハム。チェコスロヴァキアからカナダへ渡り、共産主義崩壊後に帰国している。現在はブラチスラヴァのリベラルアーツカレッジの学長を務めている人物である。私信の中で、アブラハムは歴史に触れた日を振り返っている。

「ここに写っているのは私です。八月二三日、あるいは二四日だったでしょうか、八月二一日の午後にシャファーリコヴァ広場で殺された女子学生の即席の記念碑を眺めていました。地面には大量の黒血がこびりついていたのを覚えています。私たちはユーゴスラヴィアから戻ったばかりで、緑と黒のセーターを着ていました。

私はシャファーリコヴァ広場からほんの五〇メートルのところに住んでいて、八月二一日の正午ぴったりに銃撃戦が始まりました。午前九時から兵士が街を行進していたのでアパートから抜け出し広場にいたのです。帰宅したとき、母は恐怖に怯えていました。兵士による行軍が広場に到着したのは午前一一時半頃で、すぐに衝突が起こりました。私たちは木の棒（白黒のストライプだったように記憶していますが、模様を思い出せるのは不思議ですね）を投げていて、それから銃撃が始まりました。広場の真ん中にいた私は、上へ下へと機関銃が照準を定めていたコメニウス大学の建物とは反対方向に走り出しました。私が逃げ惑う前の、広場で二人を殺した機関銃の動きが今でも目に焼き付いています。ブラチスラヴァの他の地域でも銃撃戦が起こり、合わせて八人が殺されました……。当時八歳だった私は、この出来事と雰囲気を人生のどの時期よりも鮮明に覚えているのです」

次にアブラハムは、自らの人生を形成する歴史的瞬間を経験し、チェコスロヴァキアのすべての人に影響を与えた大きな歴史へと目を向けていく。

「ヤン・パラフ氏の焼身自殺はロシア人への抗議ではなく、チェコやスロヴァキアの市民が団結し、平和的な抵抗を続け、改革を貫いてほしいと懇願する行為でした。別の集団の若者による焼身自殺が毎週行われるはずだったのですが……。パラフの悲劇的な死は、市民のために捧げられた犠牲であると同時に、屈服した我々を叱責する意味を持っています。一九六九年から一九八九年までブレジネフの操り人形であった、我がスロヴァキア人グスターフ・フサークによるいわゆる正常化時代に、屈辱と服従を何よりも思い起こさせる事件でした。最悪だったのは、今後自分たちがことの結末をこの目で見られないと考えていたことです。我が家では毎日のように議論されてはいました。政治に関する悲しい話を避けるために、芸術、書籍、哲学について語り合っていたのです。また、広場からわずか五〇メートルのところにある私たちの大きなアパートにやって来た芸術家や知識人たちと、しばしば酒を酌み交わしながら歌ったのを覚えています。私は学校やメディアで流される公式のプロパガンダと、家庭や個人的な議論の場で目にする重苦しさや人間の悲しみによって形作られる二重生活に耐えられなくなってしまったのです。そこで私は、一九八〇年八月にチトーが死去したユーゴスラヴィアを経由して移住しました」

歴史、「正史」、そして個人の記憶は必ずしも重なり合うものではないと、私たちは幾度となく目の当たりにしてきた。サミュエル・アブラハムが八月のあの日を忘れないように、自分が何を目撃しているのかを理解しようとする少年の写真を忘れてはならない。

# 女性、ハラスメント、東、西

## 暴力に耐性のある女性なんていない

ストックホルムのとあるレストランに座る男女のカップルを想像してみてほしい。土曜日の夜、二人は素敵なディナーを終える。「君のところへ行く？　それとも僕のほう？」という会話の後、男性の家で過ごすことに。アパートでワインを飲み、ソファーでキスを交わしはじめる。ところが二人は出会ったばかりだから、どう先に進んだらいいのだろうかと戸惑う。通常、人はベッドインの仕方や愛を育む手順について説明を必要としない。だが #MeToo 以降、雰囲気は変わった。

スウェーデンでは、二〇一八年七月一日から性交にはパートナー双方の明確な合意が必要となる新法が施行された。お互いの了解がなければ暴力がなくても性交はレイプとみなされるようになった。言葉での合意やセックスをする意思をはっきりと示す必要がある。しかしキスや愛撫をすれば十分で、双方のボディーランゲージが確かなシグナルを送っているはずだ。ところが近ごろ、多くの場合一〇年、二〇年経ってから女性たちは自分がしたのは合意の上でのセックスではなかったと主張するようになった。ソファーでキスをしている男性は、何が起こったかを正確に記憶しているだろう。だがその後関係がこじれたとしたら、男性はセックスが同意のもとに行われたとどのように証明すればよいのか。スウェーデン人にはありがちだが、真面目なカップルほど自分たちの同意を法的に証明するために書類に署名するか、発言を録音するかなど何らかの特別な手段を講じるか真剣に悩むのだ。そうこうしているうちに時間は過ぎ、男女の予感は頬へのキスで終わってしまう。

もちろん今の話はパロディ。同意は常に必要だし、普通人がベッドに入るときはお互いが望んでいるからだ。ただし片方（通常は女性）が望まない場合は別で、問題が生じたときに頼れる法律があるのは好ましい。

とはいえ国家が個人の寝室に入ってくるのは、たとえそれが最大限の善意からくる個人を守るための行動であるとしても気持ちの良いものではない。国家が個人を保護するべきで、人との親密な関係において何が良いかを定義してしまうのは恐ろしい。ルーマニアのニコラエ・チャウシェスクの独裁時代、女性が妊娠検査のために毎月婦人科へ通わされていたのを思い出せば、国家が寝室への扉を開けようとするのは、少し……やり過ぎな気がする[1]。例えばポーランドのように、中絶を全面的に禁止するようカトリック教会が国家に圧力をかけるのもしかりである。不公平な比較だろうか。いや、偏ってはいない。女性、身体、愛情表現という同じ内容を扱っているのだから。

（1）国家によるコントロールは性にまで及んでいた。避妊を減らし、中絶を禁じ、子どものいない家庭には懲罰税を課す（世帯ごとに四人の子どもを産む義務のために、女性の生理周期を管理）などの政策を打ち出した。クリスティアン・ムンジウ監督の映画『四ヶ月、三週と二日』（原題：4 luni, 3 săptămâni și 2 zile）は、当時の違法中絶がテーマ。

それでも最新のフェミニスト活動が法改正の一翼を担わないのであれば、#MeToo はまだ成功したとは言えないだろう。

セクシャル・ハラスメントや暴力に対抗する #MeToo キャンペーンは、女性とフェミニズム双方にとって近ごろ起きた最も重要な出来事の一つである。二〇一七年一〇月にアメリカで始まった #MeToo は、ソーシャルメディア上のハッシュタグとして流行した。そしてヨーロッパを席巻すると、人々の認識を変え新たな社会状況を作り出した。男性の（主に）女性に対する振る舞いで、社会的に許容される境界線を変えたのである。#MeToo は、ほとんどの女性が実際にセクシャル・ハラスメント、暴行、暴力を経験しているという現実を強く意識させる現象だった。少数の人が声を上げただけではメディアや社会に気づかれはしない。だが何千人もの人々が声をあげれば誰もが耳を傾けるようになる。自らのためだけでなく、他の女性にとっても重要であるからこそ、#MeToo で共に変化を起こそうと思い、声を上げる力を得たのだ。

#MeToo キャンペーンは、数十年前の男女同権闘争以来フェミニズム運動に欠けていた、ほとんどの女性が何らかの経験を持ち、共感できる唯一無二の問題に焦点を当てたようだ。この新たな焦点は、「ジェンダー・アイデンティティ」ポリティクスや、性自認が流動的になることによって引き起こされる分断、包括的用語（性差のない表現）を求める戦い、さらにはジェンダーフリーな男女兼用トイレに至るまで、さまざまな問題の帰結として解釈可能である。もちろんフェミニズムは生活のあらゆる面で必要とされているが、社会的・法的変化を達成するにはときに明確に定義された一つの目標が必要な場合もある。今回の例では性的暴行をなくす

ためのキャンペーンがそうだった。

法律的な問題に関して言えば、#MeTooに問題がないわけではない。むしろ大量の申し立てに対し、同等の数の法的手続きが取られていなかったことでも混乱を招いた。多くの男性が法廷で弁明する機会もなく圧力に屈して退職していった。ハラスメントの訴えが性的暴行やレイプと区別されず、まるですべて同罪であるかのように扱われたため多くの人がキャリアを棒に振ったのである。そもそも雪崩を打つような糾弾の中で、暴力の行使が加害者の責任を問う重要な要素として定められていなかった。テーブルの下で誰かが足に触れたり体を触ったりする行為は、暴力を行使してのレイプと決して同じではない。だから『エコノミスト』によると「二〇年前なら職場で女性にセクシャル・ハラスメントをした男性でも、仕事を続けるべきである」（二八から三六％へ上昇）、「ハラスメントを訴える女性は、問題を解決するよりも多くのトラブルを引き起こす」（二九から三一％へ上昇）といった意見が、#MeTooの爆発からわずか一年で世論の支持をなお以て集めているようになっているのだ。あるいは「通報も処罰もされない暴行よりも免罪の方が大きな問題である（一三から一八％へ上昇）ともある。わずかな増加ながら、大衆の雰囲気が明らかに変化している。

だがハラスメントに対する異議申し立ては、アメリカでさえもすべての社会階層に等しく分布していたわけではなかった。すべての女性がハラスメントに対して声を上げなければならないと感じているわけではなかったし、とりわけ世論や権力者の支持をほとんど期待できない女性は真逆だった。一般の女性は上司が性犯罪者であると暴露するリスクを冒そうとはしなかった。つまり#MeTooをキャンペーンから社会的なムーブメントに変えるためには、トップだけにとどまらない、あらゆる社会階層を巻き込む必要があると明らかになったのだ。

アメリカの #MeToo はヨーロッパのものとは異なっている。ヨーロッパにはほとんど運動の影響を受けていない地域もあるのだ。現に北から南へ、西から東へと移動していくと女性の声が小さくなっていくのがわかる。バルカンにたどり着けばささやき声でしかない。まるでハラスメントなんて起こっていないかのようだ。#MeToo キャンペーンには決まってローカル色が出る。フランスでは男性は「豚」と呼ばれたのに対し、ドイツは異なっていた。ちなみにフランスでは大女優のカトリーヌ・ドヌーヴをはじめとする一〇〇人の有名人が、男性の女性を「口説く自由」を擁護して #MeToo キャンペーンを非難した。だがフランスでも急速に立場は変化しつつある。

#MeToo キャンペーンがほとんど浸透していない国ではどうだろう。たとえばルーマニアでは、スウェーデンでの地殻変動に比べればその影響は微々たるものである。スウェーデンでは同意に関する新法が速やかに議会で可決されると、二〇一一年に犯したレイプの罪で一人の男性が二年間刑務所に入るという大スキャンダルが起きた。というのもこのジャンクロード・アルノーという人物はスウェーデン・アカデミー会員の夫であったのだ。事件で評判を落としたアカデミーは二〇一八年のノーベル文学賞の授与を見送り、代わりに一年後に二つの賞を授与すると決定した。一方イギリスでは、国防長官のマイケル・ファロンが多数の女性へのハラスメントを理由に辞任している。

冒頭のストックホルムの部屋で繰り広げられていたシチュエーションが、現在ブルガリアのソフィアの一室で起こっていると想像してみる。同意を文書化する話し合いなど行われていないのは確実だ。だがもし女性の気が変わり、男性が力を行使したらどうだろう。ソフィアではここからが違う。誰にも知られることもないし、何も起こらないであろう。警察や裁判所はレイプがあったとしても、身体的に深刻な影響をもたらすようなケースを除いてはほとんど対処しない。

ベッドまで話を広げるのはよして、今はハラスメントの話にとどめよう。#MeToo ムーブメントは程度の差こそあれ、不快なものから暴力まで、望まない接触を明らかにする動きから始まったのだから。ブルガリアでは何がハラスメントだとみなされるのだろうか。また、ストックホルムでも、ソフィアと同じようなハラスメントを経験するのだろうか。

いや、そんなことはあるまい。だが欧米諸国の間でも、何をもってセクシャル・ハラスメントとするのかに関する理解は大きく異なっている。二〇一七年にドイツ、イギリス、フランス、デンマーク、スウェーデン、フィンランド、ノルウェーで行われたユーゴヴの世論調査では、性的なジョークに関してドイツ人女性はイギリス人女性よりも寛容で、デンマーク人女性はほとんど反応しないという結果が出ている。男性が女性の腰に手を回すことに異議を唱えるのはイギリス人女性だと三七%に過ぎないが、フランスの女性は七二%が不快に思い、男性に胸を見られただけでも半数の人が動揺するとのことだ。

何がセクシャル・ハラスメントにあたるのかという認識は国ごと異なり、#MeToo より何年も前にEU加盟国全二八ヶ国の女性四万二〇〇〇人を対象とした欧州基本権機関の二〇一四年の大規模調査で実証され、注目すべき結果が出ている。北欧諸国では八一%の女性がハラスメントを受けたことがあるのに対し、ポーランドやルーマニアでは三二％。ブルガリアは二四％で最も低い。だが全体として深刻なセクシャル・ハラスメントを同僚に報告したことがある女性はわずか六％、警察への通報は四％のみで、弁護士に相談したことのあるのは一％未満であった。重ねて言うが、数値はデンマーク、スウェーデン、フランスでは最も高い。ハラスメントの判断を図にすると東西の境界線が歴然として現れているのだ。

西側諸国の間でもハラスメントに対する認識に差があるなら、欧米諸国と旧共産圏の国々で #MeToo に対する反応の仕方が異なる点はどうだろう。

ハンガリーでは文化各面やリベラル系の団体に限定されているとはいえ、#MeToo は一定の影響を与えたといえる。ポーランドでは、二〇一七年一〇月一五日から二二日の間に、著名人も含め #MeToo や #JaTeż のタグが付いた投稿が三万五〇〇〇件近くソーシャルメディアに登場した。だがユーロバロメーター（欧州委員会の世論調査機関）のジェンダーに基づく暴力に関する報告書によると、三〇％ものポーランド人が相手の同意のない性交渉は状況次第で正当化されるかもしれないと考えている（欧州全体の平均は二七％）のを考慮すれば、数ヶ月で #MeToo 運動が勢いを失ったのも意外とはいえないだろう。チェコの公共ラジオによると、同国では一〇人に一人の女性がレイプされた経験があるものの、警察に通報したのは約一〇％、裁判で有罪判決を受けた加害者はわずか二％だという。#MeToo キャンペーンを受け、欧州委員会のジェンダー平等担当であるチェコの政治家ベラ・ヨウロバーは自身も性暴力の被害者だと明らかにし、女性たちに運動への参加を呼びかけている。

ルーマニアはヨーロッパで最も女性に対する暴力が多い国の一つであるが、警察の統計では二〇一七年に届けられたさまざまな種類の性的暴行やレイプ事件はわずか三四件だった。しかし、何百ものメッセージがソーシャルメディアで共有されている。なかでも国会議員のフロリナ・プレサダは自身もハラスメントを受けたと明かした。ところがキャンペーンは実を結ぶ前に頓挫してしまった。スロヴァキアでも同じだった。セクシャル・ハラスメントに関する数少ない記事は、亡くなった男性を扱ったものだった。

「スロヴァキアでは女性が虐待やセクシャル・ハラスメントを受けたと訴えると、よく奇妙な反応をされます」と、労働省の男女共同参画・雇用機会均等局のリュビツァ・ロズボロヴァは言う。「私たちは被害にあった女性を信用せず、言葉を疑ったり、事件を引き起こしたのはその人のせいではないかと責めたりする傾向があるのです」と。少なくとも上記の国では何らかの反応があったようだが、エストニアやクロアチアではほとんど何もなかった。ただクロアチアに関しては、メディアでセンセーショナルな記事が数点出ただけでフェミニストたちを落胆させた。

東欧の #MeToo キャンペーンは、その意図や期間、あるいは権力者の降格や世論の支持といった現実的な結果のいずれの点においても、西欧やアメリカとは比較にならないのは明らかだ。もちろん西欧の女性と同じか、それ以上にハラスメントを受けているであろう東欧の女性たちが、なぜ不快な行為をハラスメントだと受け止めないのかは疑問である。東欧の女性はより寛容なのだろうか。育ち方が違うのだろうか。それとも何が許され、何が許されないのかという認識が、この地域の異なる政治体制に影響されているのだろうか。

ほとんどの場合、女性はハラスメントを経験しながらも何もできないと自覚しているため黙っているようだ。ルーマニアで幼少期と思春期にセクシャル・ハラスメントを受けたというマリア・ブクルは、『パブリック・セミナー』誌で「前例もなければ言葉も持ち合わせず、セクハラが蔓延しているという認識もなかったため、性的暴行を受けるという恐怖を自由に相談することができませんでした」と語っている。

路上では言葉による嫌がらせを、公共交通機関では肉体的なハラスメントを受ける年齢だった少女時代、私は母にも教師にも、あるいは他の誰にも話そうとは思わなかった。とても恥ずかしい経験で、言葉も勇気も足りていなかったし、社会が男性のハラスメント行為を不快と感じていなかったのも一因だった。バスや路面電車の中で女性がお尻を触られたり、足に手を伸ばされたり、胸を撫でられたりしたことが幾度あっただろうか。喫煙、飲酒、罵りといった当地域の男性の習慣的な行動に属す行為だったので、あまりに多すぎて数えきれない。私は男性を刺激してはいけない、その場から離れなければいけないと自覚していた。だが満員のバスや行列に巻き込まれてしまえばとても無理な話である。卑猥な言葉を浴びせる振る舞いが女性を褒める行為であるかのように、周囲の男性も馴れ合いの笑みを浮かべているのにも気が付いていた。常習犯を通報するなんて無益だし、そもそもどこに通報すればいいのだろう。警察に行くのは行き過ぎた行動に思えた。共産主義国家では、警察は人々を助けるためではなく人々に行使する権力の道具だと考えられていたのだから。どうせ自分の服装や行動のせいで非難されるのは目に見えていた。この手の「議論」は世界中の女性が心得ており、おそらく国や文化によっては他の国よりも積極的に主張されているのであろう。私たちは大抵理由もなく罪悪感にさいなまれ、助けを求める相手もいなかった。

最近の #MeToo キャンペーンにも同様の心理が現れている。女性たちは、いまだに「何もないところで大騒ぎしている」と非難されることを心得ている。

その後の私の人生においても、職場や学校でハラスメントは続いた。望まないキスやハグだけでなく、痴漢行為や露骨な誘い、下品な提案もされたりした。でも私たちは大人になって不要な接触を避けられるようになった。極めて家父長的な文化の中で、少女たちはハラスメントを不快ではあるが、多かれ少なかれ日常的なふるまいとして経験し成長してきた。セクシャル・ハラスメントは常態化していると考えられていたし、そのような認識こそが社会的に放置される理由であったように思う。

一九七八年のエピソードは、いまだに忘れられない。ベオグラードで開催された、女性に関する初の国際会議「同志女性」[2]の際の出来事だ。イタリアの作家ダーチャ・マライーニやドイツのジャーナリストのアリス・シュヴァルツァーなど、著名なフェミニストが何人も参加し、海外からの出席者もいた。ある日観光に出かけたとき、会議の参加者たちは街で見かけた男性の大声や身振り手振りに衝撃を受けたという。言葉はわからなくても意味は伝わる。恥ずかしさのあまり男性の発言を訳すことははばかられ、同行したベオグラードの同僚たちは問題視しないようにした。参加者たちは男性たちの行動と、ハラスメントを受け流そうとする地元のフェミニストの行動の両方に明らかに驚いていた。でも当時、私たち旧ユーゴスラヴィアの

---

（2）Drug-ca Žena ユーゴ全土のフェミニストが主催した「同志女性」によりフェミニズム運動は転換期を迎えた。後述の「女性と社会」の創設者ムラジェノヴィッチらも参加している。

フェミニストはよく理解していなかった。男性の行動がいわゆるセクシャル・ハラスメントだなんてまだ知らなかったのである。

四〇年後、東欧で #MeToo への反応がないのは、社会的スティグマのみならず、あらゆる女性が経験する職場での嘲笑や敵意、起こりうる結果に身を晒す可能性に対する恐怖が原因である。その上個人的な問題を声に出すという習慣がない。礼を欠く男性の振る舞いをハラスメントと認識し、通報できるような環境を社会が作らねばならないとは理解するのは難しいのかもしれない。欧米では女性が訴えるのはあまり問題にはならないが、それでもDVやレイプの大半は通報されないままだ。スウェーデンではもう何十年も前からハラスメントの通報は恥ずべきではないと考えるのが当然だったが、アメリカでさえつい最近、#MeToo をきっかけとして始まったのである。

しかし東欧ではいまだに過去が現在を強く支配している。一方では共産主義思想による形だけの女性解放で十分だとする感情があり、他方では極めて家父長的な社会が存在している。

セクシャル・ハラスメント、虐待、暴力に反対する運動への東欧の女性の反応を考えるとき、家庭内暴力という重要な問題が見落とされている。東欧社会で目撃され、経験される「ドメスティック」となった日常的な暴力が、#MeToo に対する反応のなさの原因である可能性は十分にある。もちろん国によって事情は異なるが、どんなに良い家庭でも平手打ちくらいはあるし、家でも学校でも子どもへの体罰（昔は「棒で叩いても死なない！」という考えが一般的だった）は、多少なりとも身近に感じて育ってきたはずだ。私が通っていた小学校では頻繁には起こらなかったとはいえ、教師が生徒を叩くのは決して不祥事ではなかった。だが共産主義が原因なのではない。共産主義体制が導入され、押しつけられた場所が家父長制社会の強く残る低開発の農業国だったのである。家父長的な社会であればあるだけ、家庭内や別の場所での暴力を経験したり目撃したりする機会が多くなる。だが、国が作成した国民生活のすべてを対象とした統計には、家庭内暴力に関する正確な数値は明らかに含まれていない。事実や数字の代わりに供述を基にした大雑把な推計と直感的な洞察が残されている。

旧共産圏の女性は暴力に慣れており、セクシャル・ハラスメントを大した問題ではないと考えていたと言えば言葉が過ぎようか。しかし一方で、家庭内暴力がほとんど通報されず裁判の対象にもならなかったのは、家庭内でも社会全体でも大きな問題とは捉えられていなかったからだというのも確かだ。むしろ家庭内暴力は、当時深刻な問題であったアルコール依存症の一部と認識されていた。欧州基本権機関が二〇一二年に行った調査からも、私たちが使う暴力という言葉が何を意味しているのかが見えてくる。パートナーあるいはパートナー以外からの身体的・性的暴力などを受けた一五歳以上の女性の割合が最も高い国は、デンマークで五二%、フィンランド四七%、スウェーデンで四六%である。対極にある東欧諸国では、ポーランド一九%、クロアチアで二一%だ。数年後の二〇一六年、クロアチアでは家庭内暴力で殺された被害者の七八%が女性であった。直近の一〇年間で約二五〇人もの女性が殺害され、年間一万五〇〇〇人が虐待を、一〇人に一人が家庭内暴力を受けたと記録されている。

欧州基本権機関の統計のように、少なくとも北欧の女性の方がポーランドやクロアチアの女性よりも男性からの暴力に苦しんでいるとは考えにくい。東欧諸国では、別のパラメータを設定すればまったく異なる統計的結論が導き出されるであろう。双方の違いは社会によって形作られる暴力の定義に起因しているはずだ。家父長制が根強く残る社会では、女性はより多くの暴力に耐えるように仕向けられているのは言うまでもない。この支配構造が、今もなお東欧で広く見られる、社会による被害者非難の態度と結びついているのである。

これが今も昔も変わらない東欧の現実であり、女性解放の進捗度とは関係なく、共産主義下または共産主義後の生活におけるパラドックスの一つとなっている。

一方、女性の権利が共産主義国家とその法制度に組み込まれ、選挙権から財産権、教育から離婚、同一労働同一賃金から身体の自己決定権まで、あらゆる基本的権利が保障されるようになった。つい一五〇年ほど前の旧ユーゴスラヴィアでは、女性の九〇％近くが文盲だった。女性は自分の名前を書くことすらできず、財産の相続、離婚、子どもを産む選択も不可能だった。学習権を得たのはわずか一一〇年前だった。クロアチアの元女性大統領コリンダ・グラバル＝キタロヴィッチは、共産主義が短期間にもたらした変化の好例である。権利のない老女から平等な社会で育ち大統領になった女性まで、共産主義が「上から」女性を解放し、何を与えたのかを端的に示している。

しかしながら女性をとりまく環境の変化は、女性自身の積極的な参加なくしては起こり得なかった。第二次世界大戦では戦闘に参加し、戦後は反ファシスト女性戦線（ＡＦＺ）[3]で女性を組織化し、正書法を指導した。ＡＦＺは独立した組織であったものの、すぐに共産党に引き継がれて「共産主義」の女性組織となった。女性や現実的なニーズよりも、共産主義のイデオロギーの普及を重要視した党権力の道具となったのである。

共産主義体制下でフェミニズムは「怪しげな活動」とされた。女性は解放されたのだから権利など論じる必要はない、というのが公式の論調だった。まるで女性は理想郷に住んでいるのに自分の置かれた境遇にまったく気づいていない、あるいは理解できていないと言わんばかりではないか。さらに女性たちに現況を啓蒙しようとする人々は不穏分子とされてしまった。一九八〇年代に「フェミニズム」という言葉を口にしたり公の場で論じようとした女性は、当局から「外国のブルジョア思想を輸入している」と非難された。西欧やアメリカ、特にアメリカのフェミニストに対する偏見がマスコミによって流布され、フェミニストの女性たちは男性嫌いで、醜いがために夫を見つけられないと言われただけでなく、ブラジャーを燃やすフェミニスト！などと報じられていたのである。このブラジャーを燃やすというフェミニストに対する「議論」は、良いブラジャーを買うのが困難な東欧で最も効果的だったのだろう。東欧のフェミニストはよく言えば反体制派の一種、悪く言えば裏切り者とみなされることが多かった。

ところが家庭内暴力は、八〇年代初頭にユーゴスラヴィアのザグレブで結成された団体「女性と社会」[4]のような、東欧初の非公式のフェミニスト団体や著作物にとって良い出発点であった。「女性と社会」のフェミニストたちは、メディアを通じて暴力は女性にとって当たり前で

（3）Antifašistički front žena　一九四二年、第二次世界大戦中にボサンスキー・ペトロヴァツの解放地区で設立された女性の社会・政治組織。約一〇万人の女性が戦闘に加わり、二万五〇〇〇人が犠牲となる。戦後も女性が代表に選ばれ、国際的な女性運動や組織に参加した。

（4）Žena i Društvo　クロアチアの社会学会で始まる。当初はマルクス主義と女性問題、フェミニズムに焦点を当て、講義のアーカイヴとして学会誌『女性と社会』が一九八二年に刊行された。一九八六年には旧ユーゴの女性運動の象徴とされるレーパ・ムラジェノヴィッチらにより団体が設立された。その後活動の場を広げ、一九九〇年以降は暴力の被害者の救済にあたっており、ユーゴ紛争時も活躍。

はない、我慢するのではなく警察に通報し、時には離婚を申し出るべきだと説明しようとした。当時離婚はできてもアパートがないため一人暮らしは難しい決断でもあった。アパートを借りるには大金が必要であるし、借りられる物件もごくわずかだった。実家に帰るか離婚して同じアパートに残るしかない。この為夫婦の経済的な理由で離婚しないという決断をする女性が多かったのである。

虐待を受けた女性のためのザグレブ初の緊急ホットラインとシェルターを設立するまでには、多くの時間と説得が必要だった。また、暴力防止を目的とした家庭内の争いへの警察の介入を可能とする改正法案が通過したときは大きな勝利だと考えられもした。ただし警察が介入することは非常にまれだったが。法律と伝統の対決では、伝統が勝っていたのである。

女性は日常生活において掲げられた原則、法律、制度、そして家父長制の慣習に支配された現実との間で歴然たるずれを経験していた。「上からの解放」は初期に女性が関与していたとしても、過去一〇〇年の間に西側で女性の闘争によって生まれた草の根運動である「下からの解放」とは異なる役割を持っていた。結果として上からの解放は、自らの権利を要求する方法も知らぬまま、誰かが自分たちの代わりに大義を掲げて戦ってくれだろうと信じる女性を数世代にわたって残してしまったのである。

共産主義が崩壊して三〇年たった今でも、東欧の女性はセクシャル・ハラスメントなどの悩みをなかなか打ち明けられないでいる。しかし東欧の人々はもはや一つのブロックに属しているわけではないため、果たして「共産主義の過去」という共通項で女性を十把一絡げにできるだろうか。旧共産圏という分母が今も女性を結びつけているし、色々な意味で生き方に影響を及ぼしているから私は妥当だと思う。

共産主義の崩壊後、東ヨーロッパの大半の国ではナショナリズムと宗教のルネッサンスを経験した。どちらも疑いなく共産主義の下で最も抑圧されていた思想である。だが家父長的な文化は決して消滅しなかった。このことは一九八九年以降のプロチョイス論争にも一部反映されている。[5] 出産の自己決定権は女性解放の基本であり、この権利を否定したり制限しようとする動きは、あらゆる社会における女性の政治的、社会的、経済的、法的地位におけるその他多くの問題を示唆している。

二〇一四年末、一九六九年から中絶を合法としているクロアチアの公立病院で、中絶の実施を拒否する産婦人科医が増えていると報じられた。多くの女性にとって中絶処置が苦渋の決断となることも、追加料金を支払わない限り痛みを伴う処置となることも耐えられるものではない。クロアチアでは法律で義務付けられているにもかかわらず、病院から断られて別の場所へ行っても医師が中絶手術を行わないケースが判明している。さらに一九九六年以降、医師、看護師、薬剤師は良心的拒否を理由に中絶への関与を拒否できるようになった。女性に中絶を思いとどまらせるのが目的であるのは言うまでもない。

女性にとって極めて重要な議論に本人たちの声は（ポーランドを除いて）一切含まれていな

（5）ソ連では一九五五年に中絶が合法化され「解放された女性」の権利となった。だがこれも「上から」、つまり党指導部の男性から与えられたもので、ある意味家父長制的な構造を孕んでいたと言える。ソ連崩壊後、東欧諸国では宗教が復権し再び中絶の自由が制限される流れとなっているが、家父長制の長い歴史や女性の役割に関する伝統的な考え方も影響しており問題の根は深い。

かった。最も関心を持つべき若い女性はただ無反応だった。街の広場でもソーシャルメディアでも、期待されたような大規模な抗議活動は起こりはしなかった。一見すると民主主義体制下で育った新世代の女性が、自分たちの権利や健康をあからさまに侵害しているとしか言いようのない事態に反応しないのは不思議に思える。だがここで再び、ハラスメントや家庭内暴力に関するあまりにも頻繁に適用されてきたよくある古い議論や、問題に対する女性自身のトーンダウンした考え方、直面した困難に対処する経験の欠如にまで話が戻ってしまう。女性を取り巻くこの状況は、女性自身が習慣的に行動することによって永続してしまっているのだ。共通の目的を達成するために、自分自身が他の女性を支援すべきだという考え方は、今も昔も東欧には存在しない。そのうえ政治に関わっている東欧の女性は、ジェンダー問題を政治課題だと認識していないようなのだ。自分の裁量に任せられているのに、女性はできる限り手を尽くしてはいない。社会経済の悪化は反動を引き起こし、基本的な選択権が失われるという最も重要な教訓をいまだ学んでいないようである。

だがポーランドのケースはまったく異なっており、他の国にも希望を与えてくれる。一九九三年、ポーランドでは中絶は胎児の奇形、レイプ、母体の生命が危険に晒される場合を除き禁止された。その時点では禁止案に対する大衆の反応はなかった。大部分の女性は移行期の厳しい時代を生き抜こうとしていたし、自分たちの権利を守るために立ち上がるにはあまりにも無力だと感じていたのだ。だが二〇〇九年になると女性会議[6]と呼ばれる強力な組織が登場し、膨大な数の女性を動員する力を見せてくれた。二〇一六年一〇月、一〇万人の女性が街頭に出て中絶全面禁止の提案に抗議すると、政府は撤回を余儀なくされたのである。

また東欧の別の地域では、経済改革や民主的な政治体制の構築に政局の焦点が当たっていたため、女性の権利は女性自身にとっても最優先事項ではなかった。

一九八九年以降の変革に巻き込まれた社会で、女性が置かれている状況は決して易しいものではない。それどころか西欧やアメリカでも女性は苦境に立たされており、不完全雇用、賃金格差、昇進に関するいわゆるガラスの天井、地位の喪失などに悩まされている。政治参加率も女性は男性よりも低い。すべては過去一〇年間で悪化してしまった。金融危機はまさしく共通項だった。東にも西にも、男性にも女性にも、ヨーロッパ全土を直撃したのである。しかしながら金融危機が女性にもたらした最も懸念すべき影響は、福祉国家の急速な解体による女性の貧困化である。より良い資格を持っている女性が増えているにもかかわらず、働く女性の数は減っている。EUでは女性の雇用は増加しているが（二〇一七年は六六・六%、対して男性は七八・一%）、依然として男性よりも雇用されている女性の数は少なく、雇用されていても一般的に男性より賃金の低い仕事に就いている。男女の賃金格差はEUで平均一六%であり、学校や大学では女性の方が男性より成績が良いのとは矛盾して格差は続いている。つまり女性が受け取る年金は男性より少なく、老後の生活が貧しくなることを意味している。

#MeTooキャンペーンに対する反応の差は、歴史と女性の生き方の違いから生じている。全体主義の政治体制はこの現象の一因である。女性に言葉を喪失させ沈黙させたのだから。少

---

（6）Kongres Kobiet　ポーランドの大規模な社会運動、非政府組織。政治、経済、社会における男女の権利の平等と機会均等を目指し、二〇〇九年に設立された。

なくとも権利や特権、雇用率、同一労働同一賃金の維持という点では、女性の生活は以前にも増して厳しくなっている。子どもを産む余裕がない人も多い。より良い生活を求めて西欧やアメリカに移住する人も少なくない。存在の根本に関わるような不安に苛まれたなかで、セクシャル・ハラスメントは差し迫った問題として戦いを挑むには優先順位が低いだけなのだ。セクシャル・ハラスメント、暴行、暴力に対して声をあげる権利は確かに重要である。だがその権利を行使するための闘争は、自らの身体を支配する権利を求める、長く困難で、ときに痛みを伴う闘いの最も新しい話としてありのままに見られるべきだ。しかし東欧で女性の権利が西側ほどのインパクトを与えなかったという事実は、過去に開いた東側と西側の隔たりが、私たちが考えていたほどには早く縮まらなかったのだと物語っている。

アメリカを中心に、文化人、経営者、政治家をはじめ、エンターテイメント界を代表する多くの女性が、#MeTooキャンペーンを革命的な運動だとアピールするのに忙しい。だが真の革命となるためには、この運動があまねく行き届き、どこでも同じように十分な支援を受けられるようにしなければなるまい。

## 恐怖を煽る
### ナショナリズムが感情を呼び起こす理由

二〇一七年一〇月。スペインはバルセロナ。カタルーニャの独立賛成デモ。数十万人が街頭に集結し、カタルーニャの旗や「カタルーニャはスペインでない」のスローガンが書かれた横断幕を掲げながら「自由を！」と唱和する。一時は四五万人もの独立賛成派が街頭でデモを行う。

二〇一七年一一月一一日。ポーランドのワルシャワで行われた独立記念日。警察は若者を中心に六万人がデモを行ったと推定。その多くは「祖国を」と唱え、横断幕には「白人のヨーロッパ」、「ヨーロッパは白人専用になるだろう」、「汚れなき血」と書かれている。『ウォール・ストリート・ジャーナル』によると、デモ参加者の中にはハンガリー、スロヴァキア、スペインから飛行機で駆けつけた人もいて、戦時中にナチス・ドイツの傀儡国家時代に使用していた旗やシンボルを振っていたと報じられた。ポーランドの国営テレビは当デモを「愛国者の大行進」と称す。

最近発生したこの二つのエピソードは、スペインでは分離主義、ポーランドでは人種差別の一例であり、ここ二、三年の間にEUで台頭した新勢力の典型である。この勢力は恐怖を糧としながら新たな壁を築き、純血を求め、他者を排除して分裂を訴える。

ナショナリズムは敵を必要とするイデオロギーであり、相手が誰であろうと、その時点で他者との対峙において自らを構成する。ジョージ・オーウェルが一九四五年に書いた「ナショナリズムに関する覚書」で、「愛国心は本質上、軍事面でも文化面でも自衛的なものである。他方、ナショナリズムは権力欲と切り離され得ない関係にある。あらゆるナショナリストの普遍の目的は、己自身の権力と威信ではなく、己の個としての存在をそこに埋めることに決めている種族の権力と威信、あるいは種族以外の権力単位の、権力と威信を拡大強化することである」[1]と述べているように。

愛国心には比較や対立は必要ない。また、記憶、子ども時代、風景、食べ物といった領域に存在している私的な感情であるため正当化の必要もない。

逆にナショナリズムは対立を必要とし、ゆえに危険であるという事実はしばしば無視されている。

過ぎし日の九〇年代初め、ヨーロッパの諸地域がEU加盟により統合していた、あるいはしようとしていた頃、血みどろの戦争で崩壊最中の国があった。ユーゴスラヴィアである。共産主義国のなかでは最も裕福で、分離主義、独立主義、民族浄化、内戦、武力侵略に陥ろうとは誰ひとり予想しなかった国だ。原因はナショナリズムにある。

国が崩壊に至る過程でナショナリズムがいかに機能したかを把握することが今まで以上に重

要となるのは、民族対立や戦争を避けるために作られた共同体であるEUにユーゴスラヴィアがナショナリズムを持ち込んだように見えるからだ。これはパラドックスだろうか？　ええ、想定外という程度には。だが今となっては一九八九年の共産主義崩壊以降に起こった出来事の理論的帰結であるように思える。それはまるで自己正当化や自己確認の必要性が突然生じたかのようだった。ロシア系マイノリティを多く抱えるバルト諸国のように、言語を通じて自分が何者であるかを再び明確にする必要が生ずる場合もあれば[2]、クロアチアのように共産党が解釈する「正史」に対抗して歴史を書き換える必要性がある国もあった[3]。

旧ソヴィエト陣営のEUへの早期加盟は、東西ヨーロッパ間の歴史、経験、経済と文化の相違の克服を目的としていたが、民主主義の発展に近道などないことは考慮に入っていなかった。包括的な政治体制の崩壊とその後の移行期において、何百万もの市民が経験したであろう心理的ショックもほとんど省みられていなかった。東欧の人々は喜ぶべきだと思われていた。た

（1）ジョージ・オーウェル『全体主義の誘惑』照屋佳男訳、中央公論新社、二〇二一年、五一頁。

（2）ソ連崩壊後、バルト諸国の言語政策によりロシア系住民は市民以下の扱いとなった。ロシア語話者は公用語、つまりローカル言語の能力に欠けるという理由でさまざまな権利が制限されている。特にラトビアはロシア系住民が多く暮らし、人口の三七％がロシア語を話す。

（3）クロアチアの歴史修正主義は八〇年代後半から見られるようになっていたが、ユーゴスラヴィアから独立後、民族主義に依拠したクロアチア民族の歴史を展開し始めた。特に第二次世界大戦とユーゴスラヴィア時代に歴史修正主義者の関心が集まっている。ナチス傀儡国家クロアチア独立国が再評価され、国内のホロコーストの事実を歪曲しているとEUから問題視され、本書に出てくるヤセノヴァッの大虐殺に至っては元クロアチア大統領ドゥジマンによって否定され、記念式典も行われていない。メディアも加担している節がある。

しかに喜びはしたが、それも束の間だった。一〇年が過ぎ、人々はEUを新植民地主義、搾取、経済的不平等を生み出していると非難し、雇用不安、民主政の減退を訴えている。

しかし共産主義国の従え服従せよという圧力の下、ナショナリズムは民族のアイデンティティ、文化、言語、宗教を維持する極めて重要かつ有効な原動力であると証明された。それゆえ多くの人々がグローバリゼーションを新たな脅威、さらには新たな全体主義だと受け止め始めると、特に東欧で、それから次第に西側でも「アイデンティティを守るメカニズム」が再作動し、おなじみの民族主義へと回帰したのである。

フラストレーションが溜まっている。不満を表現する方法が極右政党や分離主義的な運動の台頭であるのは明らかだ。しかし今、右派の勢いが増している要因は何なのだろうか。ハンガリー、スロヴァキア、チェコの若者の間で「穢れなき血」といったスローガンや、極端なナショナリズムや外国人排斥が受け入れられるようになったきっかけは何だったのだろうか。あるいはヨーロッパで最も豊かな国の一つであり、EU加盟国の中で唯一金融危機後も不況に陥らなかったポーランドではどうだろう。経済的な問題はほとんどなく移民の数も少ないが、政府管轄下のポーランドのメディアは、毎晩のようにヨーロッパのイスラム教徒の犯罪を報じている。

ポーランドの歴史家で元反体制派のアダム・ミフニクは、かつてナショナリズムはウイルスのようなもので、あらゆる組織や社会の中に眠っていて、条件が整えば目を覚ます可能性があると述べた。むろん旧ユーゴスラヴィアでの一連の紛争に関する言及だ。しかし今、何をもって「条件が整う」と解釈され得るのだろうか。

どうやら権力者たちは、またしても感情の力をみくびっているようである。

民族主義者の情熱の根底には、移民によって私たちの生活様式を変えられてしまうのではないかという恐怖が明らかにある。民族主義的なプロパガンダが人々に恐怖心を植え付けてしまえば、紛争への大きな第一歩が踏み出され、主たる障害も克服される。不安感が他者への恐怖を惹起し、人々を閉鎖的にさせ、他者を囲い込み、ついには攻撃性を生む。三〇年前のユーゴスラヴィアのナショナリズムが、今日のスペインやイタリアのナショナリズムと同様の歴史的起源を持っていなかったとしても、同じパターンが繰り返されているのを目の当たりにするのには恐怖を覚える。なぜなら恐怖を利用して憎悪を呼び起こすという心理的メカニズムは、言葉を駆使することでまったく同じように機能するからだ。

ナショナリズムが引き起こし得る暴力や、紛争に先立つ心理的条件について語るとき、絶対的な前提は言葉の暴力、つまり言語そのものだ。ナショナリズムが敵を必要とするならば、その敵が誰であるかも明確でなければならない。現にナショナリズムはまず相手を名指す行為によって敵を作り出す。ゆえに民族主義的なプロパガンダ機関はメディアを通じて分断、疑念、最終的には憎悪の言葉を発信するのだ。当事者間（カタルーニャ、バスク地方、ベルギー、ウクライナ東部のように）に歴史問題があればなおのこと。人々を分断し、感情を掻き立てるために言葉が使われる可能性がある。そのためには強い言いまわしが必要だ。あらゆる紛争は危険な語法によって準備される。何十年も前に使用された言葉や語彙は、もはや私たちの耳におなじみとなった。

興味深いことに、経済危機、評判を落とした政治や政治家、ブリュッセルの官僚機構や欧州統合への信頼の喪失、社会民主主義の福祉制度や連帯主義の崩壊など現実ものもとして認識されている問題は、ナショナリズムの力を解放するきっかけしてはそれほど重要ではなかったようなのだ。大衆の不満の直接的な引き金となったのは、移民の流入であり、むしろ移民に関連した政治的操作であった。マリーヌ・ル・ペンの「フランスを返せ」という叫びや、ドイツの政党ＡｆＤのポスター「イスラム化を止めろ」などプロパガンダの例は枚挙に暇がない。

スペインの分離主義者とポーランドの右派の若者層、ドイツのＡｆＤとフランスのルペン、ハンガリーのオルバーン・ヴィクトルとオランダのヘルト・ウィルダース、フィン人党とスウェーデン民主党などを結びつけるものは移民に対する恐怖心である。移民への恐怖が醸し出す社会の雰囲気が、ＥＵ全体で急進的な要求の表明と、移民排斥主義者による政治運動の爆発を可能としているのである。

カタルーニャの分離主義者はよくある不満と不安な状況に乗じている。移民の流入がスペインとの対立に重要な役割を果たしているようには見えないが、より広く移民の存在に対応することで、ヨーロッパの雰囲気を黙認から分離主義へと変化させた。一例を挙げればフィンランドが受け入れた移民の数はわずかで、スウェーデンは約一六万三〇〇〇人の亡命希望者を受け入れている（人口比ではEUで最も多い）が、どちらの国でもナショナリズムが復活しているという事実は、実数とは関係なく人々が感情で反応するものだと教えてくれている。右翼の言い分では移民はすべてイスラム教徒であり、潜在的なテロリストである。民族を宗教に還元してしまう（加えて敵の宗教はそれ自体脅威となる）この種の語句は、アイデンティティの政治利用だ。まさにこうした言説が旧ユーゴスラヴィアで民族紛争の土台となった。しかしそこからは何の教訓も得られてはいない。ナショナリズムの兆候や危険性を認識し、迅速な対応すらできていない。

同様に、近年の難民はもはや国家や民族の一員でもないし、個人であることも許されていない。難民は自分自身が敬虔であるか否かにかかわらず、宗教的なアイデンティティに還元されてしまった。

とはいえ、カタルーニャの分離主義者やイタリアの北部同盟［現在はLiga同盟］と、ポーランド、ハンガリー、オランダ、フィンランド、ドイツの右翼運動や政党との間に違いがあるとすれば、一体何であろうか。歴史的な相違はともかく、分離への思いの度合いが違うとは言えよう。半ばEUを脱退している国もあれば、脱退を希望する国もある。移民を排除して民族的に純血である国民国家を望む国も存在しているようだ。要は排除の政治が主流となりつつあり、ナショナリズムや移民排斥主義の台頭に他ならない。

ヨーロッパ主義という発展途上にあるアイデンティティは、移民に対して内と外、物理的そして心理的な壁を築くという新たな意味を獲得した。

その予言は言葉通りに実現するかもしれない。移民への恐怖は、ヨーロッパ人が守りたい社会的・政治的枠組み、文化、伝統、宗教、生活様式そのものを破壊する恐れがある。かくしてイワン・クラステフが『アフター・ヨーロッパ』[4]で書いているように、移民はEUの運命を左

---

（4）イワン・クラステフ『アフター・ヨーロッパ――ポピュリズムという妖怪にどう向きあうか』庄司克宏訳、岩波書店、二〇一八年。

右する存在にもなり得よう。

## 北マケドニア共和国

### より良い過去をいかに構築するか

郵便受けを開けると一通の手紙が入っていた。真っ白な封筒にはマケドニア、ではなくマケドニア旧ユーゴスラヴィア共和国の切手が貼られていた。

何とも不思議な、長い国名だなと思いつつ手紙を握っていたが、旧ユーゴスラヴィアが崩壊して以来、小さな共和国は三〇年近く、後に国家となってからも望みもしない正式名称を背負って存続してきたことを思い返した。もう一方の国、はっきり言ってしまえばギリシャが「マケドニア」という国民の好む名称を使うのを妨げたのである。マケドニア名称論争の中心は古代史と古代人にあった。

古代マケドニア人と古代ギリシャ人との争いは、紀元前四世紀にマケドニア人がギリシャの都市国家を征服する二〇〇〇年以上も前までさかのぼる。マケドニア王国はフィリップ二世が統治していたが、紀元前三三六年に暗殺され、息子のアレキサンダーが王位に就いた。アレキサンダーはペルシャを徹底的に打ち負かし、インドや北アフリカまで及ぶ領土を次々と征服し、史上最大の征服劇を成し遂げた。

現在、ギリシャ人は自らを古代ギリシャ人であり、アレキサンダー大王の後継者だと考え、隣国によるマケドニアという名称の使用と、アレキサンダー大王の父フィリップ二世のアルゲアス王朝の紋章であるヴェルギナの太陽がデザインされた国旗の掲揚に強く反対している。

今日のマケドニア人といえば、アレキサンダー大王をいわば「国の父」であると感じている。だがアレキサンダーを国民の崇拝の対象とするには問題がある。アレキサンダーは純粋なマケドニア人の血統ではないし、母親のオリンピアはイピルス出身で、そもそも自らをマケドニア人だとは思っていなかった。むしろヘレニズム文化や家庭教師であったアリストテレスの教えを受け入れていた。アレキサンダーによる征服の結果、ヘレニズムが領土全域に広がり古代ギリシャ語が共通語となった。だからもしフィリップ二世が生きていたら息子を裏切り者とみなしたであろう。今日のマケドニアの民族主義者が、アレキサンダーを国の父と呼ぶのは逆説的であるように思える。民族主義者たちは、より輝かしい過去を創造するという「より高い目標」の名の下、真実を黙殺する意思を明確にしたのだ。

誰がマケドニア旧ユーゴスラヴィア共和国から手紙をくれたのだろう。高齢女性が万年筆で優雅な字をしたためた一枚の紙を封筒から取り出してみる。差出人のビリャナとは、異母兄弟(私の従兄弟)が亡くなって以来何年も連絡を取っていなかった。私の知る限りこれほど見事な字を書く人は他にいない。「親愛なるスラヴェンカ、最後に会ってからもうずいぶん経ってしまいましたね。私たち二人はまだ幼い少女で、あなたは私よりお姉さんでした……」

一九六〇年代のはじめ頃、クロアチア人の叔母はマケドニア社会主義共和国の男性と出会い結婚した。当時マケドニアはユーゴスラヴィア連邦の六つの共和国の一つで、私たちはトーショおじさんを「マケドニア人」だと思っていた。当地に住む人々がマケドニア人以外の何者であるというのだろう。クロアチアに住むクロアチア人や、セルビアに住むセルビア人と同じように。しかし当時は、民族のアイデンティティを主張する政策がユーゴスラヴィアの統一を脅かしていた。二人は公用語のセルビア＝クロアチア語で会話していた。トーショは学校で習得しており、叔母はすぐにマケドニア語（ユーゴスラヴィアでは公用語として認められていたが、ブルガリアとギリシャでは公式には認められていない言語だった。ただしどちらの国もマケドニア人がマイノリティとして存在している）を学び、息子は双方の言葉を使って育った。トーショおじさんには前の結婚相手との間にビリャナという娘がいて、彼女が私に宛てた手紙を書いた人物である。整理しなければならない相続関係の書類がいくつかあったので、晩年となり手紙が届いたのだった。

ビリャナの家族全員に会ったのは、皆がリエカに遊びに来たときの一度きりだ。当時ビリャナは六歳くらいの小柄でふっくらとした、つぶらな瞳の少女だった。ほとんど言葉を交わせなかったものの、ビーチに並んで寝そべって過ごしたので細かなことはどうでもよかった。西のリエカからの道は長く、ユーゴスラヴィアの東にあるビトラまで行くにはお金がかかるため会う機会はほとんどなかった。バスでの移動は二日かかった時代だ。それにマケドニアは同じユーゴスラヴィアの一部でありながら、地理的な距離だけでなく文化的にも精神的にもクロアチアからかけ離れていた。何世紀にもわたり二つの異なる帝国に属していたのだから不思議ではない。クロアチアはオーストリア・ハンガリー帝国に含まれていたし、マケドニアの領土の一部はオスマン帝国下にあった。だから五〇年近く同じ国民国家で一緒に暮らしたとしても、双方の違いの多くは無くなってはおらず、ザグレブから南東へ八〇〇キロほど移動すればトルコと同じくらい異国情緒あふれる別世界が広がっていたのだ。

ビリャナは、娘アナの電話番号を手紙に添えていた。私はアナに連絡を取り、相続関係の急用に加え、その足でマケドニアの首都スコピエを探索してみようと旅行を決めたのだった。

ＦＹＲＯＭ［the Former Yugoslav Republic of Macedonia］、あるいはマケドニア旧ユーゴスラヴィア共和国がニュースになることは滅多にないが、近頃スコピエはより良い過去を築くための新プロジェクトで知名度を高めていた。二〇〇六年から二〇一六年までの一〇年間、政府は古代マケドニア人としてのアイデンティティの枠組みを強化するため、古代ギリシャ人に倣って一連の彫像、広場、建物の建設を決定した。民族主義政党ＶＭＲＯ－ＤＰＮＥ[1]の下、当プロジェクトは正式に「スコピエ二〇一四」[2]と名付けられた。アレキサンダーと同じ民族であるという考えは（たとえ純粋なマケドニア人でなかったとしても）、この国の多くの人々にとって、歴史の復活や創作に費やされた六億ユーロともいわれる金額に値するほど魅力的であったに違いない。個人記者からの情報によると残金は横領されたとのことだ。古代の歴史や神話、伝説の断片から国を作るというのは政治的にも経済的にも文化的にも大きな事業である。今日のヨーロッパではおそらく最後のプロジェクトでもあるだろう。マケドニアという名称の使用権をめぐる争いがこのプロセスの第一歩だったのは明らかであるが、後になって彫像や建築も一翼を担うようになっていった。マケドニアのように熱狂的に民族のアイデンティティを短期間で作り上げるときにはシンボルが重要となる。特に国を作るための政治的努力に連続性がない領域で建国する場合、過去を再解釈し、再創造し、新たに作り上げるしかない。

かたやギリシャ人による文化遺産やシンボル、それから名前を盗むことで正当な所有者のアイデンティティを横取りしているという隣国に対する考え方、というより非難も極めて問題である。複雑に絡み合った領土と過去を持つ民族の間で、シンボルや名称、文化の独占的な所有権などというものは存在するのだろうか。

それゆえ新国家は、相反するセオリーがぶつかり合う人類学の実験室となったのである。一方では国家は自明かつ不変、石のように硬く確固とした共同体であるという説。他方国家では想像上の共同体であるばかりか、ときに近隣諸国と重なる多くの要素で構成されており、硬い石の塊というよりはパズルやサンドイッチのようなコミュニティであるという説。いずれにせよ構成要素は絶えず追加され、入れ替えられる。ある要素を最初に取り入れた人々もいれば、最後に取り入れた人々もいるという未完成の作品なのだ。ユーゴスラヴィア崩壊後に再び現れた国家スロヴェニア、ボスニア・ヘルツェゴヴィナ、クロアチア、コソボが自国のアイデンティティを確立する段階と類似している。創造されるアイデンティティに組み込まれる要素は、

---

(1)内部マケドニア革命組織・マケドニア国家統一民主党。マケドニアの二大政党の一つ。党名は一八九三年に結成された「内部マケドニア革命組織」に由来しているが、過去のマケドニアの解放運動を引き継いだものではない。チトー死後、マケドニアの民族主義の高まりとともに支持基盤を増やし、一九九〇年に民族主義的な政党として結成された。創設者の一人リュブチョ・ゲオルギエフスキは後にブルガリア国籍へと変更し、現在の政党の方針を「過去の捏造」と批判している。

(2)マケドニアの首都スコピエを歴史的な都市とすることを目標に据えた政府プロジェクト。古代から現在まで連続性を持たせたマケドニアの歴史を作り上げ、大学、博物館、政府機関の建物を建設し、歴史上の重要人物の彫像を立てる計画である。スコピエ二〇一四の総工費は現在までに約五億六〇〇〇万ユーロとも言われている。

偽りの過去、神話、事実そのもの、まったくの創造物まで多岐にわたっている。しかしながらFYROMはナショナリズムの熱狂の中で、高くついた低俗な芸術作品の壮大さと規模の大きさでは他の追随を許さなかったようだ。

ビジュアル・アイデンティティは自分たちが何者であるか説明する上で真っ先にくる心象となるが、マケドニアの場合、むしろ国民が何者でありたいかを発信する強いメッセージとなっている。創造されつつある新国家の姿と礎を自分の目で見てみたいという思いが、今回の訪問のさらなる動機となった。

故郷クロアチアと同じく、マケドニアもユーゴスラヴィア崩壊の産物であるため私は不安を抱えながら旅をした。皆、自分たちが何をしているのか理解しているのだろうか。九〇年代初頭のクロアチア、ボスニア・ヘルツェゴヴィナ、コソボでの紛争からナショナリズムの危険性を学ばなかったのだろうか。スレブレニツァやサラエヴォ包囲でのイスラム教徒への血生臭い民族浄化やジェノサイドで、何万人もの死者が出たことについてはどうだ？　旧ユーゴスラヴィアから戦争することなく非暴力で独立した共和国であるFYROMでさえも、人々は過去の恐怖を忘れることはできない。

アナとはスコピエの中心にあるマケドニア広場で落ち合った。高さ三〇メートルほどある円柱の台座に立つ騎馬像のそばで待ち合わせた。巨大な騎馬像は小さな広場に威厳を与えているようだ。ブロンズ像は二〇一一年に完成し、「戦士の騎馬像」という簡素な題名が付けられているが、アレキサンダー大王が愛馬ブケパロスに跨る姿を表現していることはよく知られている。待ち合わせの前に、街の真ん中を流れるヴァルダル川に架かる古い石橋を渡り近辺を歩いた。新しく作られた広場の中央には同じく巨大なフィリップ二世の像（正式名称は戦士）があり、噴水やギリシャ様式の柱、フリーズ装飾の真新しい美術館や国家機関といった建物群、そしてさまざまなブロンズ像で囲まれている。

歴史にさほど興味のない訪問者が広場にあるアレキサンダーとフィリップの巨大な彫像をはじめとする歴史上の人物の彫像などを見れば、一瞬ではあるが二〇〇〇年前の古代ヘレニズム都市の名残を思わせる歴史ある土地に新スコピエが作られたかのような印象を受けるかもしれない。しかし無知な訪問者でさえ、一見すればこの彫像が古いというにはあまりにも新しく、ここ一〇年の間に建てられたものだと言われても驚きはしないだろう。

アナを待っている間、ふと街の中心全体がまるで映画のクルーが急遽放棄したハリウッドのセットのように思えた。

アナは三〇代半ばで大学を卒業し、小さな建設会社を経営している。ビリャナに似ていないのでまったく気がつかなかった。金髪に青い目。最初は少し恥ずかしそうにしていた。ジーンズにジャケットというカジュアルな服装で、ここにいる若者と同じどこにでもいそうな雰囲気だった。議論するまでもないが、ファッションには制服のように人々を一体化させる力がある。

私たちはテラス席に座ることにした。二〇一八年一一月（わずか数ヶ月後にギリシャに認められ国名が変わったので当年は重要である）の天候はまだ暖かく、心地よかった。

私はフルーツサラダを、アナはエスプレッソを注文した。マケドニアではフルーツサラダでさえ歴史がある。フランスやドイツのレストランでミックスフルーツのサラダをデザートとして注文する際、多くの国ではマケドニア風サラダとして知られているのをご存知だろうか。レシピは簡単。家庭でも作ることができ、季節の果物を切りレモン汁と砂糖を加えて冷やすだけ。たくさんの材料を混ぜ合わせるのがコツで、多ければ多いほど美味しくなる。一般的にはイタリアのデザートだと考えられている（とはいえ、第二次世界大戦中にイタリアがアルバニアに侵攻したときもマケドニアまで到達してはいないのだが）。イタリアの「マチェドニア風フルーツ」は、ミックスフルーツを指す。だがマケドニアで注文する場合、マケドニア風サラダと注文するべきなのだろうか、あるいは単にフルーツサラダとすべきだろうか。ねえ、今政治的に正しい名称は何かしら？と私は尋ねた。アナは不安そうに笑い、当地では「マケドニア風サラダ」は果物ではなく野菜を混ぜたもので、他の国で言うギリシャ風サラダですよ、と驚くべき事実を教えてくれた。というわけで私はようやくフルーツサラダを注文したのだった。

アナはあまり政治的な意見を持たないタイプのようだ。遠い親戚とはいえ、見ず知らずの人の前での発言に気後れしているのかもしれない。だが自分をマケドニア人だと思うかと尋ねると、もう恥じらったり不安気にしてはいないようだった。アナは即座にうなずき自分がマケドニア人であることを確かにする。「他に何人だというのですか？　父はマケドニア人だし、母や祖父母もそうでした」とアナは言う。アナの祖父母は二人とも第二次世界大戦の直前の三〇年代後半に生まれている。先祖は当時南セルビア人と呼ばれていた民族であろう。考えようによってはマケドニアという国家を再構築し、民族のアイデンティティを古代史から作り出すのにはわずか三世代で済むということであろうか。

新スコピエのみならず国名の由来と民族のアイデンティティの形成にまつわる物語は、現時点では歴史叙事詩を彷彿とさせる。マケドニアの民族主義者に歴史が味方しないのは、五世紀から七世紀にかけてスラヴ人がヨーロッパへ移住したという経緯による。実はバルカン半島南東部の領土では、古代の部族や民族のほとんどは新参者であるスラヴ人によって圧倒されていたのである。さらにローマ帝国やビザンチン帝国、それに続く中世ブルガリア王国やセルビア王国のもとですでに同化していた領土内の人々をオスマン帝国が征服し、二〇世紀初頭まで長きにわたり支配していた。マケドニアという名は地理的な領土を指す名称としてのみ歴史に残され、「マケドニア人」などという民族は存在しなかった。

その領土はオスマン帝国最後の砦であったが、押し戻されるように滅亡し、二度にわたるバルカン戦争と第一次世界大戦で民族運動が爆発的に広がっていった。マケドニア地方は三つの行政区に分割され、政治的にも統一されていなかった。二〇世紀に入ってようやく、ヨーロッパ南部で民族運動が盛んになった頃に初めてマケドニアという名前が再登場したのだ。また、ユーゴスラヴィア連邦の共和国の一つがマケドニアと命名されたのは一九四四年のことで、名称の使用にギリシャが異議を唱え始めたのが一九九一年である。

以上の事実を考慮すれば、今日の住民を古代民族と結びつけるのはかなり無理があるように思われる。まるでイタリア人が古代ローマ人の直系であると主張したり、スウェーデン人がヴァイキングの後継者であると考えたりするようなものだ。だが、ずっと前に存在していて今も使われず残っている民族という素晴らしい創造物の前に、厳しい事実が立ちはだかるのはなぜだろう。マケドニアをめぐる政治的な意思決定において、事実が重要な要素となることは滅多にない。

建築ラッシュと民族的アイデンティティとの関連性や、建築と政治的プロパガンダが双方ともにナショナリズムの色彩を帯びているのに気づいているとアナは説明してくれた。だが彼女は気にも留めていないし、ナショナリストと呼ばれるのもお構いなしだった。その時になって初めてアナは驚くほど率直な意見を口にした。少しだけ顔を赤らめながら「自分がマケドニア人であることを誇りに思います！」と断言したのだ。「昔はマケドニア人と呼ばれていたけれど、その名はユーゴスラヴィア限定でした。マケドニア人はギリシャではギリシャ人ですし、ブルガリアではブルガリア人とみなされてきました。誰もが自分たちのことをマケドニア民族だと認めざるを得なくなる時がやって来たのです」と、満面の笑みで語っている。「誇りと威厳が大切なのですね」と、私はためらいつつ頷く。しかし平均所得三五〇ユーロとヨーロッパでも最も低い国では、政府は早急に雇用を創出し、生活水準の向上に取り組んだ方が良いのではないか、と尋ねてみた。だがアナは何の繋がりも感じていないようだった。

では言語はどうなのだろう。私は知りたかった。ギリシャ人がマケドニア語という表記に反対しているのを承知の上で、自分の言語はマケドニア語であるとアナは主張した。ギリシャの見解では、特定の地域に住んでいるからといって自動的に民族が決まるわけではない。ギリシャの人々が自国のマケドニア人少数民族を承認せず権利を与えないのは、要するにマイノリティが独立や統一といった考えを持たないようにするためである。一方ブルガリアの人々は、マケドニア人をブルガリア人であり、言語もブルガリア語の方言だとみなしてきた。ブルガリアとは言語が似ているため、ＦＹＲＯＭの留学生が多数ブルガリアで学んでいる。なお、マケドニア語のキリル文字はブルガリアのそれとは多少異なっているにもかかわらず、マケドニア語が独立した言語だと認められたのは一九四四年であった。一九九〇年代初頭には、多くのマケドニア人がブルガリア南西部の町ブラゴエヴグラードにあるアメリカン大学へ行き、国際的に認められた学位の取得を目指し英語で学んでいた。

大学教授であるスコピエの友人に、自分がマケドニア人だと思うかと尋ねると、「マケドニアという名称のついた国家の国民という意味でしょうか。それとも民族的帰属を聞いているのでしょうか」と、慎重な答えを返してくれた。友人は二つの概念の間にある違いをはっきりと見抜いていた。多くの人にとっても単純な問題ではないようである。歴史的にも政治的にも極めて詳しく説明する必要があろう。友人の質問は、名称と民族の帰属意識が政治的争点となっている国おいて、まさにアイデンティティをめぐる複雑な問題の的を射ている。

民族主義的な一大プロジェクトは、私の遠い親戚のような人々の支持なしでは達成できないものの、すべての人が同じ意見を持っているわけではない。現に二〇一七年五月に誕生した社会民主党・少数民族連立政権は、ギリシャ人と交渉することによって民族主義者による被害を抑えようとしている。二〇一八年六月、マケドニアのゾラン・ザエフとギリシャのアレクシス・ツィプラス首相は、ついに北マケドニア共和国の新名称に関するプレスパ合意の調印に成功した。「今回の合意は、歴史と私たち自身とのランデブーなのです」とツィプラスは述べている。ギリシャ人は、北マケドニアという名称に対するＦＹＲＯＭの権利が、マケドニア人が住むギリシャ領の領有権を主張するための口実となることを恐れているのかもしれない。あるいは、北マケドニアへの名称変更によって国際機関や資金へのアクセス、ＮＡＴＯへの加盟、ギリシャがこれまで阻止してきたEU加盟交渉を開始が可能となる点も危惧しているのだろう。[3]

夕方ホテルの最上階から外を眺めると、ライトアップされたファサードの美しく堂々たる巨大建築物、大通り、橋、広場などが見えたが、すべて電光に包まれていた。昼間の光景は少し違っていた。国家機関や美術館、大企業が入居する新しい建物の間に小さな家や街並みがあり、五〇〇年以上にわたるオスマン帝国の支配下で生まれた典型的な建築物の名残が見受けられた。まるでこの一〇年ほどの間にヨーロッパの新しい町がトルコの古い町を食いつぶしてしまったかのようだった。

スコピエの真っ白なファサードはすべて新しく作られたものであるが、往々にして古い建物の上に直に建てられている。過去を捏造するという行為は、偽の「古典」ギリシャや、歴史的な影像だけにとどまらない。他の時代も対象となる。そう考えてみるとスコピエはさらに興味深い街となる。建物の多くは新古典主義、アールデコ、バロックなどの要素が混在しており、建築家が様式の選択を迷ったかのようだ。実際に西洋の建築や芸術の様式はスコピエのような東方には到達していなかったため、建築家にとって容易なことではなかっただろう。ヘレニズム、ローマ、ビザンチンの時代を経てオスマン帝国の支配下に入った。オスマン建築様式の影響を受け、第二次世界大戦後は共産主義的な都市計画が行われるようになったのだ。新しい建物はヴァルダル川の片側に集中し、対岸には共産主義時代の建物が多く残っている。なかでもマケドニア広場から続く大通りの一角にあるマケドニア凱旋門は、パリやブカレスト、バルセロナで見られるような本物の凱旋門さながらで二〇一二年に建てられている。新しい建物やファサード、街灯の柱や橋は、むしろ一八世紀から一九世紀のウィーンやパリの典型的建築物に近く、スコピエで見られるものではなかった。ところが新しい建築物は、スコピエが帝国の国境にあるトルコの「チャルシヤ」〔čaršija：バザールの意〕だけではなかったと示すために意図的に作られたのである。こうしてヨーロッパの一部としての歴史を証明する新旧の建物群が存在する事態となったのだ。マケドニアでの建築の役割は、スコピエでは本当には起こらなかった歴史の「証拠」の提供、つまり真実の捏造である。

スコピエが唯一の例ではない。独裁者ニコラエ・チャウシェスクは、七〇年代後半にブカレスト旧市街の半分を取り壊し、ノーメンクラトゥーラ[4]向けの優雅な居住区と、ペンタゴンに次ぐ世界第二位の規模を誇る壮大な議事堂「国民の館」を建設した。ロシアのピョートル大帝は、一七〇三年にヨーロッパへの帰属意識の証としてバルト海沿岸にサンクトペテルブルクをゼロから建設した。

だが社会主義建築、つまり何はなくとも何百万人もの人々を、かなりまともな条件で収容していた醜い灰色のブロックを飾り立てることに関しては、それほど熱心ではない。社会主義時代の建物は、リノベーションや魅力的な投資対象となるのは困難である。取り壊しが検討さ

---

（3）欧州委員会の安定化・連合プロセス（SAP）の勧告など、民族問題の解決のためにさまざまなアプローチが試されている。ICTYへの協力、少数民族や難民問題の解決などは国内の民族主義者から反発を受けるためハードルは高い。旧ユーゴ諸国の場合、EUとの間に安定化・連合協定（SAA）を結び、EU加盟を目指している。

（4）ソ連の特権階級。指導者選出のための人事制度に由来。重要人物リストに入れば厚遇を受けることができた。

れているのは確かだ。ただ解体するにはあまりにも多すぎる。社会主義建築は今後も残り続け、でっちあげられた過去ではなく現実を突きつけていくだろう。それはおよそ一〇〇〇人が死亡した一九六三年七月のスコピエの大地震で、市民の大半が家を失った後に建設された建物が大半を占めている。日本の有名な建築家丹下健三が都市の再建を担当した中央郵便局やカルポシュの高層ビル、様々な施設やいわゆるブルータリズム様式の記念館など、当時の建物が現在でも堂々たる姿で残っている。

民族主義的な過去の見解を伝える役割を担っているのは、マケドニア国家と独立のための闘争博物館、内部マケドニア革命組織博物館、共産主義体制の犠牲者博物館［Музеј македонске борбе за државност и самосталност – Музеј ВМРО–а – Музеј жртава комунистичког режима］という異様に長い名称の川辺に新設された博物館である。民族主義政党ＢＭＰＯを独立闘争と同一視し、旧ユーゴスラヴィア時代の歴史を無視するという当プロジェクトの意図が名称から伝わってくる。博物館は緑豊かなヴァルダル川の辺りに建つ、広々とした建物内にある。少し奇妙で恐ろしさも感じる不思議な場所だ。重要人物の蝋人形、ホラー映画に出てくるような拷問シーン。二〇世紀を網羅し、一〇〇年の大部分は民族意識の誕生と独立への欲求に捧げられ、一九〇三年のトルコに対するイリンデンの蜂起を祝している。マケドニアの自治獲得を目指した最初の試みである反乱軍の政治団体クルシェヴォ共和国は、わずか一〇日間しか存続しなかった。だが蜂起は時代が変わりつつあることを示す確かな兆候だった。トルコの領土がヨーロッパで縮小し、西欧の軍事圧力によって撤退していく。オスマン帝国とオーストリア・ハンガリー帝国が崩壊し始めると、領土内に住む「マチェドニア風フルーツ」のごとき民族が独立を求めて争ったのだ。

旧ユーゴスラヴィア出身の私が博物館を訪れてみると、何かが欠けているように感じた。マケドニアの反ファシスト勢力がチトー率いるパルチザンに参加し、一九四四年に共同政権を樹立したというエピソードが、第二次世界大戦の展示からまるまる抜け落ちていたのだ。ヨシップ・ブロズ・チトーはナチスのユーゴスラヴィア占領と戦った軍の総司令官で、後に共産党の総裁、著名な政治家、そして一九八〇年に死去するまで同国の大統領を務めた人物である。ところがチトーのパルチザン闘争に続くユーゴスラヴィアの五〇年も、その歴史にふさわしい価値が与えられてはおらず、やや慎重に紹介されている程度だ。壁に貼られた数枚の写真やメモ、政治犯が収容された独房、チトーをはじめ同志たちの蝋人形の部屋など、六五〇〇平方メートルもの巨大な博物館をもってしても社会主義時代を公平に評価できていない。例えば、ユーゴスラヴィア王国ではマケドニア人は南スラヴ人と呼ばれていた。だがチトーは一九四四年にマケドニア共和国を承認し、各地を国に組み込み一つの連邦共和国へと変えた人物である。おかげで共産主義下で国家と独立の夢がいくぶん現実味を帯び、ユーゴスラヴィア社会主義連邦共和国が崩壊して一九九一年にユーゴスラヴィア戦争が勃発すると、各共和国は独立国家となったのである（ただしマケドニアは終始平和を保っていた）。

ユーゴスラヴィアの一部であった時代がそこに住む人々に多大な恩恵をもたらしたにもかかわらず、完全に疎外されているのは不思議だとは思わないのだろうか。私は歴史学者である若い博物館ガイドに尋ねてみた。なぜ共産主義時代は博物館の中でこんなにも扱いが小さいのですか？　来場客のほとんどは小学生や外国人だからか、青年は質問には明らかに慣れていない様子で、「マケドニア人の長い歴史の断片」に過ぎないからではないだろうかと答えた。だが「長い歴史」における特定の百年の区間に焦点を当てた博物館であるなら、五〇年あまりの展示は一部屋だけでは済まないのではないかと私は思った。つまり共産主義時代にマケドニア地域は栄えたが、共産主義は今となっては語るに値しないという単純なご都合主義に帰結するに違いない。マケドニアに限らず旧共産圏の東欧諸国では、共産主義が短期間で近代化をもたらし、農耕社会を都市化および工業化へと変化させたという功績に触れるのは難しい。一般教育の普及は同時に女性解放も意味していたし、このような変化は全体主義体制によって達成されたとはいえ、認知されるべきだ。オスマン帝国との国境にある小さな町だったスコピエがマケドニア共和国の首都となり、やがて問題を起こす名称を持つ国民国家となったのはひとえに共産主義時代のおかげである。

ほぼ五〇年を通じて、数世代の人々がユーゴスラヴィア社会主義共和国でマケドニア人として育った。たとえ歴史的には事実でないとしても、自分たちが古代マケドニア人の末裔、つまりアレキサンダー大王の子孫でさえあると信じることから小さな一歩を踏み出したのだろう。しかし、ベネディクト・アンダーソンが一九八三年に発表した、近代民族は「想像の共同体」であるという概念を受け入れるのであれば、マケドニア人の想像の共同体が、新しい独立国家にマケドニアという名前を与えんとする国家誕生の物語が見えてくるのも確かだ。マケドニア人は歴史地理学的名称の生きた証拠なのだ。神話、感情、想像力といった必要な要素を加えることなしに、政治的、経済的な努力だけで二一世紀のヨーロッパに「マケドニア」という新国家の建国もままならないのであろう。

# 人文書院
# 刊行案内

2024,8　　鴨川鼠（深川鼠）色

## ザッハー＝マゾッホ集成全三巻

ザッハー＝マゾッホ 著
平野嘉彦／中澤英雄／西成彦 訳

各巻￥11000

### I エロス

習俗を巧みに取り込んだストーリーテラーとしてのマゾッホの筆がさえる。本邦初訳の完全版「毛皮のヴィーナス」、「コロメアのドンジュアン」ほか全4作品を収録。

### II フォークロア

ドイツ人、ポーランド人、ルーシ人、ユダヤ人が混在する土地。民族間の貧富の格差をめぐる対立。複数の言語、ガリツィアの雄大な自然描写、風土、民族、習俗、信仰を豊かに伝えるフォークロア的作品。「ハイダマク」ほか全4作品を収録。

### III カルト

あるいは「草原のメシアニズム」、あるいは「農本共産主義」（ドゥルーズ）を具現する、ロシア正教の異端宗派、ユダヤ教の二つの宗派など、さまざまなカルトが蟠居する東欧のスラヴ世界。マゾッホの宗教観を如実に語る「漂泊者」ほか、5編の小説および2編の論考を収録。

**◎内容見本進呈**
お問い合わせフォームにて送り先をお知らせください。お一人様1部までお送りします。

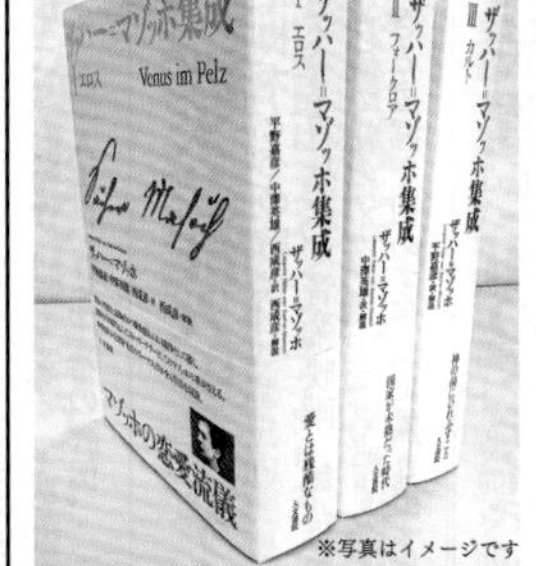

※写真はイメージです

詳しい内容や収録作品等の情報は以下のQRコードからどうぞ！

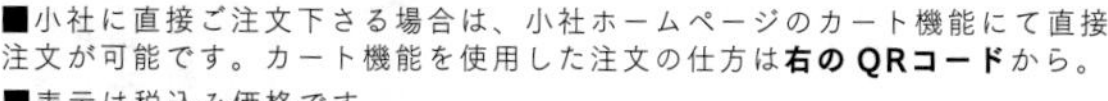
■小社に直接ご注文下さる場合は、小社ホームページのカート機能にて直接注文が可能です。カート機能を使用した注文の仕方は**右のQRコード**から。
■表示は税込み価格です。

**人文書院**
〒612-8447 京都市伏見区竹田西内畑町9
TEL075-603-1344／FAX075-603-1814
編集部 Twitter（X）:@jimbunshoin
営業部 Twitter（X）:@jimbunshoin_s
mail:jmsb@jimbunshoin.co.jp

## 今回のイチオシ本

### 思想としてのミュージアム
増補新装版

博物館や美術館は、社会に対してメッセージを発信し、同時に社会から読み解かれる、動的なメディアである。日本における新しいミュゼオロジーの展開を告げた画期作。旧版から十年、植民地主義の批判にさらされる現代のミュージアムについて、論じる新章を追加。

村田麻里子著
¥4180

### 呪われたナターシャ
【復刊】現代ロシアにおける呪術の民族誌

三代にわたる「呪い」に苦しむナターシャというひとりの女性の語りを出発点とし、呪術など信じていなかった人びと―研究者をふくむ―が呪術を信じるようになるプロセス、およびそれに関わる社会的背景を描いた話題作、待望の復刊！

藤原潤子 著
¥3300

### 超越論的存在論
ドイツ観念論についての試論

存在者へとアクセスする存在論的条件の探究。「世界は存在しない」「複数の意味の場」など、その後に展開されるテーマをはらみ、ハイデガーの仔細な読解も目を引く、哲学者マルクス・ガブリエルの本格的出発点。

マルクス・ガブリエル著
中島新／中村徳仁訳
¥4950

### はじまりのテレビ
戦後マスメディアの創造と知

1950～60年代、放送草創期のテレビは無限の可能性に満ちた映像表現の実験場だった。番組、産業、制度、放送学などあらゆる側面から、初期テレビが生んだ創造と知を、膨大な資料をもとに検証する。気鋭のメディア研究者が挑んだ意欲的大作。

松山秀明 著
¥5500

マケドニア人のほとんどが正教徒であるのは、二〇〇二年にヴォドノ山に建てられたミレニアムクロスからも明らかだ。記念碑は「戦士の騎馬像」の二倍以上の高さがあり、夜間にはライトアップされている。夜になるとスコピエの上空には、空から吊るされているがごとく光々と輝く十字架が浮かんでいる。同時に、地上に近づくにつれムアッジン（イスラム教の礼拝を呼びかける役）による祈りの呼び声が街角を漂う。かくしてイスラム教徒の多いアルバニア人が人口の約二五％を占める最大の少数民族であり、マケドニア人が自分たちだけではないことを思い知らされる。

フルーツのデザート、領土、古代王国などすべてがマケドニアという名称で呼ばれている。国家も同様だ。地理的領域から始まり、二〇一九年一月現在「北マケドニア共和国」という新名称になるまで長く試練の多い道であった。だが、マケドニアの任務が終わったとは言い難い。独自の要求と条件を求めるアルバニア系少数民族の支持を待っているため国の取り組みの成果は不安定な状態にある。二〇〇一年、アルバニア系反政府武装勢力が警察の前哨基地を襲撃し、後にも長きにわたって続いた紛争で数十人の死者を出した。アルバニア国旗の禁止とアルバニア語の弾圧が、抗議行動と軍事衝突の発端となったのである。今日、現地のアルバニア人はマケドニアの民族主義的のあらゆる表現を懐疑と恐怖をもって正しく見ている。一方のナショナリズムがもう一方のナショナリズムを増大させる。ナショナリズムが極めて危険な理由はここにあるのだ。

マケドニアは民族主義的なヨーロッパという新しい図式に相応しい。右派の民族主義のために、何世紀にもわたってイタリアやフランスを生み出すに至った民族主義が、今再びスコピエで新たな民族国家をつくろうとしている。ただ建設現場に遅れてやってきた管理者たちは、歴史の各ブロックを自分たちが独占的に所有していると思い込み共有しようとしない。しかし百年前ではなく現代に事業を行うのであるなら、耐えねばならない条件である。

アナとは家族の相続問題について話し合った後、いい感じで別れた。マケドニアの歴史や名称については明らかに意見が合わなかったが、一致する必要もないだろう。

巨大な十字架と夜明け前に私を目覚めさせるムアッジンのよく通る声は、今も平和に共存している。

現在スコピエを訪れ、マケドニア広場に座り、偽物のギリシャ彫像や新古典主義建築、パリ風の橋や街灯を眺める。太陽を浴びながら、現実であれ虚構であれ、あらゆる場所でこの国の歴史に思いを馳せる。しかし偽物にまみれた光景を目にするからこそ、マケドニアとギリシャの、そして古今東西の民族的アイデンティティが構築物でしかないと気付かされるのであろう。

スコピエでは、事実と虚構が混じり合い、低俗でありながらもある意味では感動的ですらある誇れる何かを探している人々の、ナショナリズムに満ちた物語が展開されている。この作品に心打たれるのは、国家を作ろうとする政治運動に対してではない。民族のアイデンティティがたとえ構築物であろうとも、誇らしさを感じると考える人々がいるからなのだ。

同時にマケドニアはＥＵの一部になろうとしている。ＥＵという大きな連合に自国の主権の一部を委ねなければならない。ところがこの逆説には、少なくとも今の時点では誰も気づいていないようである。

# スウェーデンのオウム、移民問題など

## かつての移民と新たな難民をめぐって

私が初めてスウェーデンを訪れたのは一九七〇年。三ヶ月間の就労が認められた学生ビザでの滞在だった。北へ向かう二日二晩の長い列車の旅。ザグレブから東ベルリンへ、当時の夫と一緒にとある学生の家に一泊した。私たちは青年のことを知らなかったけれど、過去に何度か同じ格安ルートでスウェーデンへ旅行している故郷ザグレブの友人が住所を教えてくれたのだ。当時のドイツはまだ分断されていた。ドイツ民主共和国[1]では警察への登録なしの滞在は違法だったので、学生は危険を冒して私たちを家に招き入れてくれたわけだ。ザグレブからの列車は深夜に到着するし、スウェーデン行きのフェリーは早朝に出発するので、言うまでもないが近所の人たちに気づかれはしないだろうと判断したのである。私たちは学生の母親が焼いてくれた黒パンと水を二本ずつ持って夜明けに出発した。早い時間帯だと店は閉まっているし、い

---

（1）通称東ドイツ。第二次世界大戦後の一九四九年にドイツのソ連占領地域に建国される。社会主義統一党による支配によってソ連の衛生国家として歩み、ワルシャワ条約機構やコメコンに加盟。社会主義計画経済を進め、東欧のなかでは成功を収めていた。西ドイツと東ドイツの間に設置されたベルリンの壁は東西冷戦の象徴である。

ずれにせよ私たちは東ドイツの通貨を持っていなかった。

スウェーデンを通り抜ける旅は果てしなく続き、あちらこちらに木造のコテージや赤く塗られた数軒の邸宅が点在する森を抜けて行った。ただ、ストックホルムの中央駅は東ベルリンの鉄道駅と比べて華やかなショッピングモールのようだった。西ドイツのマルクをスウェーデン・クローナに両替し、トーマスが待つストックホルム郊外へのローカルバスのチケットを購入する。トーマスは前年ザグレブで会ったスウェーデン人の友人。当時、多くのスウェーデンや西ドイツの若者たちがユーゴスラヴィアの共産主義をじかに見たいとアドリア海沿岸をヒッチハイクで移動していた。トーマスは大きなデパート、オーレン・ホルムの倉庫に部屋を借り仕事をする手配をしてくれた。商品を棚に並べる仕事だ。賃金のいい仕事だったので、家に戻った後も貯金で一年間は暮らせる計算だった。翌日、スウェーデン人の友人に連れられて警察本部に行き、就労ビザと納税者番号を発行してもらうと次の日から働けるようになった。

私たちの身分はさしあたり「派遣社員」といったところか。

警察署や倉庫での事務処理のあまりのスムーズさには驚いた。故郷ザグレブでは警察本部の前に延々と行列ができていたし、暇をつぶし、友好的とは言えない質問に答え、ハンコや足りない署名を集めたりせねばならなかった。もちろん二回、三回と足を運ぶのも往々にしてある。スウェーデン人は親切で、警察官、店員、バスの運転手、道ゆく人々も、誰もが喜んで助けてくれた。私たちは英語で話していたけれど、それは心地よさと歓迎の気持ちを得るための鍵だった。出会ったほとんどの人たちは英語を流暢に話したからである。一週間も経たないうちに郊外の住処にも馴染んでしまった。同僚はほぼフィンランド人で、酒を飲んだりナイフで喧嘩をしていないときは、非常に勤勉で寡黙な人たちだった。ただし皆人付き合いをする気がないので、簡単に距離を置くことができた。

欠点は二つだけだった。天候と食料の値段である。私たちが到着したのは六月上旬だったけれど、南へ二〇〇〇キロほど離れたザグレブではすでに春から夏へと変わりつつあった。だが北に位置するスウェーデンは寒かった。日差しは燦々と降り注いでいるにもかかわらず、華氏五〇度［摂氏一〇度］では晩冬のようだった。皆が着ているスポーツ用の薄手のウィンドブレーカーの謎がついに解け、私も上着を持って家を出るようになった。太陽が雲に覆われた途端、突然のにわか雨に見舞われたかのように気温が数度下がる。しばらくして夏が来ても（少なくともスウェーデン人はそう言っていた）天候はあまり良くはなかった。ザグレブでは華氏八六度［摂氏三〇度］であるのに対し、スウェーデンは華氏六八度［摂氏二〇度］だった。

食べ物は私たちにはとても高価だったので、買い物にはなおのこと悩まされた。ラップに包まれたトマトやカット・スイカの値段には目を疑った。故郷では五キロ以上もある大きなスイカを丸ごと買うのが当たり前だった。子どもの頃はスイカを海で冷やしてビーチでよく食べた。母がスイカを切り、両手で抱えるほどの一片を私たちにくれた。甘い果汁が手やあご、ついにはお腹をつたうのも気にせず食べた。しかしストックホルムでは、私たちが食べていた類の食べ物はエキゾチックだと考えられていたためか高価な代物だった。スウェーデンにはイチゴやブルーベリーなど安くて絶品の果物や、地中海のものよりも大きく脂が乗り、塩分が少ない多種多様の魚があった。新じゃがいもも美味しく、ひと夏私たちの主食となった。しかしアルコールに対する厳しい規制だけは慣れなかった。地中海沿岸の国から来た者にとってみれば、アルコールを買いに特別な店へ行かなくてはならないのは、ワインが毒物で普段の夕食の一部ではないかのようだった(2)。

私たちは土曜日も働き稼いだ。日曜日はバスで四五分ほどのストックホルムの市中心地への小旅行のための自由時間としていた。小さな島々からなる水辺の美しい都市は狭い路地や古い建物も魅力的で、地中海に面した故郷の街を彷彿とさせた。小さな島に浮かぶ中世の街、ガムラスタンもじっくり散策した。天気の良い日には黄色や茶色のファサードが水面に映り込み、幻想的な輝きを放つ。オペラ座に向かう途中にある巨大な王宮付近の橋を渡り水辺を歩いていると、深緑の木々に覆われ潮風に吹かれた小さな島がまた一つ見えてくる。

私にとって街はとても新鮮で異国情緒あふれる場所ではあったが、未知の世界というわけではなかった。ミラノやウィーンなど、昔訪れたヨーロッパの大都市と同じような感覚を抱いた。ストックホルムは北の果てにありながら、文化的な習慣や基準は同じだったのだ。午後、私たちの住んでいたソルナへの帰り道、私たちはアメリカの徴兵逃れの人々が集まる小さな喫茶店によく立ち寄った。ベトナム派兵を避けるため、六万から一〇万人の若者がアメリカを離れ、カナダやスウェーデンに渡っていたのだ。おかわり自由の安くてまずいコーヒーと、お気に入りのカネルブッレ（シナモンロール）を食べながら、政治の話なんか放っておいて音楽について語り合った。アメリカの若者たちは、共産主義国からきた私たちがジョーン・バエズやボブ・ディラン、ピーター・ポール＆マリー、ピンク・フロイドなど同じ音楽を聴いていると知り大喜びだった。

アメリカの若者にとっては、共産主義国はみな同じだった。

あの頃、誰かに二五年後にストックホルムに住むことになると言われたとしても、信じなかっただろう。一九九一年に祖国ユーゴスラヴィアが存在しなくなったという事実をはじめ、当時は信じられないことばかり起きていた。ところが、私は戦争難民でも経済移民でもなく、「愛の移民」（こんなカテゴリーはないとしても）として再びストックホルムに住むようになった。ユーゴスラヴィアの紛争を取材していたときに知り合ったスウェーデン人ジャーナリストと結婚したのだ。ストックホルムは私の街となり、以前にも増して眩しく感じられるようになった。行きつけのカフェ、本屋、美容院、お気に入りの通り、そして当然ながら友人を見つけると、人はその町に相応しくなる。私にはもう訪問者という感覚はなかった。スウェーデン人は「自分たちがヨーロッパの中心だ」とか、「生粋のヨーロッパ人だ」といった優越感を持っていないし、外から来た人を疑うような目で見ず、暗に周縁に属しているとほのめかすくらいだったので私は気が楽だった。スウェーデン人は自分たちが周縁部にいると考えていて、ヨーロッパを「大陸」と呼んだり「ヨーロッパに下る」と言ったりして、まるでヨーロッパの一部ではないかのように話していた。

スウェーデンの生活はとてもよく整えられている。国の諸機関は誰かを悩ませたり監視するためにあるのではなく、人を助けるために存在しているのだと改めて感じた。市民としてただ

---

（2）Systembolaget　システムボラゲットを指す。スウェーデンの国営アルコール専売チェーン。アルコール度数三・五％以上の酒類の取り扱いが認められており、地元の醸造所から世界中の生産者の製品を販売する民間企業のポータルとしても機能。開店時間が限られており、平日は午後八時まで、土曜午後三時までに閉店し、日曜日祝日は休業する。

一つだけ重要な条件を満たす必要がある。定期的な納税だ。完全かつ定期的に。すべての権利は納税者番号に紐づいている。というよりもＩＤがなければ権利は存在しない。私のＩＤが二五年前に受け取った番号と同じだったのには驚いた。真っ当な労働資格を所持している証明で、感激するばかりだった。当時クロアチアは戦後民主主義への移行期にあり、とりわけ公文書の発行は予想通り混乱が生じていた。旧ユーゴスラヴィアの個人番号に加え、新国家の市民には新しく番号が発行されたのだが、旧個人番号がないと有効とはみなされなかった。それでもまったく異なる二つの国を比較するのは不公平なのかもしれない。とりわけ私はスウェーデンでは「ゲストワーカー」あるいは「ガストアルバイター」（六〇年代にドイツ語の用語が定着した）などの経済移民ではなく、職探しを強いられないフリーランスのライターとして生活していたからなおさらだ。これが特権であるのは言うまでもないが、スウェーデン語を学ぶ必要がないというのは一種のハンディキャップでもあった。仕事柄、各国からの友人たちと一緒にいるときは皆英語を話していた。

唯一の不満は、今でもそうだが気軽なワインを買うのにも特別な店に行かなければならない点だ。

当時、ボスニア・ヘルツェゴヴィナを中心に、ユーゴスラヴィア紛争で大きな打撃を受けた難民が大勢スウェーデンに入ってきた時期ではあったが、私の住んでいる地域では会う機会は少なかった。ある日たまたま入った花屋の店主が電話で誰かと話しているのを耳にした。セルビア語で会話をしている。店主のセルビア語は少し錆び付いているようだった。店主であるマルコの自己紹介によると、彼はギリシャ人、イタリア人、後にはユーゴスラヴィア人の労働者（独身男性が中心だった）などの初期の移民グループに属しているとわかった。多くがスウェーデン人女性と結婚し、帰国しない人も多かった集団だ。

マルコは花屋を経営していた。色黒で背が低くがっしりとした体格の男性で、いつも機嫌良く、たまたま立ち寄った客を古い友人のようにもてなしていた。時折マルコを訪ね、政治的な事情で二つに分かれたためにセルビア＝クロアチア語とは呼ばれなくなった「私たちの言語」でおしゃべりを楽しんだ。紳士なマルコは私が立ち寄るたびに薔薇を一輪くれた。

スウェーデンに来る前の人生を語るとき、マルコは懐かしむような声色を出さなかった。セルビア奥地の田舎で生まれ青春時代を過ごし、徴兵でベオグラードの兵舎に送られたとき初めて丘や牧草地の向こう側の世界を見た。都会の生活が好きでぬかるんだ道よりアスファルトの道に、村の小屋ではなく頑丈なアパート、身なりの良い人々、路面電車、車、映画館、カフェなどに愛着を抱くようになった。

二年にわたる首都での兵役で、映画やサッカーの試合を見たり、仲間とアイスクリーム屋で話したり、日曜の午後公園でビールを飲みながら女の子を眺めたりしているうちに、マルコは自分の村には戻らないと決心した。だがベオグラードには学歴のない若い農夫が働けるような仕事はない。マルコは紙切れに書かれた住所を頼りにストックホルムに降り立った。数日後には初めての仕事を得た。スウェーデンでのメルヘンチックな新生活が始まったのである。

童話のような生活が始まり、マルコはスウェーデン語を学び、地元に住むブロンドの女性と出会い恋に落ちた。二人は結婚し男女二人の子どもを授かった。花屋を開こうと思いついた経緯はわからないが、すぐに成功を収め有名人をはじめ王室までもが顧客となった。カウンターの壁には笑顔のマルコと一緒に撮った写真が誇らしげに貼られ、「綺麗な花をありがとう、マルコ！」というメッセージが添えられている。妻と一緒に昼夜問わず店で働き、毎年冬になると数週間ベネツィアやドブロブニクなど地中海の史跡をめぐるクルーズに参加した。船のアッパーデッキでウィスキーを飲みながら、白いディナージャケットに身を包み太い葉巻を吸うマルコは、セルビアの僻地は遥か彼方よろしく、今では成功の化身と化していた。数年おきに母親を訪ね送金もする。村やユーゴスラヴィアを後にはしたが、決して後悔はなかった。

マルコはスウェーデン社会に完全に溶け込んでいて、同化しているように見えたので私は羨ましかった。自分はそうではなかった。言葉のせいで部外者のように感じさえした。小麦粉の袋に書かれたケーキのレシピや高性能のコルク抜きの説明書など、些細な言葉も正しく理解できなかった。玄関のドアに貼ってあったビルの改修工事の停電の知らせも理解できず、電気が使えないときもあった。時間と共に改善されていったが、それでも私の目にはマルコの方がスウェーデンでの生活に馴染んでいるように映った。

だが、誰ひとり童話のような人生を送ってはいない。マルコの子どもたちは結婚して家を出た。数年前に奥さんが亡くなり、私が知り合うずっと前から花屋の鳥籠で暮らしていた大きな「アラ属」のコンゴウインコのミキと二人きりになった。起きている間ミキは金切り声をあげて訪問者を出迎えた。大抵の場合は鳥籠の止まり木の上をゆっくり粛々と行き来しながら、片目でこちらを見たかと思えば、首を回してもう片方の目で注意深く見つめていた。

今ではミキがマルコの唯一の伴侶となった。ある日、動物愛好家に花屋で鳥を飼っているのを糾弾され、警察官が店にやってきた。警察官もマルコの大切な客だったので不本意そうにしていた。ミキを店で飼っていても、客寄せ目的にケージを人目につく場所に置かない限り法律違反にはならない。スウェーデンではペットの商業利用が禁止されているのだ。ところがミキは奥の部屋で飼われていたにもかかわらず、警察官は満足しなかった。鳥籠が小さすぎたからだ。二〇一四年の法律では、ミキには最低でも一三メートルのケージがなければならなかった（正方形が立方体かはマルコには不明だった）。それだけではない。鳥が孤独を感じないよう、最低六時間仲間と一緒に過ごす権利があった。あるいはパートナー、つまり他の鳥と一緒に過ごす権利である。

マルコはペットを守る厳しい規則に相当驚いていたが、一体誰が「ミキのいる」子ども部屋の広さが十分あるか、鳥が寂しくないかどうかチェックするのだろうと疑問に思った。しかし毎日一二時間はミキの相手をしていたし、一緒ではないのは寝る時ぐらいだったのでそれほど心配はしていなかったそうだ。マルコは約四〇〇ドル[3]の罰金を支払い、もっと大きなケージの購入を約束するだけでよかった。その後しばらくマルコは嫌な出来事を忘れていたが、警察はそうではなかった。数ヶ月後、婦警がミキの様子を見にやって来た。ミキの環境は改善されていなかったため、マルコはまたもや罰金を支払わなければならなかった。今度はミキにもヒートランプをつけると約束させられた。人間には十分温かい部屋でも、インコには寒すぎるというのが婦警の判断だった。でもマルコは動物の権利か人権かといった問題を婦警と議論する気

（3）米ドルに換算。本書は読者への配慮からドルやユーロに換算されている。スウェーデンの通貨はクローネ。

はなく、ただ帰ってもらおうとしただけだった。三度目に警察が来たときはもう罰金を科すこともなく、小さすぎるというケージと一緒にミキを持ち去ってしまった。

「二度も警告を受けたのに、まだ鳥を飼う条件を満たしていないじゃないか」と警官の一人が言ったという。マルコは目に涙をためながら私にその話をしてくれた。「動物への愛情はこれっぽっちも考慮してもらえないのでしょうか？」と、マルコは警察官に問いかけたが無駄だった。ミキの最後の声は、マルコに助けを求めるかのような悲鳴だった。

ミキが連れて行かれ、マルコには客以外に話す人がいなくなった。それなりに生活はうまくいっていたが寂しさは埋められない。時折子どもたちが電話をかけてくれるし、故郷の年老いた母親に連絡を取ったりしてはいたが、マルコはすっかり孤独に陥り意気消沈してしまった。ある朝自宅で目を覚ますと膝下が真っ赤に腫れ上がっている。歩くのはおろか、立っているのもままならないほどの痛みが走った。マルコは花屋を手伝うアシスタントを雇わねばならなかった。だが医者にもかからず、痛みが治まるのをただ待つだけだった。一週間経つと足の状態は悪化していた。医者にかかったことなど一度もなかったし、生死に関わる事態であっても診せるつもりはなかった。足は単なる感染症に過ぎず、すぐに治るだろうと高を括っていたのだ。

マルコが村を出たのはずいぶん前だが、セルビアの故郷を見捨てたわけではない。心の片隅にはなおも故郷があった。そこは健康診断や科学的な医療、白いエプロンの看護師や滅菌されたタオルとはほど遠い場所。そんな父親の様子を見に来た娘に対し、マルコは不機嫌な態度で応え、ついには「やめてくれと」と怒り出したが、すぐに病院へ連れて行かれた。敗血症こそ免れたものの、腎不全で透析を受けなければならなくなった。

マルコは無気力からうつ病へと沈んでいった。

しばらくして、母親が猫に殺されてしまう。マルコの母は九〇歳を超え、高齢ではあったものの元気にしていた。一人暮らしで、自分で薪割りをしストーブを焚いて自炊していた。だがふとした瞬間、思いがけず飼い猫を踏んでしまった。猫が足に噛み付いたりしなければ！　傷は治らず、伝統的な薬草療法も効かなかった。近所の人に連れられて最寄りの町の病院へ行くと、足の切断が必要だと言われた。そう伝えられてもマルコは驚かなかった。このままでは母親は死んでしまう。だが医者から電話をもらったマルコは治療の許可を出さなかった。

「母は片足で生きるくらいなら死んだほうがましだと言っているんだ。手足が不自由にはなりたくないらしい」と、後にマルコが語ってくれた。マルコは老婆というものを理解しなければならないと言う。母親は一人暮らしをしているが、足を切断すれば老人ホームに移らなければならない。九〇を過ぎて、一年か二年生きるために生活を一変させるというのは、あまり意味がないことだとマルコは言うのだった。

母親は地元の病院に収容されたが、まもなくして亡くなった。

私には医学的と言うよりむしろ文化的な問題のように思われた。マルコの決断を聞き、彼の方がスウェーデンの文化に溶け込んではいるが、自分の方が言葉の問題はありながらも都会の生活に順応しているのだと初めて気がついた。マルコは村の出身、私は都会で生まれ育っている。リエカ、ザグレブ、ストックホルムと都市を移動するのは、土地の習慣や行動様式も異なりいろいろな意味で困難だったものの、どこか似た感覚があった。マルコが折り合いをつけなければならなかった農村と都市の文化の衝突は、二〇〇〇キロ離れた都市間の衝突よりも大きかったのだ。その分私のストックホルムでの生活は、マルコよりもずっと楽だった。病気になれば医者に行くというのは、都会の文化的行動の現れに過ぎない。だからマルコのように四〇年以上も都会で暮らしていれば、まるで昨日の田舎の少年のように医者にかかるのも怖い、ということもなくなるだろうと私は思ったりもしたのだが。

マルコは完全に溶け込んでいたわけではなかったものの、子どもたちは都会のスウェーデン人として育ち、迷いなく病院を訪れる。二人ともセルビア語は話せなかったし、マルコも教えようとはしなかった。仕事が忙し過ぎたのだ。それに使う機会のない少数言語を教える理由はあるのだろうか。

「後悔することもあるけど、セルビア語を教えない方が子どもたちのためになるのだと往々にして思うよ」と振り返るマルコは、客を迎えながら、適合するドナーが現れるのを一人で待っている。

一九九五年にボスニア・ヘルツェゴヴィナ紛争が終結して間もなく、難民としてスウェーデンにやってきたファズリッチ一家と知り合った。ボスニア出身のムスリムの多くは、セルビアやクロアチア出身のイスラム教徒とは異なる。「ムスリム」という言葉は民族的な帰属を意味しているだけで、必ずしも宗教的な帰属である必要はない。そのため「ムスリム」は後に「ボスニャク人」と呼ばれるようになった。ボスニア・ヘルツェゴヴィナからおよそ一〇万人の難民がスウェーデンに到着し、うち七万五〇〇〇人が亡命を希望した。

ファルクとアルマ夫妻は五〇代で、成人した娘が二人いた。長女はすでに結婚していて幼い娘もいる。スウェーデン政府は一家をストックホルム郊外の、スウェーデン人も多く住む混合区にある家具付きの三部屋のアパートに住まわせた。一家が自立するために購入する必要があったのは、母国のテレビチャンネルを視聴できるようにする衛星放送の受信アンテナだけだった。そのうえ一人一日九ドル相当の手当を受給した。

私がファルクとアルマに会ったとき、夫妻はすでに二年間も亡命許可が下りるのを待っていた。大学で学位を取得し故郷の地方行政機関で働いていたファルクにとって、不確かな状態で不安を抱えて生活するのは困難であった。職なしの生活は屈辱的で無力感を覚えていたし、家族や社会にも迷惑をかけていると感じていた。当局が何年もかけて亡命許可を審査する間、希望者は特別な条件下でのみ働くことが許される。結局ファルクはタバコを吸い、故郷のテレビ番組を観て時間を潰していた（「故郷」は南方、出身地ボスニアだけでなく旧ユーゴスラヴィア全土であった）。退屈がさらにファルクを落ち込ませた。折を見つけては近所の同胞に会いに出かけた。ファルクはスウェーデン語を学ぼうともせず、度重なる病気に悩まされていた。家族は助けることもできず、家庭には亀裂が入った。

専業主婦だった妻のアルマは、すぐに言葉の勉強を始めた。スウェーデン語の講座は無料ではあったが義務ではなかった。学校行事への参加、次女や孫娘の身の回りの世話、買い物や通院、そして実務的な問題が発生したときには電話をかけたりと、誰かが日常生活を回さなければならなかった。父親と母親の役割が突如逆転し、アルマは一家の責任を負う人となった。

スウェーデン当局が一家の亡命申請に肯定的な判断を下すまでに数年を要した。検討に時間を要した上で亡命を認められたボスニア紛争の難民は、社会に最もよく溶け込んだ移民として模範的な存在であると証明されている。第二次世界大戦前後のユダヤ人、一九五六年の革命後のハンガリー人、プラハの春と一九六八年夏のソ連軍による占領後のチェコ人など、以前にスウェーデンにやってきた多くの難民と同じだ。皆似たような背景と文化を持つヨーロッパ人で、一般的に非ヨーロッパ系の難民よりもはるかに高い教育を受けていた。だが、難民のバックグラウンドに触れるのは政治的には正しいとは言えない。だがヨーロッパ系の難民の中には翻訳者や劇場監督、政治家として活躍する人も多くいる。

そうした難民の一人として、五歳のときに両親とスウェーデンに渡り、弁護士のキャリアを経て二〇一四年に社会民主党政権の教育大臣になったアイーダ・ハジアリッチが挙げられる。就任時は二七歳で、政府内では群を抜いて若い大臣であった。ハジアリッチの属す集団は一世代で溶け込んだことが確認されており、並外れた成功であると考えられている。ところが現在のスウェーデンで、二〇年前のボスニア人と同じようにアフガニスタン人やソマリア人を統合できるのか、というジレンマを口にするだけで人種差別だと非難される危険性がある。

ボスニアからの難民はスウェーデン人と似た外見をしているし、少なくとも一目で外国人だと烙印を押されるようなことはなかった。スウェーデンでは難民の肌の色に言及されることはなく、意図的に無視されている。誰もが肌の色は問題ではないかのごとく振る舞っている。文化大臣のアリス・バー・クンケの父はガンビア人である。クンケの肌の色は問題にはならないし、以前にやってきた多くの人々の場合も同じだ。それでもまだ疑問は消えない。スウェーデンに入国する難民の大半が異なる肌の色の持ち主であれば、状況は変わるのだろうか。偏見が生まれ、肌の色が重要な役割を果たすようになる日はやって来るのだろうか。はたまた論点は人数ではなく、難民にどれだけ税金が使われているかという問題なのだろうか。あるいは偏見とはまったく違う何かが問われているのかもしれない。

二〇一五年、二〇一六年と新たな移民の波が押し寄せ、ヨーロッパ外から二〇〇万人を超える人々がEUに流入した。その多くがスウェーデンにたどり着き、経済協力開発機構によれば二〇一五年だけで一六万三〇〇〇人が亡命を申請したらしい。人口が約一〇二〇万人のスウェーデンが、EUの中でも一人当たりの難民を圧倒的に多く受け入れている計算になる。

スウェーデンへの移民の大波が始まる前年、カール・オロフ・アルンスバークとグンナル・サンデリンが共著で『移民とブラックアウト』を執筆した[4]。出版当初メディアからは完全に無視されており、移民をめぐる真実は政治エリートとメディアの暗黙の陰謀によって隠蔽されている、という著者の見解を裏付ける結果となった。アルンスバークとサンデリンは見向きもされない状況に疑問を投げかけるため、自費で国内最大の高級紙[5]に全面広告を出し、著書にも引用されている公式統計から移民に関する八つの真実を列挙した。例えば二〇〇〇年から二〇一三年にかけて、スウェーデンは一一〇万人を超える移民に滞在許可を与えている、などである。

---

（4）Arnstberg Karl-Olov., and Sandelin Gunnar. *Invandring och mörkläggning*. Söderhamn: Debattförlaget, 2013. 翌年には続刊も出版されている。

（5）『ダーゲンス・ニュヘテル』*Dagens Nyheter* だと推測される。話題の広告はネット上で閲覧可能。"Panik efter annons i Dagens Nyheter" *Dagens Nyheter*, 8 Dec. 2013. <https://karlskronabloggen.se/2013/12/08/panik-efter-annons-i-dagens-nyheter/> (8 Aug. 2022).

二〇一四年までに一万六四〇〇人のシリア人に亡命を許可したスウェーデンに対し、デンマーク、ノルウェー、フィンランドは数千人のシリア人に許可を与えたに過ぎない。しかし人口の約一五％を占める外国生まれの人々が、国の所得支援の六〇％にもおよぶ恩恵を受けているという事実が最も衝撃的だったに違いない。

著者アルンスバークとサンデリンは外国人排斥と人種差別で非難された。たちまち道徳意識の高い議論が巻き起こり、彼らを擁護する人はほとんどいなくなった。広告を掲載した編集委員会を批判する読者も相当数いたほどである。八つの真実は公表されてはいるが、いまだ無視されている。

二〇一四年までは保守党が、それから社会民主党が率いたスウェーデン政府は、自国の統計局が作成した事実を葬り去ろうとした。二〇一五年に難民の大波が押し寄せたときも、スウェーデンは「世界で最もモラルの高い国」としての役割を演じ続けていた。

表面的には目に見える変化がすぐに起こったわけではない。政府の移民政策に公然と異論を唱える者も相変わらず存在しなかった。メディアも一般の人々も、福祉制度の大幅な拡大へのリスクについて懸念を示してもいない。民衆の態度が変わりつつあるという前触れは、世論調査に反映されていた。二〇一〇年の国民議会選挙ではわずか五・七％の得票率だった極右政党スウェーデン民主党の支持率が急上昇したという結果が出たのだ。二〇一八年の総選挙ではスウェーデン民主党が一七・五％を獲得し、突如国内第三位の政党になった。党の躍進はドイツ、オーストリア、フランス、イタリア、デンマークなど、ヨーロッパ各地で他の極右政党が行ってきたように、純粋に反移民、反ＥＵのメッセージを集中的に発信することで達成された。スウェーデン民主党の躍進は、スウェーデン社会民主党が政権を握っていた二〇世紀の数十年間、難民や亡命者の受け入れに伴う問題を無視し続けてきた結果だとも主張可能である。

スウェーデンをはじめとするヨーロッパ社会は、比較的短期間のうちに開かれた状態から閉じた状態へ、難民受け入れの体制から断固拒否へと切り替わってしまった。スウェーデンの『アフトンブラーデット』紙が発表した世論調査では、難民を支援する意思を示す回答者の割合は、二〇一五年の五四％から二〇一六年の三〇％に減少している。同じ期間に亡命希望者の受け入れ数を減らすという質問項目に賛成する人は、三四％から六〇％とほぼ倍増した。

スウェーデン人も移民の受け入れにはコストが必要で、今後しばらくは税金を支払う予定のない、就労前の人々と社会保障費を共有する必要があるのだと徐々に気づきはじめている。とりわけ教育水準が低い者が働いて納税をするようになるまでは何年もかかるであろうと研究者は示唆する。

二〇一七年、ハンガリーの首相オルバーン・ヴィクトルは数ある外国人排斥の演説の中で「今ヨーロッパにやって来るイスラム教徒のコミュニティが、自身の文化、信仰、ライフスタイル、原理を、我々の精神的文化よりも強く、価値あるものだと考えているという現実を我々は知らなければならない。否が応にも生命の尊重、楽観主義、献身、個人の利益と理想への従属という点で、今日のイスラム教社会はキリスト教社会よりも強いのである。自分たちの強い文化よりも弱いと考えている文化を取り入れようとするわけがない。ムスリムは同化などしないし、今後も然りであろう。であるから再教育や、それに基づく融合政策は成功しない。（中略）今後数十年にわたり、ヨーロッパにおける主たる問題は、ヨーロッパはヨーロッパ人の大陸であり続けるのか?となるだろう」と述べている。

一方、新しい移民や難民も雰囲気の変化を感じている。彼らはゲットー然とした街区に住まわされており、特に難民や亡命希望者が多く住むスウェーデン南部では、麻薬関連の犯罪、名誉殺人、暴力、レイプなどが一層報告されるようになった。

わずかな変革の希望の源泉は都市生活であろう。都市での生活は人を変える。人格やアイデンティティをも変化させ得るのだ。都市化とは個性化であり、かつての習慣やルールを捨て去るプロセスでもある。ところがヨーロッパで新たに発生した難民の多くは、これまでほとんど直面しなかった壁に遭遇している。彼らは皆、非ヨーロッパ文化圏からやってきた人たちなのだ。それでもやはり、パリ、ニース、ブリュッセル、マンチェスター、ストックホルムなどで発生した、移民の両親のもとに生まれた世代も加わったイスラム過激派による一連のテロ事件がなければ、難民が圧倒的にイスラム教徒であるという事実は重大ではなかっただろう。テロという犯罪は、イスラム集団全体に汚名を着せてしまったのだ。イスラム教徒の移民は皆、潜在的に暴力的であり、原始的で同化できない、あるいは同化する気さえない人々だとみなされるという重荷を背負っている。

マルコの事例や前世代の移民の経験は、現代の移民が直面しなければならない問題と比べると理想的であるように見える。だがマルコでさえ五〇年にもおよぶスウェーデンでの生活で、完全に溶け込むことができなかったとするならば、中東やアフリカからやってくる難民たちは新たな故郷での生活にどう適応するのだろう。彼らにとっての「インコ」や、誤解を招くに違いない重要な問題はどうするのだろうか。

最近ストックホルム郊外のヤコブスベリにあるファズリッチ一家の広々としたアパートを訪ねた。ここは一九九〇年代、そもそも一家の滞在許可が下りる前にスウェーデン当局が割り当てたアパートである。地下鉄の駅を出ると小さな広場があって、スーパーマーケットや数件の商店、カフェが並んでいる。だがいつもと違う光景も見られる。三〇人ほどの黒い肌の男性が、老いも若きも小さなグループに分かれて立ち、タバコを吸い、身振り手振りを交えながら聞き慣れない言葉で活発に、やかましく議論していた。ベビーカーを押し、食料で一杯の重そうな袋を持っている頭髪を覆うチャドルを身につけた女性も何人かいた。少なくとも広場は私たちが想像するようなストックホルムやヨーロッパによくある場所とは違っていた。ファルクはそんな広場で私を待っていた。

「新しく来た移民だよ」とファルクは乾いた声で、他人事のように言った。「昔ながらの街並みは変わってきているんだ」とつぶやく。

「ボスニアから来た同胞は戻っていったのさ。今はアフリカや中東を中心に新しい難民が入ってきている。特にマナーが悪いのがソマリア出身の人たち。習慣が違い過ぎるんだ」と、ファルクは言ったが多くは語らなかった。誤解を招かないようにするためだろう。「難民が適応するのに苦労しているのはわかる。でも、せめてスウェーデンで受けている支援に感謝し、敬意を示すべきなんじゃないかな」と、周辺に散らばったゴミや放置された子どもの遊び場を指す。ファルクは明らかに「元」難民の経験者として語っている。「でも、スウェーデン人は難民のふるまいほどには肌の色なんて気にしていないよ」、と言う。

スウェーデン社会の一員になるには、どこの国の人であろうと、相当の時間がかかるということをファルクほど知る者はいない。たとえすでにスウェーデンに住んでいたとしても同じだ。結局、彼自身二〇年半経ってもその水準には「到達」できていないのだから。ファルクは突然立ち止まり、私たちを取り囲む家々を指さした。真昼だというのに窓は閉ざされたままで人の気配はない。今の時間帯はおそらく皆仕事をしているのだろう。ファルクは首を横に振った。

建ち並ぶアパートにはスウェーデン人も住んでいるのだとファルクは言った。そして「想像してみてくれ。私たち家族のアパートは現地の人と同じくらいの広さがあるけれど、自分は働いていないので一セントたりとも払っていない。バルコニーの衛星アンテナ代も払えないし、スウェーデン人の隣人たちも私たちの事情を知っている……。ただ一つ、書類を整えたところで年齢的に就職できなかったことが心残りだ。戦争から逃れてきた私たちを受け入れてくれたスウェーデンの人々には感謝の念を抱かずにはいられない。でも、このままではいけないとも思っている。スウェーデン人たちは、我々難民に嫌気がさしているように感じる。国は難民に社会保障費で生活させるのではなく、働いて借りを返す機会を与えるべきだ。誰だって施しを受けて生きるのは好きではないだろう」、と言い添えた。

## お気に入りのカード

### 一枚の魔法のプラスチックカードにできた亀裂

私が愛用しているプラスチック製のカードは、ゴールドでもなければ会員限定でもないが似たような感じだ。

グレーブルーに白抜きで、姓名、生年月日、個人番号あるいは社会保障番号、発行機関、カード番号有効期限の記入欄がある。私の愛用するカードは控えめな外観をしている。右隅には星の描く円環内に国を示す二文字がある。そう、これは私の欧州健康保険カード、ＥＨＩＣだ。フランスのヴィタルカード、イタリアのテッセラ・サニタリア、イギリスのＥＨＩＣ（しばらくの間は！）、クロアチアのエウロプスカ・カルティッツァ・ズドラヴストヴェノグ・オシグラニャは、現地での名称が健康保険証と同意であれば問題はなく、ＥＵ加盟国のみならずアイスランド、リヒテンシュタイン、ノルウェー、スイスなどのＥＵ非加盟国でも使用できる。保険に加入していれば訪問国の住民と同じ条件で、現地のルールに従って無料または少額の手数料で公立病院の救急医療支援を受けられるのだ。もちろん、これを手にしたとき人生が一変したのは言うまでもない。

腎臓機能が低下していたので、私は大きな機械で血液をろ過する高額な血液透析を週に三回、何年も続けていた。私の場合、アメリカでは既往歴があるとして医療保険に加入すらできないとも知っていた。一九八〇年代にアメリカを訪れたとき、一回の透析に二五〇ドルから三五〇ドル（週に三回必要だったので、友人が費用を出し合ってくれた）を支払っていたため、ヨーロッパで利用している国民健康保険サービスのありがたみを感じた。このサービスは旧ユーゴスラヴィアでもスウェーデンでも、時に行き過ぎとさえ言えるものだった。

かつてスウェーデン市民としてワシントンD.C.で開催された学会に赴いたとき、ホテルには透析用の液体が何箱も用意されていた。当時は機械を使わないタイプの透析を受けていたのだが、二リットル入りの専用液を一日あたり四パックも要した。腹膜や胃を通して血液を濾過する腹膜透析という特殊な治療だ。四日間の滞在のために三二リットルがしかるべき手順を踏んで空輸され、私の部屋に運ばれたのだ。すべてスウェーデンの医療サービスの負担である。部屋は広くなかったので、バスルームに行くにもかなり気を遣わなければならなかった。でも些細な不自由なんて気にもならなかった。ただありがたかった。休暇で滞在する予定だったクロアチアの村に、一ヶ月分（一〇〇リットル以上）の専用液を積んだトラックが到着したこともある。イタリアにある最寄りの液体貯蔵施設から一五〇キロも離れた村まで、丘陵地帯の細い道を登ってくるトラックには圧倒され、感動すら覚えた。どうしてそんなことが可能なのか。私が外国で休暇を楽しむためにスウェーデンの納税者がどれだけの費用を負担しているのか、読者は不思議に思われるかもしれない。しかしながら今の話はEHICカードの「魔法」とは何の関係もない。どちらもカードが生まれる前の出来事であり、富める国の公的医療保険制度の恩恵に浴したに過ぎない。

そう、さまざまな患者の「贅沢な」ニーズに応えるためには国が豊かでなければならない。国民保険制度があるにもかかわらず、クロアチアでは同じように治療を進める余裕はなかったのだから。だが私のように仕事で大陸間を飛び回り、諸外国を行き来し休暇を過ごすような患者はごくわずかだ。透析などの高度な医療サービスには莫大な費用がかかるし、必要としている人々を支援するのに十分な資源もない国もあるため、医療機関は比較的安価で患者が自由に移動できる臓器移植の向上に力を注いでいる。幸いにして私は臓器移植を受けることができ、同時に医療サービスに対するコストを削減したわけである。

ＥＨＩＣが国営の国民保険制度の柱の上に立っているという意味で、「魔法のカード」のシステムを担う一国のスウェーデンはほんの一例である。ヨーロッパでは、通常国民一人一人に何らかの形で医療保険への加入が義務付けられており、大多数の人々のために税金で公的医療は賄われている。患者の緊急事態に対処するため、欧州連合は二八ヶ国（ブレグジット後は二七カ国）の国民医療制度を連携させたが、すでに国単位で利用可能だった制度を利用しているに過ぎない。

とはいえ、ＥＨＩＣの良さを知った人は他にもいる。

数年前、仲の良くしている友人が夏休みにイタリアへ行き、命にかかわるような出来事に見舞われた。観光客が限られた時間でできるだけ多くの名所を見ようとすると、若くてもかなりの負担がかかるものだ。ヤンは五〇代後半だが、サイクリングにも熱心で体調も良かった。ある日、ヤンと妻のアニカはローマのホテルを早めに出て、美術館を後回しにフォロ・ロマーノの遺跡を見に行った。耐えがたい八月の暑さを逃れるためだ。一一時を回り暑くなってきたので、二人はバスで目的地に向かうことにした。しかし待っている間にヤンの顔が突如蒼白になり、額から汗が吹き出した。心配になったアニカは近くのカフェにヤンを座らせた。突然目眩と吐き気がして胸が苦しくなったのだという。妻は様子を見ることなくすぐさま救急車を呼んだ。

病院でヤンは心臓発作と診断され、早急な治療が必要となった。ステントを二本挿入し翌日には退院した。ヤンが私の話に登場するのは、実はアニカが病院の受付で聞かれた質問と関係がある。ご主人はどちらの健康保険に加入していらっしゃいますか？　アニカはグレーブルーのプラスチック製のＥＨＩＣカードと、夫の写真入りの身分証明書を取り出した。アニカはヤンのＥＨＩＣが医療費を保障してくれるとわかっていた。ＥＨＩＣは真新しく、使うのは初めてだった。今回のような事態のために作られたカードで、緊急な医療介入が必要とされる典型的なケースである。アニカは幸運だった。当時、ローマの病院は観光客への対応に十分な経験を積んでいたからだ。外国人がＥＨＩＣを使い始めた数年前だったら、保険適用を断られ、代わりにクレジットカードや民間の健康保険を要求されていたかもしれない。拒否された場合患者は自分で会計を済ませなければならない。ヤンの救命処置にかかった費用は相当なものだった。しかし病院の管理者はＥＨＩＣと身分証明証を受け取り、両面のコピーを取っただけでそれ以上何も要求しなかった。極めてシンプルだった。

翌年の夏、クロアチアから来た友人のターニャは、失神と一時的な記憶喪失のためベルリンの病院に収容された。ターニャが覚えているのはホテルで突然意識を失ったという一点のみ。清掃員の女性が血まみれで倒れているターニャを発見した。転んだ拍子に机に頭頂部をぶつけ、切り傷を負ってしまったのだ。病院では医者は傷よりも失神のほうを心配していた。六〇代の健康な人間が突然失神する理由は何なのか。ターニャは一通りの神経学的な検査と脳のＭＲＩを受けた。その結果血栓を取り除く処置が必要であると判明した。二週間後に退院が決まったものの、今度は支払いの問題が発生する。請求書を前にターニャは再び気を失いそうになったが、私がドイツで医療機関にかかったことがあるのを思い出し電話をかけてきたのだった。どうしたらいいのだろう。しかし事態はあっけなく解決した。当時クロアチアはすでにＥＵに加盟していたのだが、ターニャは保険証を携帯していなかった。そこで娘が保険証を一晩で病院に届けてくれたのである。

アメリカをはじめ、私には居住国や渡航国などヨーロッパ各国の病院を利用した経験があったのだから電話をくれたのは正解だった。私の場合ＥＨＩＣを常時携帯している必要がある。ほとんどの人には必要ないかもしれないが、自分はこのカードがなければ海外旅行で不安を抱える。腎臓移植を受けた私は免疫が低下しているため感染症にかかりやすい。まれではあるが備えは必要なのだ。現にＥＨＩＣに命を救われたことがある。腹膜炎という放置すると敗血症や血液中毒を発症しうる炎症にかかり、スウェーデンのＥＨＩＣ患者としてウィーンの病院に入院したのだ。

私の友人の間でも、ここ数年ＥＨＩＣの使用を必要とするケースが増えている。ロベルトは二年前にオーストリアでスキーをしていて足を骨折し、クロアチアのＥＨＩＣを使ってインスブルックの病院で手術を受けた。別の友人の父親は、ドイツにいる娘を訪ねていて緊急の心臓手術が必要となり、同じくクロアチアのＥＨＩＣの取扱いのある病院へ入院した。ドイツでの手術がなかったら帰路には到底耐えられなかっただろう。オーストリアに住むスウェーデン人の友人カールは、オーストリアのＥＨＩＣに加入している。主催する重要な会議の最中、突然片目が見えなくなりハンブルクの病院に入院した。数々の検査と数日間の入院の結果、脳梗塞による視力障害だと診断された。原因を知りすでにショックを受けていたカールだったが、（他の人たちと同じように）領収書を見てさらに衝撃を受けた。自分で支払う必要はなかったものの、明らかに一生かけて借りたお金を返済しなければならないくらいの金額だったのだ！

公的医療保険はヨーロッパ独自の発明であり、二〇世紀初頭に各国で設立され、カナダ、オーストラリア、日本、ニュージーランドでも導入されていった。ドイツ帝国ではオットー・フォン・ビスマルク首相が一八八三年に低所得労働者の失病保険（Krankenversicherung）を産業界の雇用主に義務づけたのが始まりである。その数年後、ドイツは年金の一種である老齢保険を導入した最初の国となった。後に社会民主党、保守党の両政権が協力して社会保障の範囲を広げていく。ＥＨＩＣは最も革新的で重要な公衆衛生への貢献となった。すべての国民が保険の恩恵を受けられるようになり、少なくともその時点でどの政府もあえて疑問を呈する必要はないというレベルまで法整備を進めていった。ビスマルクの改革以来の功績である。

二〇〇六年に完全施行された「魔法のカード」は、市民権ではなく正式な居住国（通常税金を納めている国）を基準にしている。したがってカードを取得するには、納税者番号か社会保障番号、あるいはいずれにせよ国の福祉制度への加入状況を証明する必要がある。救急医療の請求書が送られる場所であるからだ。ＥＨＩＣは腎臓透析、酸素療法、化学療法など、既往の慢性疾患に必要な医療もカバーしている。

現在ＥＵでは人口の四〇％、約二億人がＥＨＩＣに加入している。

二〇〇六年以前も外国での救急医療の受診は可能だったものの、有効な書類Ｅ一一一フォームを持参する必要があった。観光業が発展し、ＥＵ域内の労働者の移動が盛んになるなかで、国外での医療が必要不可欠なものとなっていったのである。

ただしＥＨＩＣの取得条件には国によって違いがある。ルーマニアでは、過去五年間保険に加入していなければカード発行の対象にはならない。ルーマニアはまた、ＥＵ諸国の中で唯一永住者が皆健康保険に加入している国ではない。ある統計によれば、ルーマニア人の八五％しか健康保険に加入しておらず、その保険状況は雇用、家族会員、社会給付などの支払い形態と連携している。少数民族のロマの場合、被保険者の割合は劇的に低い。大部分のロマは身分証明書や永住権を持っていない（どちらも持っていない人も珍しくない）ため国民健康保険に加入する資格もないのだ。それゆえロマはＥＨＩＣカードも持っておらず、他のＥＵ諸国へ移住する際に問題となっている。例えばデンマークとスウェーデンでは、ルーマニアからやってきたホームレスのロマの治療に当たっている医師たちが、ＥＵに対しＥＨＩＣが雇用や居住地などの国の要件に左右されることなく、普遍的に利用できるようにするように提言をしている。だが結局のところルーマニアのような貧しい国は、国民が定住している限り国外で受ける医療費を負担しなくてはならないという事実に変わりはない。しかも国民健康保険に加入している人はともかく、加入していない人の医療費を国が負担する余裕はとてもではないがないようだ。

ＥＨＩＣが導入された当初は、複雑な制度のため国でも個人でも誤解や誤用があったのは間違いないだろう。例えば二〇一三年には欧州委員会がスペイン政府に対して法的措置を取ることを余儀なくされている。緊急医療を必要とするＥＵからの外国人観光客が、ＥＨＩＣ保持者に適応される規則とは無関係に「何百件も」医療費を負担させられたと報告された。今のところ私立病院はＥＨＩＣを利用する患者への治療義務が免除されている。オーストリアのスキーリゾートや地中海沿岸の国々でも当初は同じようなケースがみられたが、ＥＨＩＣが馴染みのない新プロジェクトであったからに他ならない。それともＥＨＩＣが基本としている連帯は、自分たちのコミュニティのメンバーに限られるのだろうか。あるいは限定的な連帯感が現実の危機に耐えられるのだろうか。誰もが使える「魔法のカード」の導入に関する初期段階の経験は、少なくとも首を傾げざるを得なかった。続いてさらなる疑問が湧くようになる。

やがて患者の間でＥＨＩＣの不正使用に対する疑問の声が上がった。ＥＵから離脱する前のイギリスで、現地メディアが外国人が簡単にＥＨＩＣを入手し、国民健康保険（ＮＨＳ）を利用可能にしたのは税金の浪費にあたると報じて混乱を引き起こした（当スキャンダルは、前からあったフランスの「ポーランドの配管工」症候群と非常に似ていた。これはポーランド人が仕事を奪いに入国しているというフランス人の恐怖を体現した古いステレオタイプである）。二〇一八年タブロイド紙『サン』は、「ヨーロッパのヘルスツーリズム詐欺、ＮＨＳから二億ポンドを騙し取る。当紙の暴露記事から八ヶ月経った今もなお続く」という見出しで驚くべき内容の記事を出している。同紙は以前にもイギリスのＮＨＳの悪用が容易だと証明するために、政府の大臣名義やアメリカのドナルト・トランプ大統領名義など、一三枚の偽造ＥＨＩＣカードを入手していた。

『サン』の記事には深入りはしないが、疑惑の二億ポンドのうちどれだけが実際に偽造カードに関連していたのか、あるいは記者がどのようにして五七〇〇万枚という奇妙な数字（ＥＵで発行される全カードの四分の一にもおよぶ）にたどり着いたのかはまったく明らかにされていない。東欧の多くの人々がイギリスで偽造カードを入手し、何らかの理由で健康保険未加入の家族に送っていたのではないかという疑惑は証明されぬままだ。

ＥＨＩＣ制度は発行国が納税先や居住国、健康保険料の支払いなどの確認にどれだけ真剣に取り組んでいるかにかかっているように思われる。一方で、外国の病院でもＥＨＩＣを提示した患者の身元の確認が必要である。

不正使用に対するパニックはすべて、人々の命を救い、仕事であれ観光であれ、ＥＵ域内の移動をより簡単で安全にする優れた慣行に対する過剰反応であると言えよう。不正利用や詐欺を恐れるのはもっともだが、パニックが事実ではなく憶測だけで引き起こされるのだとしたら、有害であるうえ市民による権利の行使を妨げてしまうかもしれない。二〇一八年にユーロスタットが収集したデータによると、ＥＵ市民の約二五％がＥＨＩＣの恩恵を受けているとあり、その多くが私と同じように安心感を得ているのではないだろうか。ヨーロッパ人の共通点は何かと考えるならば、ＥＨＩＣこそが私たちの多くが共感できるヨーロッパだ。しかしＥＨＩＣはかつての福祉国家を支持する最後の叫びなのか、それともその始まりなのだろうか。

ヨーロッパ人が憂慮すべき本当の問題は、偽造健康保険証などではない。さらなる公的支出の大幅削減や、とりわけ東欧諸国における医療の民営化、そしてそれに伴うＥＵ全域での公的医療の制限だ。二〇〇八年の経済危機の後、ギリシャ、アイルランド、ラトビア、ポルトガルで最大の削減が起こった。しかしスウェーデンのような豊かな国でさえ、患者が医師の診察を受け、薬を受け取るために支払う医療費を引き上げている。どこの国でも高額なＭＲＩ検査や診断検査、手術などの待機リストは長くなるばかりだ。これは結局患者に高い経済的負担を課すことを意味する。一昔前はすべての人に医療を提供する中心的役割を担っていた国家が、自由市場経済の圧力の下で退きつつあるのだ。

状況が悪化したのは、社会的な連帯や福祉国家を維持するために必要な集団的アイデンティティが崩壊した為である。かつてはヨーロッパ的価値観であった連帯も、近年の非ヨーロッパ系移民の大量流入によって加速された、自治体の多様化によって危機に晒されている。いざとなれば外国人よりも家族、共同体、国家が優先されるようだ。

二〇二〇年春にコロナウィルスがヨーロッパを襲ったとき、このパンデミックに対する反応によって移民排斥主義的傾向が改めて証明された。ＣＯＶＩＤ－19は人々の健康を脅かすのみならず、これまでのＥＵの医療政策を根底から覆してしまった。ウィルスによる最初の犠牲者の一人は、域内の移動の自由から始まっている。国境は次々と閉鎖され、各国は急速に内向きになりはじめた。ＥＵ諸国が合意していたパンデミックに対する協力戦略は何一つ実施されなかった。それどころか誰もが自分のことしか考えていなかったのである。

イタリアは瞬く間にヨーロッパ随一のコロナウィルスの蔓延地帯となり、過密状態の病院や長い棺桶の列の写真は近隣諸国をパニックに陥れた。当初ＥＵのどの加盟国も自国民のケアに専念するため、積極的に支援しようとはしなかった。ドイツ、フランス、チェコをはじめ、ベルガモやボローニャで切実に必要とされていたマスクや手袋などの防護具を含む医療機器の輸出禁止措置を出す国さえあった。ヨーロッパの連帯などどこにも存在しなかった。

三月末の時点でフランスの一部地域は、数週間前の北イタリアと同程度の甚大な被害を被っており、多発地域の病院はＣＯＶＩＤ‐19患者であふれ返っていた。ドイツと国境を接するアルザス地方では、高齢の患者にはもはや人工呼吸器を付けず緩和ケアだけを施すようになった。コロナ終末期の患者を救おうとするのではなく、アヘンや睡眠薬で患者を「治療」するだけという、対処不能に陥った医療スタッフが後を絶たなかった。パンデミック以前は、アルザスの人々が治療を受けるためにドイツの病院を利用するのは珍しくなかった。ドイツの病院はフランスにあるどの病院よりも近い場所にあるからだ。だが今は違う。国境が閉鎖され、ドイツの病院はドイツ居住者専用となった。

コロナウイルスが引き金となり、発生前には想像だにしなかった国家主義の再来が急激に起こった。その一端はＥＨＩＣが象徴するものすべてに疑問を投げかける、一種の健康鎖国主義であった。果たしてそこから戻る道はあるのだろうか。ＥＨＩＣが象徴する国境を超えた公共衛生改革は、その結果に深い意味を与えるかもしれない。それとも都合がいい時だけ頼る友人のようなものであろうか。

やがてＥＵ加盟国間における協力と連帯の露骨な欠如は、政治的にも倫理的にも耐え難い苦痛となっていった。ドイツの病院は、人工呼吸器が必要なフランスのＣＯＶＩＤ‐19の患者だけでなく、イタリアの重症患者にもようやく門戸を開いた。隣国のオーストリア、スイス、ルクセンブルクも同様だった。遅きに失するものではあったが。ＥＵがウイルスの被害を最も多く受けた国々に対して行った支援は、到着が遅れたとはいえ、ロシアや中国によるメディア効果の高い慈善活動をはるかにしのぐものであった。

二〇二〇年六月に発表された欧州外交評議会の調査によると、ほとんどのヨーロッパ人はコロナウイルスのパンデミックに対するEUの対応に深く失望していたことが明らかになった。フランスでは最大五八％もの人々が、危機が始まった最初の数ヶ月間EUは無力だったと答えている。一方で将来的にはより多くの協力が必要であるとも述べられた。

コロナウイルス危機以前、EUではEHICに関連する対照的な二つのプロセスが同時進行していた。一方では多くの人々がEHICのもたらすメリットに気づき始め、他方ではこの種の医療の基本である福祉国家の歴史的功績が解体されつつあった。今後のEHICについて憂慮せざるを得ない。EHICの黄金時代は、すべての市民が保険の恩恵を受ける前に過ぎ去ってしまったのであろうか。真のヨーロッパ共同体の証である「魔法のカード」の未来は、EUそのものの未来と何ら変わらないだろう。私はEHICを、欧州を一つにするために必要な接着剤、それも二重課税防止法や海外での不動産購入の機会と同じくらい強力な瞬間接着剤だと考えている。なぜ？　それはEHICが福祉国家、つまり国民を個人として重んじる国家／国家連合であることの証だからだ。共通の生活を営む上で、福祉という要素を全面に出すのは、確かにEUを存続させるための必勝法となるかもしれない。現在不足していて欠くことのできない集団の感情的同一性を生み出すのに一役買う可能性だってある。

もちろんEUという大きなコミュニティを存続させるためには、私たちを繋ぐより多くの接着剤が必要であるのは言うまでもない。ただし一つだけ確かなことは、EHICを使う必要があった私たちは、このカードの存続のため、そしてカードの背景にある理念のためにできる限り手を差し伸べたいという意志である。

## ロスト・イン・トランジション

### 社会的所有から私有財産への長い道のり

母が亡くなり、私は母方の出身地であるクロアチアのクルク島の土地を相続した。ところが所有権証明書の代わりに渡されたのは、区画リストだけだった。七区画分。厳密に言えば、私の相続した土地は区画の一部。二四〇区画のうち三分の一、五分の一、二〇分の一といった小さな土地を、何人もの遠縁の親戚と分け合うことになったからだ。彼らにはほとんど会ったことがない。いい話？　いや、そうでもない。しかもそれぞれの区画は地中海によくある小さな灌木地、オリーブの木が放置されたままになっている土地、羊が草を食む牧草地などに過ぎない。どの場所も海に近いわけでもないし、住宅地に向いた土地でもない。つまり土地を買おうとする人がいたとしても、客観的に見て地価は低いのだ。

仮に少ない分け前に買い手がついたとしても、所有者全員の合意がなければ売却もできない。売るためにはまず自分名義の所有権証明書が必要となる。だがこれは、言うは易く行うは難しなのだ。私有財産は神聖なものだと思いがちだが、旧共産主義国では必ずしもそうではない。

私が相続した土地も母名義ではなく、彼女の父や叔母など相続人の名義になっている。その昔、人々は行政コストや税金の関係からか必ずしも所有権移転登記をしなかった。封建的な国ではどこでも同じで、土地は相続されると徐々に小さな区画に分割されていく。母の遺言に従い「吹けば飛ぶような」区画を私名義にすることが、所有権の関連文書を取得するための長いプロセスの第一歩だった。母が死んでから年を追うごとに時間のかかる、骨の折れる手続きであるとわかってきた。だがかつて資金をかき集めて土地を購入し、そこで働き、生計を立てることもあった母や彼女の亡くなった親戚への敬意の念から、相続せざるを得ないなと思ったのである。

クロアチアは一五二七年から一九一八年まで領土を支配していたオーストリア・ハンガリー帝国[1]と、一九四五年から一九九一年まで支配したユーゴスラヴィア社会主義連邦共和国（その間に短命の王国があった）[2]の二国家から土地管理制度を受け継いでいる。今も昔も土地の所有権は土地台帳と土地登記簿の二つの台帳に記録されており、定期的に更新し、相互に対応させる必要がある。土地台帳には区画の範囲や位置、栽培履歴や建物なども同様に記載された地図が含まれている。しかし、所有者だけではなく借地権者も土地台帳に応分の権利を登録できるという古い規則があるため、土地台帳だけでは所有権の信頼し得る資料とは言えない。したがって所有権を証明する唯一の有効書類は土地登記簿の記録となるわけだ。土地台帳と土地登記簿は補完関係にあり、同じデータが含まれている必要がある。ところが区画変更のたびに所有権が更新されていなかったとしたら、土地台帳と土地登記簿のデータの整合性は低くなり、不明確な区画線が記載されていることになる。

制度の仕組みを理解するだけで時間がかかった。

ここで私の人生、そして適正な相続財産を得ようとする試みにEUがかかわってくる。東欧各国がEUに加盟する条件の一つとして財産関係の文書を整理し、土地台帳と土地登記簿を更新しデジタル化するという項目がある。クロアチアも例外ではない。他の加盟国と同様、早い話加盟基金から資金を得てこの課題を完了させた。期限はクロアチアのEU加盟年である二〇一三年一月一日だった。

資金が注ぎ込まれると、クルク島の地方自治体も長い安眠から突如目覚め活発化した。当時母も故郷の市長から正式な文書を受け取り、自治体がEUの新規則に沿った改正案を準備していると告げられている。土地所有者は皆、自分の土地の境界を白塗りの礎石で明確に示さなくてはならなかった。手段は二通りあり、費用がかかるが自治体に有料で任せるやり方と、自分でペンキを塗って礎石を配置する安上がりな方法である。契約書には、自分で準備する場合、航空写真を用いて新しい記録を作成して測量を済ませ、土地台帳と土地登記簿を更新した後はじめて自治体から所有権証明書が送られてくるという趣旨の手紙が添えられていた。母は自治体を信用せず土地に印をつけるために人を雇い、自分の区画がどこかを同行して示し、すぐに契約の一部を果たしたのだった。私の知らない区画の場所を少なくとも母は覚えていた。私は一度も訪れたことがなかったし、一区画すら見つけられなかっただろう。

---

(1) 本書の表記通り、通称の「オーストリア・ハンガリー帝国」とするが、近年では実態に近い「オーストリア・ハンガリー二重君主国」と書かれることが多い。

(2) 一九一八年建国の南スラヴ人単一国家「セルビア人・クロアチア人・スロヴェニア人王国」。一九二九年にユーゴスラヴィア王国と改名。ここでは一九三〇年に制定された土地登記法を指す。社会主義時代には土地の登記簿など新しい制度を作らず、一九九六年にクロアチア共和国法が制定されるまで法律規則が適用されていた。

何年経ってもクルク島の自治体からの連絡はなかった。クロアチアが二八番目のEU加盟国になった二〇一三年以降もしかり。EUに加盟した途端多くのプロジェクトが減速するか、単純に放棄されてしまったようだ。別に驚きはしない。クロアチアには三五〇〇の地籍自治体[3]があるが、その七〇%は一九世紀に最後の更新が行われただけだし、二二〇〇には台帳すらない。

母は時折、財産関係の書類の件で電話をかけていた。しばらく呼び出し音が鳴り誰かが電話に出ると、書類の更新期限が延びたと知らされる。そして再び話は長引く。母はイライラして電話を切ってしまう。所有権の手続きを始めてから八年ほど経ち、母は書類どころか状況について何も知らされないまま死んでしまった。ユーゴスラヴィア王国、ファシスト国家のクロアチア独立国、ユーゴスラヴィア社会主義連邦共和国、民主化したクロアチア共和国と、生まれてから死ぬまで一度もその場所を離れることはなかったが、四つの国家とさまざまな政治体制の下で積んできた人生経験が、母に入手できるすべての文書を収集するという知恵を与えてくれた。そうした書類は私の名前が記された封筒にきちんと分類されていて、所々黄ばみ、端が擦り切れ、手書きのものもあれば、切手も印鑑もレターヘッドも異なるような書類が山積みとなっている。この封筒を手に、次は私が問い合わせを続ける番だ。

母が他界しておよそ一年の後、クルク島の土地登記所から初めて手紙が届いた。まだ彼女宛のものだったが。手紙には地方裁判所の土地登記所に出向いて書類を提示し、母の遺産の所有権を直接確認するようにという旨が記載されていた。土地台帳の更新に向けた第一歩だと思った。しかし母はもう「直接確認する」ことが不可能となっていたので私は腹立たしかった。しかも母が亡くなった事実はあらゆる関係各所に念入りに知らせておいたのだから、手紙に記載されていた番号に抗議の電話をかけることにした。ですから、私どもは自治体から死亡証明書を受け取っておりませんので、遺言書の写しと一緒にこちらへ提出していただく必要があります。いえ、書類を送付するだけでは不十分ですので、ご自身で自治体に出向くか、弁護士を派遣する必要があります、と書記官は説明した。「土地の区画ごとに同じ手続きをするのですか」と私は尋ねた。裁判所の事務官はそうだと答えた。なお、本件の手続きはリストアップされたすべての所有者が最終的に全員出席するまで繰り返されます。終わるまでは裁判所は権利書を発行することはできないのです。じゃあ自治体との契約はどうなるのですか？　書類は無償で所有者に送られるのでしょうか？　そうです。ですが、自治体が書類を発送するのは裁判所が登記簿の更新を終えてからになりますね、と書記官は言った。ついに私は、かつての母のように絶望して電話を切ったのだった。眩暈がした。ただでさえ面倒に思っていた相続手続きが、さらに厄介になってしまった。

時は流れ、自分の財産を手に入れようとして五年にもなる。とうとう弁護士に依頼したが、今も区画毎に裁判所からの召喚状が次々と届いている。EUによる期限は再び延長されたのだろう。現地の行政機関が与えられた時間内に財産問題を解決できないのは明らかだからだ。ただし一つだけ言っておかなければならない。二〇一六年にはすべての文書がオンラインで閲覧

---

（3）Zemljiški kataster　マリア・テレジアの時代に始まる独自な地籍制度。地籍に基づいて地価評価をし固定資産税を徴収した。オーストリア・ハンガリー帝国にも受け継がれ、各地で導入された。この土地区画の単位で行政も試みており、本文の「地籍自治体」はこれを指す。

できるようになったのだ。ファイルへのアクセスという点では大きな前進となりはしたが、所有権を証明するための骨の折れる作業という点ではそれほど改善されていない。

文書を相互に対応させるという課題は、母の時代のような小さな自治体だけの問題ではないし、おそらく作業の財源も期待できない。クロアチアの首都ザグレブもまったく同じ問題を抱えている。ザグレブでも更新作業はある意味進行中なのだ。数年前自分のアパートが旧庭園の中にあると知り驚いた。アパートが立っている土地はかつては大きな公園で、近くに住むカトリックの神父が大きな鯉を飼育する池があったそうだ。後に公園は縮小され、一部は誰かの庭になった。建物は一九六〇年代前半に完成している。いわゆる社会的所有地で、どちらの登記簿にもきちんと登録されていなかった。地籍図によれば、どうやら私は庭の三階に住んでいるようなのだ。登記簿上はアパートなのに。しかし少なくとも所有者は私一人なので、アパートの記録を更新するのはもっと簡単なはずだ。

一九九二年には社会的所有権と私的所有権のずれを埋めるため、「寄託契約簿」[4]が導入された。クロアチアは共産圏の旧ユーゴスラヴィアの六つの共和国の一つであったため、一九九〇年代には二種類の所有権が存在し、社会的所有(društveno vlasništvo)のアパートの私有化が可能となった。従来の制度では、そのようなアパートを入手するにはまずウェイティングリストに登録する必要があった。長い間、時には一〇年以上も待たされた後、獲得した業績評価点に応じて公営アパートメントが割り当てられた。年功序列、職位、年齢、学歴などさまざまな条件があったが、かつては共産党員としての身分が決め手だった。

自己資金を投入することなく、終身入居権を手に入れることができる。子どもによる相続も可能だ。アパートは政府、企業、政治団体の所有物であるとはいえ、借主は事実上の所有権を持っていたのである。共産主義が崩壊すると、社会的所有の企業や不動産が民営化される時代がやってきた。借家権付きのアパートの借主は、自分が住んでいるアパートを市場価格よりはるかに安く購入するオプション（および安価な銀行ローン）が与えられた。所有権に関する書類がすべて一致するよう適切に更新されて提出されると、借主のアパート購入に関する契約は寄託契約簿に登録される。帳簿は土地登記と法律上は位置付けられているが、所有権が二種類存在することで生じる問題を緩和するための暫定措置であった。

このようなアパートは購入して終わり、というわけではない。物件には階段、地下室、屋根裏部屋、洗濯室、廊下、庭などの共有スペースがあり、各所有権も借主の間で平等に分配される契約になっていた。不動産の分割（etažiranje）は最新の登記簿に記録し、また法律に従って専門機関に依頼する必要があった。私が住んでいるアパートは入居前にそつなく分割されており、共有の庭もあった。五〇〇平方メートルほどの広さだが、ザグレブ中心部に駐車場が少ないため、庭はアパートの所有者なら誰でも無料で駐車できる場所として需要の高いスペースとなった。ところが駐車場には広さが足りない。そのうえ庭の中央には共産主義時代に建てられた仮設のトタン倉庫が五つもあり、しかもすべて無許可で設置された代物だった。新参者の私は、アパートの所有者全員が同意すれば倉庫を取り壊して精算できる上、庭に一五台ほど駐車できるようになるという名案を思いついた。なぜ今まで誰も提案しなかったのだろうと不思議

（4）登記簿に記録されていない建物内にあるアパートメントの権利関係等が記載されている。

に思ったが、諸々の理由でオーナー間の合意が不可能だとすぐにわかった。第一に、庭は私たちのアパートの居住者だけでなく周囲にある三つの建物の住人のものでもあること。第二に、五つの倉庫は現行の法に則った土地の境界線が制定された一九六三年以前に建てられているため、テナント全員での分割は不可能であること。そのため煩雑な法的手続きを経なければ倉庫を取り壊せないのだった。

階段やエントランスホールなどの共用部分は、改修や塗装が必要な場合でも同様の問題が発生する。毎月会費を支払っている修繕積立金はあるものの、大規模な修理には少なすぎる。何しろアパートは築五〇年以上の建物だから、北側のファサードも崩れ始めていた。だから北側最上階の二部屋は冬場になると湿気を帯びるようになっていた。メンテナンスを行うためには、私たち所有者一〇人全員の連帯保証で銀行融資を受けなければならない。だが低階層の所有者たちがはじめはサインを拒否していた。ファサードも共同所有だと理解できない人もいたため、緊急な問題だと説得するのに時間がかかったのである。

私たちが住んでいるような国で不動産を所有していても、言うほど素晴らしくはないと考えさせられた。

ブルガリアを訪問中にも共有スペースの問題が明らかになった。友人は共産主義時代には社会的所有だったソフィアの共同住宅に、小さくて素敵なアパートを所有している。二〇〇三年に訪ねたときは、玄関ホール、階段、エレベーターの惨状に驚いた。電球は壊れ、壁の塗装は剥がれ、正面玄関のドアは半壊していた。しかし友人や隣人のアパートに入ってみれば、優雅でセンスの良いインテリアに息を呑んだ。以前より入居していた人たちは、住んでいたアパートを買い取っており、手をかけてスタイリッシュに改装していたのだ。だが思い思いの改修も投資もアパートのドアの前までだった。プライベートな空間から一歩外に出れば玄関ホールと同じように所有者のいない場所となる。また、友人が連れて行ってくれたソフィア郊外の新興エリアには、防犯カメラ付きの高い壁に囲まれたニューリッチの見事な邸宅が並んでいた。門の前には高級車が停まっている。欧米の富裕層向けのゲート付き住宅街を訪れているかのような錯覚に陥るほど、持ち主たちの豊かさが伝わる。

ただ一つ、違いがあった。観光の前日に大雨が降り、ぬかるんだ道を歩くはめになった。一軒一軒は豪邸なのにアスファルトの道路はなく、家と家の間は未舗装の道があるだけだった。道路の建設と維持管理は自治体の管轄なのだが、資金が不足しているのであろう。美しい邸宅も実は泥の中に建てられていたのだ。なぜ所有者はアスファルトの道路に投資しなかったのだろう。さて、また別の問題が浮上しそうである。というのもソフィアの街中にある公共スペースで、民間資金による「改善」を目にしたからだ。ハイブランドの店舗やブティックの前の通りで、老朽化した歩道が数平方メートルのアスファルトで補修され、時には石畳やレンガが敷かれているのを頻繁に見かけた。マックス・マーラやディオールの前に穴があったら見栄えが悪い。そのうえソフィアの女性はとても高いヒールを好んで履くため危険でもある。

私有地を扱うとなると、いつも予想以上のトラブルが待ち受けている。例えば旧ユーゴスラヴィアでは、都市計画をまったく無視し、無許可で建てられた家屋ばかりの地域があった。いわば「無法住宅（ブラック・ハウジング）」ともいうべきで、都市の郊外、特にアドリア海沿岸に多かった[5]。この手のファミリー向けの家は、総じてセルフビルドのコンクリートでできた粗末な家だったが、恒常的な住宅不足のために当局が表向きには容認していた（ただし、所有者が賄賂を支払った可能性はぬぐいきれない）。ポスト共産主義を担う政府は、この違法住宅問題をどう処理していいものかと大いに戸惑っていた。一時は取り壊し運動を始めたものの、やがて建物を合法化した方が有用であると気づいた。その結果、今もなお特に海岸沿いに家を購入しようとすると土地登記上の問題のみならず、配慮すべき事情が増えてしまった。対象の家が所定の期限内に合法化されたかどうかも確認しなければならないのだ。もしそうでなければ、合法化の手続きを進める可能性は一切残されていない。違法住宅はおそらく取り壊される運命にあるだろう。しかし法律が再び変わる可能性もあるのだから、現行法が継続されるかどうかもわからない。

住宅の購入を希望している地域によっては、さらに気がかりな問題が出てくるだろう。気に入った家が旧紛争地帯や民族浄化が行われた地域にある場合、行政的な問題だけではなく、心理的および道徳的な配慮もしなくてはならないのだ。昨年、娘がサマーハウスを購入しようと、売りに出されている家の見学を予定していた。ザグレブから車でわずか三〇分、小川のほとりにある果樹園の中にたたずむ質素な家は、理想的な週末の隠れ家に見えた。娘の希望する物件に対してすぐに疑問が湧いたわけではなかったが、カルロヴァッツの町に近いという立地条件に私は違和感を抱いた。一九九一年から九二年にかけてその物件は紛争地帯にあった。住宅はクロアチアを追われたセルビア人が所有していたものかもしれない。かつて隣人によって追い出され、紛争後の国有化を経てから所有者に返却されたかもしれない場所で果物を採ろうという気も失せてしまい、今になって売りに出しているのではあるまいか。不正に書類を入手した誰かが家を購入した可能性だってある。

戦争にまつわる不動産の問題は以前から存在していた。セルビア難民の家を買って生計を立てている人物を知っている。訳ありの住宅を安く購入し、数年後に価上がりしたところで売って利益を得ているのだ。他人の不幸に付け込む行為を彼はあまり苦にしなかった。娘が選んだ物件が憂慮すべき事例に当たるかどうかはわからないが、諦めたときに胸を撫で下ろしたのは確かである。

自分自身の、そして知人を含めた私有財産にまつわる経験から、私の住む地域では「私有」と「財産」はどちらも曖昧で、かなり似通ったものだと考えるに至った。理由は政治や経済の変化から始まり、社会的所有、戦争、民族浄化やホロコーストまで多岐にわたっている。

二〇一七年公開のトゥルク・フェレンツ監督のハンガリー映画『一九四五』は、戦争と財産問題の一面を理解するためにうってつけかもしれない。優れた映画は時に豊かな情報を伝える。映画は正統派ユダヤ人の乗客二人が、人里離れた名もなき鉄道駅で列車から降り立つシーンで始まる。二人は棺桶のような巨大な箱を二つ持っている。駅員は彼らの到着の知らせを届けようと、自転車に乗って大急ぎで村に向かって走り出す。一方村人たちは、ユダヤ人の店主が強制収容所に移送された後、地元の商店を略奪した実業家の息子の結婚式を控えている。新しく

(5) ブラック・ハウジングは、社会主義時代の違法住宅のみならず、ロマ、ユーゴ紛争の戦果を逃れてきた人々の集落も含まれる。クロアチアの『ユータルニィ・リスト』紙は「毎年四〇〇〇件の違法建築が報告される」という見出しで報じている。本紙によれば、二〇一二年の違法建築物の処理に関する合法化法が制定された後、七年間で九〇万件近くの合法化申請があったとされる。だが違法に建てられた建築は増え続けているうえ、申請で却下される住宅の方が圧倒的に多い。

来た二人が徒歩で村に近づくと、知らせはあっという間に広がり人々はパニックに陥る。村人たちは、二人のユダヤ人が一、二年前に強制移送された親族の財産を取り戻しに帰ってきたのではと恐れているのだ。戦時中、店や酒場、家など、すべてを村人たちが盗んでしまっていた。なぜ二人は戻ってきたのか。その大きな箱には何が入っているのだろうか。店を取り戻した後、売る予定の商品なのかもしれない。誰もが略奪に加わっていたのだから、近づいてくるよそ者二人を皆が恐れるのは当然だ……。

『一九四五』はモノクロ映画で、正当な所有者の帰還に対する集団的な恐怖、そして嘘と告発と窃盗の上に成り立つコミュニティが壊れてゆく過程をドキュメンタリーに近い手法で表現している。

だが戦時中の略奪はユダヤ人に対してのみならず、東欧各地で起きた出来事でもあった。一九三八年にヒトラーによって併合されたチェコスロヴァキアの一部地域から、第二次世界大戦後約三〇〇万人のドイツ系住民が追放され故郷を追われている。むろん空き家にはすぐさま地元の人たちが引っ越してきた。三〇年後見知らぬ二人が突如小さな村の酒場に現れると、気まずい沈黙と怪訝な表情で迎えたのだった。もしかしたら二人の男は自分の家の財産を取り返しに来たのかもしれない。だが二人はネタを探すジャーナリストに過ぎず、盗んだ財産に囲まれて暮らす人々の不信感を、偶然にも身をもって体験するというユニークな機会を得たのだった。

戦争が本当の意味で終わるのはいつなのだろう。戦争は財産目録、疑念や悪夢や恐怖のなかで世代を超えて生き続けているようである。

ハンガリーの映画を観て、イストリアにある廃墟の村での経験を思い出した。イストリアは現在クロアチア、以前はイタリアとオーストリアの一部に属していた半島である。何世紀にもわたり多くの貴族が領地をめぐり争ってきた場所で、第二次世界大戦後最後の大きな移民の波が起こった。アドリア海の重要な港トリエステを連合国はイタリアとして残したいと考えていた。だがチトー軍が到着するとユーゴスラヴィアに編入されたのだ。

ユーゴスラヴィアは軍を撤退させる代わりにトリエステをAゾーンとBゾーンに分け、連合国とチトー軍で分割占領する形で半島を受け取った。分割の知らせがイストリアに届くや否や、大勢の人々がイタリアへ向けて脱出を始める。ファシストの協力者と告発されるのを恐れた者がほとんどだったが、独裁者ベニート・ムッソリーニがイストリアに入植させたイタリア系少数民族に属する者、共産主義政権下での生活に抵抗を感じる者などさまざまであった。人々は脱出を急いでいたため家畜を厩舎に置き去りにし、コンロの料理や、昼食の準備ができたテーブルもそのままだったという。一九四五年の春、クロアチアの知人がパルチザンの分隊と共にモトヴンという小さな町にやってくると、朝早くから貯蔵酒を飲んでいたであろうイタリア人薬剤師がいるだけで、すっかり廃墟と化していたそうだ。

トリエステからの大量脱出は、一九四三年のイタリア降伏により始まった。一九四五年から一九四七年にかけて移民の数はさらに増え、資料によると一〇万人とも言われている。だが一九四七年のときはイストリアのイタリア系住民にはイタリアを選ぶチャンスがあった。再び村は一夜にして荒れ果て、すぐに残った者が逃げた人々の家を略奪するようになった。しかし屋根が残りさえすれば、多くの家は崩れ落ちずに残ったままである。屋根から雨漏りすれば柔らかい石灰岩と泥でできた壁は崩れてしまう。今でも村には廃墟や老朽化した家屋が数多く存在している。共産主義政府は戦後国有化や没収した廃墟の財産を管理すると約束したが、ついに実現しなかった。

そんな幽霊屋敷に友人と散歩ついでに入ったことがある。モトヴン近郊の中世の街に改装済みの小さな家を購入したので、周辺を案内しようとしてくれたのだ。ドアがないので入ってみた。近隣の家に取り付けるために取り外されたのであろう。わずかに残されていた家財も汚れて放置されている。数脚の椅子が残る食卓には、ボロボロになったテーブルクロスが敷かれていた。食器棚には割れたグラスやカップがいくつか置かれ、壊れた薪のオーブンがあった。一箇所窓ガラスがなく、かつては赤い小花柄模様の白いカーテンだったであろう物悲しいぼろきれが掛けられていた。ハンガリー映画のように、村の老人たちは廃墟の持ち主も略奪した人物もきっと知っていたに違いない。

一九七五年のオージモ条約[6]と一九八三年のローマ協定[7]で、亡命者への補償金の支給が取り決められた。友人はユーゴスラヴィアが崩壊する直前の一九八九年に家を購入したのだがその家は共産主義後の新国家の下で翻弄されてしまった。クロアチア共和国が国有化および没収された財産を元の所有者に返還するようになったのは一九九七年以降で、数多くの所有権の訴えは当面未解決のまま残った。友人の家の真正面にある四〇平方メートルほどのフェンスで囲まれた区画が、所有者のいない未確定の土地に該当していた。そこは国や自治体（国有化のおかげで）をはじめ、外国にいるのかはたまた死んでいるか、あるいは相続に気づいていない知られざる人物など、さまざまな所有者の土地だったのである。隣人の一人カルロは酔っ払って村の半分を歩き回り、「これは俺の、これも、これも……」と家や庭を指差していた。まるで村の半分をカルロが所有しているかのような言いぶりだったが、実際にはそれぞれの物件の二〇分の一から五〇分の一、言ってしまえば「吹けば飛ぶ」程度の土地だったのだろう。

つまりそこは社会的財産から私的財産への法的移行、国有化と元々の所有者への返還をめぐって争われた土地だったために、友人の家の前の区画は部分的には借りられたが、一部利用できない状態だったのだ。とても狭く、玄関ドアの真正面にあったので友人も特に貸し出そうともせず庭として使っていたのであるが、購入は当分の間無理だった。問題が発生したのは、二〇年間庭として使用してきた土地を自分のものにしようと購入を考えたときだった。当時法的にも可能となっていた。購入方法は公開入札。ところが友人は、玄関ドアの前の小な土地を買おうとしているのは自分だけではないと知りとても驚いた。道路を挟んで向かいに住む女性も入札に参加していたのである。その女性は土地を使うわけでもなかった。そもそも使用もできなかったし、だからといってフェンスで囲おうともしなかったので一見よくわからない入札だった。植木鉢を一つか二つ置ける程度の土地で何ができるというのか。しかしその隣人は私の友人と土地を分けて購入しようとしていたのだった。

友人は、社会的財産である区画の一部を長期使用者（dosjelost）の財産として主張できると

（6）トリエステ自由地域をイタリアとユーゴスラヴィアに分割することを承認した条約。イストリア半島の北西（ゾーンA）はイタリアに、北西部の一部（ゾーンB）がユーゴスラヴィアに渡された。イタリア人が逃げ出したゾーンBでは、迫害が起こるなどしておよそ三万五〇〇〇人もの亡命者を出した。

（7）トリエステ分割により発生したイタリア人難民への補償金を支払うことを定めた協定。ユーゴスラヴィアの解体後、クロアチアが協定を引き継いだが支払い義務を果たしていないことが判明し、EU加盟にあたり問題となった。

知った。ところが彼女のケースは裁判で決めるしかなかった。そこで友人は裁判を起こしたのだが、なんと負けてしまったのである。五年経った今でも、玄関の外にある四〇平方メートルの土地には複数の所有者がいる。友人、向かいの住人、国、自治体、知られざる所有者と、それぞれに所有権がある。境界線も引けないのでどの部分が誰の土地なのか知る人もいない。今にして思えば、その隣人は花を育てたり日光浴をしたりするためではなく、私の友人が将来家を売ろうとしたときに土地の価値を下げようと小さな区画を欲しがったのだろう。つまり友人が自分の不動産の価値の低下を避けたいのであれば、向かいの住人が望むよりもはるかに高い価格で土地を買い取らなければならない。

今の話がすべて悪夢のように聞こえるのだとしたら、移行期の東欧諸国で昔のように私有財産が失われたままであるからだ。そもそもどこが誰のものなのか誰にもわからない状態で不動産を売買する方法があるというのか。法律が存在していても、官僚主義の色濃く残る手続きや汚職、あるいはその両方が原因で尊重されなかったり申請できなかったりするのならなすすべもない。いつの日か問題が解決され、旧共産圏のすべての国でデータが土地登記所で転記され、土地台帳が更新されるよう願っている。その日が来るまでカルロのような人々が、一区画おきに所有権を指摘することが正しいかどうかはわからない。しかし所有権がまだ立証されず、適切に記録されていない限り、彼らは自分のものだと主張し続けることはできる。

クロアチアでは問題が解決する日はすぐには訪れそうもない。だが、二〇一八年九月に財務省と世界銀行が土地総合管理システムのために一九七〇万ユーロのプロジェクト融資に署名している。もちろん返済しなければならないが、これでシステム改良の資金が確保されるのだから良案ではある。本プロジェクトは終わってもいない。とはいえ、他の旧共産圏の国々と同様、お金には不思議な消え方があるようだ。

# ホロコーストと盗まれた記憶
## 追悼のさまざまな方法をめぐって

二〇一八年一二月のある夜、ローマ中心部の歩道に奇妙な穴が生じていた。マドンナ・デル・モンティ通りの八一番地では、建物の路面に嵌め込まれていた二〇個の小さな四角い真鍮板が消えた。代わりに残ったのはアスファルトの窪み。盗まれた銘板はただのプレートではない。強制移送され、殺害されたユダヤ人やホロコーストの犠牲者のための特別な記念碑「ストルパーシュタイン」、すなわち「躓きの石」である。物質的な価値はほとんどないが、かつてこの建物に住んでいたユダヤ人一人一人の氏名、生年月日、強制移送された日、死亡日が記されているため意味深い。二〇人とはデイ・コンシリオ家の一八人全員と、ディ・カストロ家の二人である。ほとんどが一九四四年にアウシュヴィッツに強制移送され、収容所、あるいはどこかもわからない場所で亡くなっている。

この破壊行為は即座に反ユダヤ主義として認識され、イタリア国内はもとよりヨーロッパ各地でも懸念の声が巻き起こった。右派の内務大臣マッテオ・サルヴィーニをはじめ、政治家もすぐに憤りを表明した。政治家は慣例通り犯人の迅速な逮捕を約束したが、慰めにもならなかった。誰が取り外したのかはともかく、プレートの盗難事件は二〇一五年に中東やアフリカからの大量移民とともに表面化した外国人排斥の波の一部、反ユダヤ主義の復活を示す数多くの兆候の一つであることに変わりはなかった。もし反ユダヤ主義がヨーロッパにおける右派勢力台頭の片隅で起こっている一種の副産物か何かだと思うのであれば、それは間違っている。ヨーロッパ以外の場所で起こった場合、一過性のものとして片付けられるかもしれない。だがヨーロッパにおいて、反ユダヤ主義的な行為は周縁的なものであるはずがない。むしろ、私たちがそのような行為を知らないわけがない。以前にも起こったではないか。ユダヤ人は永遠の他者、永遠の移民、よそ者、どこにも属することのない、決して同化できない人々だと見なされてきたために、ヨーロッパにおける反ユダヤ主義は移民排斥運動の一部となっている。現代では反ユダヤ主義の復活は、他の外国人排斥や憎悪の現れを測るための指標だ。六〇〇万人ものユダヤ人が殺害され、大多数が文字通り雲散霧消したこの地域において、反ユダヤ主義は「他者」(現在で言えば移民)に対する不満がどの程度進行しているかを示す警鐘なのである。イタリアだけでなく、ドイツやポーランド、ハンガリーやフランスにおいても然り。例えば二〇一八年三月に八五歳のミレイユ・ノールがパリのアパートで刺され焼死している。これは二〇一二年にトゥールーズのユダヤ人学校の教師と三人の児童が、二〇一五年にはパリのコシェル[1]フードを取り扱うスーパーマーケットで四人が射殺された事件に続く最新の殺人事件だ。二

(1) Kosher ユダヤ教徒が食べてもよいとされる「清浄な食品」。資格を持った指導者「ラバイ」による厳しい審査を経て提供される。

〇一八年一一月、フランス政府は年明けから九ヶ月の間に反ユダヤ主義的行為が六九％増加したと発表した。これは「新しい反ユダヤ主義」と呼ばれ、「イスラムの過激化」が原因だとされている。

アルジェリア出身のフランスの学者カリム・アメラルは、ナショナル・パブリック・ラジオで「これは無知、貧困、ゲットーからくる反ユダヤ主義である」と語っている。「そして、事件の起こった地域に住む人々のほとんどが、偶然にもイスラム教徒なのだ」と。

ハンガリーでは、オルバーン・ヴィクトル首相がユダヤ人起業家で大富豪、そして慈善家のジョージ・ソロスを、ヨーロッパの生活様式の破壊を目的に移民を呼び寄せ陰謀を企てていると繰り返し非難した。ポーランドでは、マスコミや落書き、ソーシャルメディアなどで日常的に見られる反ユダヤ主義に加え、保守派政党法と正義がポーランドの地で起きた犯罪の責任は他にあると主張し、「ポーランドの強制収容所」などの表現の使用を処罰の対象とする法律を可決した。第二次世界大戦中に六万二〇〇〇人から二〇万人のユダヤ人がポーランド人によって殺害、あるいは密告されたという専門家の推定があってもなお、ポーランド国家やポーランド人がホロコーストに加担したと発言する行為を違法としたのである。法律が成立した後反ユダヤ主義の行為は増加した。

ドイツでは、二〇一七年に右派で人種差別や反ユダヤ主義を掲げるドイツのための選択肢（AfD）が連邦議会で初当選した。他の地域では、オーストリアの自由党、ギリシャの黄金の夜明け(2)、ハンガリーのヨッビク(3)、スウェーデン民主党などすでに政権を握っているか、大きな政治的潮流となっているウルトラナショナリズムの政党が、反ユダヤ主義を公言していたり、ファシストの前身を持っていたりする。

こうした事態への憂慮は、二〇一八年一一月にCNNがオーストリア、フランス、ドイツ、イギリス、ハンガリー、ポーランド、スウェーデンで回答者七〇〇〇人以上を対象にした世論の標本調査の結果を公表したときに確認されている。調査によると、ヨーロッパ人の二〇人に一人はホロコーストについてまったく知らないという。フランスでは一八歳から三四歳までに五人に一人がホロコーストについて聞いたことがないという最悪の状況であった。ヒトラーの故郷であるオーストリアでさえ一二%の若者がホロコーストについて聞いたことがないという。イスラエルに対する態度と反ユダヤ主義の感情には密接な関係があり、回答者の四分の一以上が、反ユダヤ主義はイスラエル国家のとった行動に対する反応であると答えている。また、世界の人口に占めるユダヤ人の割合に関して言えば、〇・二%という実際の数値を一〇〇倍も上回る推定値が出た。この世論調査は、他のマイノリティに対する態度にも投影されヨーロッパ人の三六%が移民を好ましく思っていないと答えたのだった。

記憶とは、個人と集団的アイデンティティの本質を為す。ローマの八一番地の前に空いた穴は、ホロコーストの記憶が盗まれたというメッセージを突きつけている。小さな四角いプレートを

(2) Chrysi Avgi 二〇〇九年の金融危機の際に台頭したギリシャの極右政党。創設者ニコラオス・ミハロリアコスが一九八〇年に創刊した雑誌に始まる。過激でネオナチやネオファシストとして呼ばれ、ナチスと酷似したシンボルを使用している。大ギリシャの創設、欧州連合批判、反ユダヤ、反イスラム主義などを掲げている。

(3) Jobbik Magyarországért Mozgalom「より良いハンガリーのための運動」。民族主義的傾向が強く、『インデペンデント』など欧州のメディアからロマ迫害、移民排斥、反ユダヤだと批判される。穏健化を図り、現在は中道左派、新欧州の政党とされる。

掘り出して取り除くのは非常に象徴的な行為であり、警告の兆候でもある。気をつけろ、我々はまたお前たちを迎えに来るぞ。まず手始めに真鍮プレートを盗み、物質的な記憶を破壊する。それからまだ記憶しているやつらを黙らせ、気に食わない人間を見つけ出してやろう、と。

真鍮製のプレートは容易に交換できるものの、記憶の喪失を防ぐにはどうしたらよいのだろうか。犠牲者のための正義は、真実がもはや否定されなくなった場合のみ確保される。犠牲者の名前を消す行為は真実の否定に他ならない。

世論調査の結果、実にヨーロッパ人の三分の一がホロコーストについてほとんど、あるいはまったく知らないと答えたとすれば、次のように問い返さねばならない。知らない、または「ほとんど知らない」なんてことが果たしてあり得るのだろうか。ヨーロッパには今も生きている犠牲者がいて、ホロコーストを記念する博物館や記念碑が数多くある。もしそれが忘却の問題ではないなら（若者たちはそもそも知らないのに、どうしたら忘れられるのだろう）、記念の方法と関係があるのかもしれない。

死者をしのぶ行為は、何よりもまず教育プログラムや歴史教科書に委ねられる。それから家庭教育、社会環境、文化などのすべてが過去を人々の心に刻もうとしているのか否かで決まる。情報や教育に関しても、躓きの石、記念碑、彫刻、博物館、記念館など視覚的に記憶を喚起させるものは同じような役割を担っている。見てわかるような作品は極めて象徴的であるからなおのこと。二〇〇三年にサダム・フセインの像が、一九八九年以降の旧共産圏全土でスターリンやレーニンの像が倒されたのは今でも記憶に残っている。しかし、そのような彫刻や記念碑が世間の注目を浴びることは、おそらく事後的な場合を除いては滅多にない。記念碑を専門とする建築家や芸術家もいるが、結局のところ芸術的造形のメッセージは誰にでも関係するのである。

一九九二年、ヨーロッパ中のホロコーストの犠牲者が住んでいた、あるいは追放された場所に躓きの石を置くプロジェクトを始めたとき、ドイツの芸術家グンター・デムニヒはこのことを念頭に置いていたのだろう。プロジェクト開始以降、同性愛者や共産主義者、エホバの証人など、ナチス政権による他の犠牲者を含め、約一〇〇〇都市にプレートを設置している。犠牲者の名前を書き留めて追悼するというデムニヒの発想は新しいものではない。多くの記念碑は、壁や彫刻などに刻まれた名簿で構成されている。しかしデムニヒは追悼のプロセスにもう一つの側面を加えた。個々の名前を歩道のプレートに刻み、彼らが連れ去られ、二度と戻らなくなった場所を明確に示すことで、人々が「躓き」、気づき、興味を持ち、動揺し、思い出し、記憶するように促したのである。ローマのプレート泥棒は、躓きの石の効力を知っていたのだろう。だからこそこのような遺品、すなわち名前や詳しい情報が刻まれた一〇センチ四方のプレートに注目する価値があったのだ。しかし、ホロコーストやジェノサイドの犠牲者を追悼する他の記念碑との関係も考慮に値する。記憶を維持するにはさまざまな方法があるからだ。

ベルリンの街を歩いていると、碑文が刻まれた金属板に幾度となく足を止める。あまりの数の多さに思わず目を奪われてしまうほどだ。かつて東ベルリンにあったアール・デコ調の美しい建物と中庭のあるハッケシェ・ヘーフェ・コンプレックスの近くで、思いがけず躓きの石を見つけた。作品群は綺麗に磨かれていて、名前や年号が読みやすくなっている。最初は、あの歩道に固定されている光っているものは何なのか、なぜこんなにたくさんあるのだろう、誰かに聞く必要があるのではないかと思った。だが立ち止まって碑文を読んでみると、余計な説明など必要なかった。躓きの石の魔法はすぐに効いた。名前と生没年を読むや否や、私はその人たちの姿を、彼らの抱いた恐怖や絶望を想像し始めたのである。

四つの躓きの石から家のファサードに視線を移したのを今も覚えている。シュニーバウム一家はここからアウシュヴィッツに強制移送され、「エルモーデット」、つまり殺されたのだ。当時三八歳だったヘルマンと、三三歳の妻ジェニー、そして一二歳のテアとたった二歳のヴィクトーの四人。もちろんなぜその窓を選んだのかはわからない。白いカーテンが飛び立たんばかりにたなびいていたからなのかもしれない。ジェニーがヴィクトーを抱えてアパートを追い出された瞬間を想像せずにはいられなかった。ジェニーは何を着ていたのだろう。どこからともなく疑問が湧いてきた。いや、家の前に立ったのが晩秋だったからかもしれない。コートは持っていたのか。上等な靴は？　あるいは、自分がどこへ行くのかわからなかったので、手近にある服を掴んだのだろうか。だがジェニーは追い立てられる理由は知っていた。よく分かっていたに違いない。当時黄色い星を身に付けることを強制されていたのだから。他には何を持っていったのだろう。想像してみる。息子のお気に入りのおもちゃ？　本？　私だったらこれを選ぶかしら。ジェニーは貴重品や衣類、食料などを持っていくような現実的な人物だったのかもしれない……。彼らの名前を見てその場所に立ち、想いを巡らせたとき、二人の母親であるジェニーが実在の人物と化し共感の対象となることが大事なのだ。彼女の人生を真実の微睡のうちに想像し始める。何しろ唯一与えられている真実は、躓きの石に刻まれている「一九〇八年生まれ、一九四三年アウシュヴィッツで殺される」なのだから。

ウィーン六区に行くと、私はアエーギディガッセを歩くようにしている。その短い通りには、何の変哲もないファサードが並んでいて目を引くものはない。ショップや歴史的建造物もない。しかし、白っぽいグレーの五階建ての建物に沿って歩き、五番の建物の前の歩道に目をやったとしたら、しかるべくして真鍮版に遭遇するはずだ。少なくとも私はそう思う。だがこの金属版はベルリンの躓きの石ほど綺麗ではなく、薄汚れて刻まれた名前もほとんど確認できない。目を凝らせば恥ずべき行為を追悼する記念碑が見える。この建物はウィーン当局が移送のためにユダヤ人を召喚した場所の一つだったのだ。鉄道駅から数百メートルという非常に便利な立地で、一九四一年の一一月から一二月にかけリガ、ウッジ、コヴノなどにある強制収容所や、ミンスクでの処刑に向かうユダヤ人たちが家畜用列車に乗り旅立った西駅から歩いて一〇分ほどの場所にある。アルフレッド・シュタイナー、アンナ・ハイリンガー、ゾフィー・フリーズ、シュレム・ヒルシュフェルドは、この建物から連行された六〇人のユダヤ人のごく一部。眠くてぐずる子どもたちや、自分たちがどこに、どのくらいの期間行くのか誰も教えてくれないのかと思いを巡らす母親の姿が頭の中にパッと浮かんでくるはずだ。一九三八年、ウィーンには二〇万人以上のユダヤ人がいた。戦争が終わるまでに六万五〇〇〇人のユダヤ人が殺された。この数字は市内のホロコースト記念館の台座に刻まれている。

アエーギディガッセからわずか数分離れた場所にも、ユダヤ人が移送のために集められた家がある。現在は学校として使われているが、数年前、玄関前の舗装に三二個の躓きの石が作られた。だがそれも長くは続かなかった。子どもたちがプレートの上で遊び、飛び越えたりして記念碑の本来の目的には目もくれないからか、撤去され壁に取り付けられた。人々が足元の碑に無関心であるというのは犠牲者の第二の死に等しいという意見もある。もしかしたらプレートが付け替えられたのは、この主張が通ったからなのかもしれない。ミュンヘンには躓きの石がなく、「躓かない街」である理由はここにある。ミュンヘンのユダヤ人コミュニティは「死者の名前を踏みつけ、犬に放尿させるのは、追悼どころか犠牲者のアイデンティティを侮辱するものだ」として躓きの石プロジェクトに反対している。

たとえ深慮からプレートを壁に移したのだとしても、歩道から壁に移したのは間違いである。壁では注意深く見るべきものというより、取るに足らない装飾のようになってしまう。一九四一年一一月二八日にここからミンスクに移送されたエルンスト・ズューサーとパウラ・ズューサー（旧姓コサリク）夫妻の名前を読みながら、あの恐ろしい瞬間に一緒にいられたことが唯一の慰めになったであろう二人のことを少しばかり考えてみてもいいだろう。

壁に貼られたプレートでは意味がない。壁には床に唾を吐いてはいけないとか、ここでタバコは吸ってはいけないとか、どうでもいい警告文が何でもかんでも張られているものだ。誰も見ていないのだからどうということはない。この類の記憶には、スーパーマーケットやバス停、通学路など日常生活の中で注意喚起ステッカーを目にすることが不可欠である。人が躓くのは自分が歩いているところだけだ。皆幾度となく近くを通りすぎているし、子どもたちは注意どころか敬意も払うこともなくプレートの上に乗っている。大多数の通行人はプレートには目もくれず、下水道の蓋の上を歩くように立ち止まることなくその上を歩く。しかし、もしプレートが壁ではなく歩道にあれば、ある日突然誰かが足を止める可能性がある。やみくもに踏むのではなく立ち止まる。強い雨で汚れが落ちたのか、真鍮が再び輝き、その人は「これは何だろう?」と見るに違いない。その瞬間、躓きの石を歩道に埋め込む行為が正しいのだと証明されよう。

私たちは、ユダヤ人をはじめとするファシズムの犠牲者とその運命を毎日思い出すわけではなく、ローマで犯罪が起きた時のようにたまに思い出すだけである。そして石の「消失」に気づき、自分自身に問いかけたときにはじめて、躓きの石の意味を十分に理解するのかもしれない。なぜここにはないのか。なぜこんなに少ないのだろう。この町の人々は犠牲者の名前や日付、出身地を誰一人として覚えていないのだろうか。あるいは、そのような記念碑や記憶を呼び起こすものは意図的に省かれているのだろうか、と。

私の国クロアチアには、ユダヤ人犠牲者に捧げられた四つの躓きの石があり、いずれもリエカの街にある。碑文は二〇一三年にエウジェニオ・リプシッツとジャンネッタ・ジプサー・リプシッツのために設置され、クロアチア語とイタリア語で文字が刻まれている(したがって四つある)。二人ともアウシュヴィッツで殺害された。なぜ記念碑はリエカにしかないのだろうか。首都ザグレブにはホロコーストの犠牲者を追悼する別のモニュメントがあるのだろうか。

ザグレブの中心部にある駐車場のファサードには「一九四一年、ここに当局によって破壊されたシナゴーグがあった」というプレートがある。シナゴーグがあったということは、一万一〇〇〇人のユダヤ人コミュニティのうち礼拝していた人がいたはずだ。皆どこに住んでいたのだろう。彼らが追い出された建物はどこにあるのだろうか。ドラシュコヴィチェヴァ通りやイリツァ通りにある五階建ての建物から? この辺りを歩いているだけではわからない。ユダヤ人がクロアチアの強制収容所であるヤセノヴァッに強制移送されて残った多くの建物の前には、記憶を想起させるような躓きの石や小さな目印がないのだ。ウィーンのホロコースト記念館の台座には、他の四五の収容所の名前と一緒にヤセノヴァッの名前が刻まれている。ザグレブで犠牲者への追悼が一切ないのが目立ち戦慄が走る。

クロアチアはユーゴスラヴィア連邦の六つの共和国の一つとして、第二次世界大戦末期には戦勝国として位置づけられた。だが一九四一年から一九四五年までは独立国としてナチスの傀儡国家となり、共産主義者、セルビア人、ユダヤ人、ロマに対する強制収容所や死の収容所を独自に有していた。最も知られ、悪名高いのはヤセノヴァッである。八万人以上が殺され、そのほとんどが民間人だった。なかには当時クロアチアに住んでいた三万人のうち、約二万人のユダヤ人が含まれていた。そのユダヤ人犠牲者のうち一万三〇〇〇人以上の名前が名簿が保存されている。

ザグレブ市は、近い将来ホロコーストの犠牲者のために記念碑を建てる計画を発表した。しかしヤセノヴァッ記念館にはすでに記念碑が存在している。建築家、彫刻家、作家、元ベオグラード市長で、後に亡命した反体制派ボグダン・ボグダノヴィッチによる巨大彫刻が一九六六年に完成しているのだ。ボグダノヴィッチの「石の花」[4]は、ユダヤ人を含む収容所のすべての犠牲者を追悼している。ヤセノヴァッという小さな町に近づくと、四枚の巨大な花びらを空に向け、近くの野に浮かんでいる高さ三〇メートルほどの立派な彫刻が遠景から望めるだろう。ボグダノヴィッチは多くの人々が死を迎えたこの場所に、生命の象徴を植えようとした。花のように儚くも、たくましい生命を。

作品は印象的で、街角で偶然見かける小さなメッセージとはまったく異なる効果をもたらしている。その壮麗さと美しさのために、彫刻が意図する人間の苦しみの象徴として受け入れるのは難しい。高く評価することはできても、称賛がここで圧倒的な感情であってはならないのかもしれない。

しかしながら、昔小学校の授業で訪れて以来ずっと心に引っかかっていたことがある。ヤセノヴァッツ強制収容所はドイツではなくクロアチアのものだった。大量殺戮を可能とするガス室はなく、人は羊や山羊のように執行者の手で殺されていた。私は看守が使用していたありとあらゆる道具の展示が忘れられない。ナイフや斧、大きな木製のハンマーなど、さまざまな道具が並んでいた。それを見て吐き気を催した。私は動物の屠殺すら見たこともなかったし、ましてや人間なんて。だが、そこに立っただけで想像できた。私は虐殺の道具を決して忘れることはなかった。

それから何年も経った一九九五年、私は再びヤセノヴァッツに足を運んだ。しかし複合型記念館は廃墟と化していた。建物の窓も扉もなくなり、割れたガラスの陳列ケースやゴミだけが残っていた。展示物も略奪されていた。ヨーロッパのなかでも破壊されたホロコースト記念館はここだけだろう。一九九一年から九二年の紛争でクロアチア軍からセルビア軍へと占領者が変わったためである。廃墟と化した博物館と、児童の手書きの文字で埋め尽くされた来訪者名簿が雨に打たれて半壊し、投げ捨てられたように落ちているのを見るのは堪え難かった。ボグ

---

（4）「石の花」はヤセノヴァッツ記念館ホームページを参照のこと。https://www.jusp-jasenovac.hr/

ダノヴィッチの花は、まだ手つかずのまま残っていた。壊されなくてよかった、とかつてボグダノヴィッチは言っていた。

その後記念館はクロアチア政府によって修復された。だからといって記念館が追悼する犠牲者が敬意をもって扱われたとは言えない。例えば、二〇一六年にはヤセノヴァッツの死の収容所の至近にある民家のファサードに、第二次世界大戦中のクロアチアのファシスト兵ウスタシャ[5]の敬礼が描かれたプレートが取り付けられた。この忌まわしき行為には、プレートの撤去や犯人の逮捕を伴わなかった。多くの市民が落胆するなかで、政府が委員会を設置して対応を決める間も一年間にわたりプレートはそのままだった。結局政府は一〇キロほど離れたノヴスカの町の入り口にプレートを取り付けることに決めた。この町は、一九四五年にウスタシャによって殺された六五〇人の戦闘員と民間人を悼む、今は破壊された反ファシスト記念碑から二〇メートルほどの場所にある。いまだにこのプレートが残っているのは、一九九一年の「祖国戦争」で戦ったクロアチア兵を追悼して退役軍人が建てたものだからだ。この戦争では第二次世界大戦のクロアチア人戦犯にちなんで軍の部隊名が付けられ、悪名高い敬礼が習慣的に行われていた。さまざまな場面でこの敬礼をし、手を挙げてクロアチア版ジーク・ハイルを作った人々を警察は逮捕するとこはなかったし、裁判にかけられることもなかった。

一方、ヤセノヴァッツ以外の強制収容所や集団処刑の現場には追悼のプレートがない。以前に存在していたものも破壊されてしまった。反ファシズムは共産主義と重なるため、クロアチア人はその過去を思い出したくないのだ。[6]共産主義崩壊後、クロアチアではファシズムの犠牲者を侮辱する明確なデモンストレーションとして、三〇〇〇以上の反ファシストの記念碑が破壊された。その多くは著名な彫刻家の作品だった。

当局が破壊行為やファシストの敬礼を容認するのは、クロアチアで急速に進む歴史修正の一つの兆候に過ぎない。この歴史修正主義のおかげで、クロアチアにはホロコーストの犠牲者のための躓きの石が出現しそうにもない。

反ファシストの記念碑の物質的破壊は、歴史の盗難であり、修正の前段階である。ローマで躓きの石が盗まれてできた歩道の穴と同じで、今では児童は小学校でアンネ・フランクの日記を読むことはなくなった。二〇一八年にヤセノヴァツの記念館を訪れた学校団体はわずか一五組だった。

私が小学生だった六〇年代初頭は、第二次世界大戦に関連する重要な反ファシスト記念館をバスで巡った。例えばボスニア・ヘルツェゴヴィナのスティエスカ川の辺りにあるティエンティシュテは、ドイツ軍との戦いでユーゴスラヴィアの戦局を大きく変えた場所である。山々

（5）一九四一年にクロアチア独立国（Nezavisna Država Hrvatska）を樹立すると、ボスニア・ヘルツェゴヴィナ全域を含めた独立国領土内のセルビア人の大量虐殺を開始。犠牲者には政治犯、ユダヤ人やロマ、障害を抱えた人なども含まれる。一九九一年にクロアチアが独立すると、第二次世界大戦時代のウスタシャの残虐行為を愛国行為と再評価する動きも見られるようになる。初代大統領トゥジマンもその一人。
（6）二〇二二年四月、クロアチアの首都ザグレブにホロコーストの犠牲者を追悼する高さ十二メートルの記念碑が完成した。しかし、当初ザグレブ市が目的に据えていたアウシュヴィッツに強制移送されたおよそ八〇〇人のユダヤ人の追悼としては、加害者と被害者が明確とされておらず、WJCからも「歴史の書き換え」と非難された。結果、当局はクロアチアのホロコーストの犠牲者はユダヤ人のみならずセルビア人、ロマ、政治犯も含まれると認め「ウスタシャ政権の犠牲者の追悼」へと変更するに至る。

に囲まれた大自然の中、まるで巨大な天使が地下から出てこようとしているかのように、高さ二〇メートルほどの翼のような二つの巨大な石塊が大地から突き出ている。その姿は恐ろしく、人間がちっぽけで儚い存在だと感じさせる。それが狙いだとしたら成功だ。実を言えば、一〇代だった私たち若者には、パルチザン軍を指揮するチトーを演じたリチャード・バートン主演の映画『風雪の太陽』［原題：Sutjeska　一九七三年］を観賞した後の方が印象深かったが。

第二次大戦の勝者たちは、社会的リアリズムのみならずモダニスト的芸術による記念碑を建てることで歴史の集中講義を行っていた（この点ではユーゴスラヴィアは例外であった）。私たちはきっとその場所で、記念碑の横で、記憶に留めておくよう求められる、厳しい事実を突きつけるような歴史の講義を受けたのであろう。だがそんな義務的で儀式化された過去を覚えておくのは難しいし、ましてや犠牲者に同情することもできなかった。

ベルリンやウィーンのホロコーストを追悼する記念碑は、ヤセノヴァツやティエンティシュテの犠牲者のための記念碑に劣らず抽象的で解釈が困難である。ベルリンでは二〇〇五年にコラ・ベルリナー通りに開設された「虐殺されたヨーロッパのユダヤ人のための記念碑」が有名で、その景観は圧巻としか言いようがない。広大な領域に、棺桶や墓の大きさに相当する二七一一個のコンクリートブロックが墓地のように一個一個整然と並んでいる。建築家ピーター・アイゼンマンは墓地との関連を否定しているが、確かに訪れた人がこの記念碑から何を感じ取るかを決めるのは作者ではない。このブロックは墓石とは異なり、名前がなく匿名であるからアイゼンマンの言う通りなのだろう。何の感情も湧いてこないし、誰の墓であるかもわからない。もしコンクリートブロック群が何であるのかを知らずにその場に居合わせたなら途方に暮れるだろう。ユダヤ人はなぜ死んだのか（作品名に「ホロコースト」という言葉はない）、あるいは彼らが何者なのかすぐにわかるわけではないからだ。なにしろ個人の名前もないのだ。犠牲者の名前は別の場所、複合施設内のインフォメーションセンターの一室にある。私たちに犠牲者を記憶させ、同時に忘れさせる力が記念碑にはあるのだろうか。それは可能だった。この棺を象ったモニュメントがまさに実現してくれたのだ。この場所にユダヤ人が住んでいたのにいなくなってしまった。誰が何のためにユダヤ人を消したのかはわからない。いずれにせよ、全体の印象として記念碑が「厳粛」さを与えようとしているのは確かだ。だがそうとばかりは言えない。天気の良い日には観光客や訪れた人々がブロックに座り、子どもが登り、かくれんぼをしたりしているのだから。

ウィーン旧市街の中心部にある最も美しい広場の一つ、その中央には他の建物が完成した後に忘れ去られてしまったかのごとき巨大なセメントのブロックが建っている。ホロコースト記念館を並外れて巨大な石の地下室として築き上げたのは、意図的に美しい景観を妨げ、ここウィーンで人生を突然奪われ、帰属意識も人間性も否定された人々のことを思い起こさせるためだったのだろうかと考えさせられる。

この長さ一〇メートル、幅七メートル、高さ三・八メートルのセメント製の正方形は、改めて見ると巨大な墓か地下壕を思わせる。しかし、巨大なセメントは墓でもなければ地下壕でもない。設計者のレイチェル・ホワイトリードが思い描いた裏側から見た図書館の棚だ。そのため、別名「名もなき図書館」とも呼ばれ、ユダヤ人が啓典の民であることを示唆している。近づいてみると本を表現していると思しき縦長の構成部分が見られる。もちろんそこまで見る訪問者もいるが、誰もがそうするわけではない。記念館が建っている土台には四六の強制収容所の名前が刻まれており、訪れた人が見れば何を追悼しているのかがわかるはずだ。しかし、アウシュヴィッツ、テレージエンシュタット、ブーヘンヴァルト、ダッハウといった名称を聞いたことがない人には何の役にも立たない。

たった一つの仕掛けが恐怖を呼び起こす。正面には木の扉を模した入り口が見えるものの、そこには取手がついていない。つまり入ったら最後出口がないのである。

ところが今度はウィーンにある記念碑が論争を巻き起こした。一九九一年、アルベルティーナプラッツに跪まずき、路面磨きを強いられるユダヤ人の彫刻が作られた。これは、一九三八年にヒトラーのドイツがオーストリアを併合した後、ユダヤ人が受けた数ある屈辱の一つである。だがアルフレート・フルドリチカの彫刻は、必ずしも意図した共感を呼び起こすものではなかった。多くの観光客が軽はずみに、自分が何をしているのかも自覚せず彫刻の背中に座ってしまったのだ。結局、記念碑が休息場所として使われないように有刺鉄線が巻かれたが、犬が放尿するのは相変わらず続いている。

躓きの石と記念碑という二つの追悼方法は、異なる反応を呼び起こすとはいえ相互に排除し合ってよいものではない。それどころか歴史と記憶のように互いに関連し合っている。しかも目的は同じで、記憶の喪失を防ぐと同時に盗まれないようにしている。どこでどのように暮らしているかはっきりイメージできる隣人のように、名前と物語を持つ具体的な身近な人よりも名もなき人々は殺し易いのだろうか。この悩ましい二者択一は、アムステルダムにある類まれな博物館、アンネ・フランクの家に最もよく表れているのではないだろうか。博物館は秘密部屋があるアパートだけでなく、アンネ・フランクとその家族の潜伏生活をも再現している。犠牲者には名前と人生がある。アンネが使っていた日用品が置かれている家を訪れることで、日記のごとく、彼女が一人の人間であると実感できるようになっている。この博物館が一人の命を弔うのと同時に、すべての殺されたユダヤ人をも追悼しているのは、訪れる人々がアンネの二年以上にもわたる潜伏生活を垣間見て、四六平方メートルの小さな隠れ家や、家族四人と他の四人のユダヤ人で維持していた生活の複雑な仕組みを体験する機会を持てるからだ。年間一〇〇万人以上の人が訪れるのも何ら不思議ではない。

目に見えるシンボル以外にも犠牲者を追悼する方法はある。

私はこの方法を、最近ヨーロッパで起きた大量虐殺の事例から学んだ。旧ユーゴスラヴィア国際戦犯法廷がジェノサイドと認定した、一九九五年にボスニア・ヘルツェゴヴィナのスレブレニツァで起こった大虐殺からである。ラトコ・ムラディッチ将軍の指揮下にあるスルプスカ共和国軍は、オランダの国連平和維持軍の兵士が守る保護区域に入り、男性と女性を分け、夏の暑い数日の間に八〇〇〇人以上の男性（ほとんどが民間人）を射殺した。スレブレニツァには躓きの石こそないものの、ボスニア・ヘルツェゴヴィナのイスラム教徒特有の白い墓石「ニシャン」が立てられた六五〇四もの墓があるスレブレニツァ虐殺記念碑がある。遺体が発見された犠牲者はこの墓地にたどり着いたが、未だに見つかっていない人も多い。複合施設内の大理石の壁には、スレブレニツァで処刑された犠牲者の名前が刻まれている。

虐殺の第一報がニュースで流れた時の戸惑いと恐怖は忘れられない。数年後の二〇〇三年にハーグの国際戦犯法廷で行われたスロボダン・ミロシェヴィッチの裁判で、スレブレニツァの大虐殺の生存者が証言した。保護プログラムを受けている証人B－一四〇一である。銃殺隊の前に立った当時、まだ一七歳の青年だった彼は次のように述べた。「先に水を飲ませてから殺してほしいと懇願する人もいました。喉が渇いて死ぬなんて悲しいことです。自分の番が来て外に出ると、死体が並んでいるのが見えました。私がどこにいるのかなんて母は知る由もないだろうな、と考えていました……」と。

アウシュヴィッツからスレブレニツァまで、加害者は誰一人として被害者が生き残ることなど期待していなかった。生存者は何十年にもわたって語り、証言し、正義を求め続ける。戦争犯罪は決して鎮まることはないからだ。それゆえスレブレニツァや、多くの人が殺された場所を記憶する一つの方法は、私たち訪問者が、目撃者が語った一文、あるいは少なくとも一名の犠牲者の名前を記憶に留めておくこと。証人B－一四〇一の声、「喉が渇いて死ぬなんて悲しいことです」という言葉を私は絶対に忘れない。彼の一語が、私自身の記憶にもなったのである。

犠牲者を追悼する際、たとえ何百万単位で数えられたとしても、彼らは個人であり、集団ではないと覚えておかねばならない。どのような形であれ、殺された人々を集団として記憶しようとするのは死者を否定し、還元し、再び消滅させてしまう行為である。まさに犠牲者を殺害した人たちの思うつぼなのだ。殺人者は犠牲者が人間でなくなることを望んでいた。記念碑はそんな考えを助長してはならない。さもなくば記念碑は忘却と否定の文化に取り込まれてしまう。

私たちが忘れてしまうのは単純に忘れた方が楽だからであるが、不安や恐怖の時代にそれをしてしまっては無責任である。忘却は無知に自由な支配を許すことになる。つまるところ、心に留めておきたい歴史が何であるのか、あるいは過去を意図的に消そうとする理由は一体何かを内省してみれば、私たち自身が何者であるのかが見えてこよう。

# ヨーロッパ合州国？

## 東欧の移民熱

私の曾祖父ペータル・クラリッチが、当時オーストリア・ハンガリー帝国のアドリア海北部の港であったフィウメ（クロアチア語でリエカ）で、巨大な蒸気船に乗り込んだのは一九〇五年頃のこと。

曾祖父がその蒸気船に乗る数日前、母方の曾祖母が生まれ育った小島の定期便がフィウメに向けて出発するのを、一張羅を身にまとい、埠頭に立って白い刺繍のハンカチで涙を拭いながら手を振って見送ったそうだ。それから五年もの間、夫が乗船券代の借金を返済し、家族のために家を建てられるだけの資金が貯まるまで、曾祖母は一人で四人の小さな子どもたちの面倒を見なければならなかったという。

ペータルの場合、幸い大きな港フィウメまで数時間しか要さなかった。一般的には何日もかけてたどり着くのだそうだ。次善の港はイタリアのトリエステかジェノヴァ。しかし当時フィウメからはニューヨークへの直行便が隔週で運行されていたし、キュナード社[1]が三隻目の蒸気船を導入したばかりだった。そのうえアメリカがフィウメに領事館を開設し、領事館員となった後のニューヨーク市長フィオレロ・ラガーディアの初仕事が移民担当であった。ラガーディアはフィウメで二年過ごし、クロアチア語も習得していた。要するに曾祖父は一〇日間の旅行へ出発する前に、必要な手続きはすべてこの港で済ませられたのである。

一九世紀末から二〇世紀初頭は、ヨーロッパからアメリカへ向かう大量移住の時代であった。東欧や中欧から数千万人が、ハンブルクやブレーメンといった北ヨーロッパの港や、ジェノヴァやフィウメなど南の港からアメリカへ渡っていった。ある推計によれば、この時期に五〇万人ものクロアチア人がアメリカに移住したとも言われている。東欧において、クロアチアを超える移民を出したと言えるのはポーランドとスロヴァキアだけだ。貧困のために五五〇〇万人ものヨーロッパ人が大陸を離れている。地域全体が空っぽになってしまい、各国政府は当時「アメリカ熱」と呼ばれていた移民現象を防ぐ必要に迫られた。多くの移民は大西洋の対岸に残った。ペータルも移民の大波に乗った一人だった。しかし私の曾祖父は他とは違い、帰国して家を建てた。高級な磁器や衣類なども重厚な木箱に詰めて持ち帰っており、今も残っているものもある。曾祖父が住んでいたニューヨークのイタリア人街で購入した、たまごの殻のように繊細な小さなティーカップが今も手元にある。曾祖母アントニアは苦しい日々が過ぎ去ったと喜んだ。いつまでもこの生活が続いてほしいと彼女は思っていたが、現実には第一次世界大戦が数年後に迫っていたのだった。

---

（1）Cunard Line　一八三九年にサミュエル・キュナードらが設立したイギリス政府の郵便補助航路企業を前身とする、イギリスの海運・クルーズ会社。

六〇年後、もう一つの世界大戦を経て、六〇年代後半から七〇年代前半にかけて大量移民の波が再びヨーロッパに押し寄せた。同じ領域からだったが国は違った。ユーゴスラヴィア社会主義連邦共和国の国民が、スウェーデンやドイツへと旅立ったのである。約一〇〇万人がバスや列車で出国し、一時的なガストアルバイターとなった。大量移民は共産党政府が計画経済の失敗を隠すためにとった異例の措置によって生じた。労働者たちの仕送りが家族や国全体をしばらくの間支えていた。

労働者を受け入れてもらう見返りに、ユーゴスラヴィアはドイツ人観光客に国を解放した。ドイツは第二次世界大戦の敵国であり、立ち入り禁止の町さえあるほど私たちはドイツ人を憎むようになっていたのに。しかし突然ドイツ人は受け入れられた。毎年夏になると漁村や海岸を訪れるドイツ人が増え、地元の子どもたちはビニール靴を履いて海を歩くおかしな習慣を笑ったりしないで親切に接するよう求められた。観光客はドイツ・マルク（ＤＭ）を持ち込んだ。ＤＭはすぐに非公式の現地通貨となった。車やアパートメント、土地を購入しようと思ったらＤＭで支払う。現地通貨ディナールからＤＭへの両替が法的に認められていない国で、どうしてそんなことが可能だったのか。ユーゴスラヴィア独自の共産主義下の生活における謎の一つであった。

父親がクリスマスとイースター休暇で一年に二度しか帰宅しないため、ほとんど父親不在で育った子どもも少なくない。私のクラスメートのヴェラもその一人だったが、代わりに父親が海辺の村にいち早く新しい家を建て始めた。最初は一階のみで、何年かごとに階数を増やし、やがて三階建てとなった家は近所で一番大きくなった。無許可で、建築家による設計もなく自分で建てた不恰好なセメント造り。ファサードもなく、二階も三階も未完成の家だったがそれでも大きさは一番だった。ヴェラの父親は白のメルセデスに乗っていた。中古であるにしろ当時は誰一人としてそんな車を所有していなかった。それにヴェラは、私たちが夢見るような自転車を買ってもらっていたし、家族はカラーテレビを一番先に手に入れていた……。しかしそれは父親不在で育つという代償の上に成り立っていた。引き上げてきた時にはもう父親は年老いてしまっていて、娘は結婚して彼の建てた家の一階に住んでいた。二階はもちろんドイツ人観光客に貸し出していた。

七〇年代、私の親戚には国外へ出ている人はいなかった。島やアドリア海沿岸出身の人々は仕事を求めて遠い地へ出て行かなくてもよくなっていた。ドイツ人以外にも観光客がますます訪れるようになっていて、うまく暮らせるようになったのだ。地元の人たちはまず古い自宅の一室を借出し、増築していった。そしてとうとう自分たちの新築を建てたのである。太陽と海の恵みのなせる業であった。

その後ユーゴスラヴィアは崩壊し、一九九一年にクロアチア共和国が独立した。独立から二〇年で新たな移民の時代が到来した。経済的な理由によるEU圏内の移動であるから、移民と言ってもよいだろう。今回は小麦やとうもろこしが育つ豊かな土壌や、豚や牛のいる農場があった内陸部を中心に人々が去っていった。汚職まみれの民営化計画や公有から私有への移行により堅実な企業は消滅し、九〇年代の紛争で破壊された会社も出て個人農業はもう採算が合わなくなっていた。ザグレブ以東の地域では仕事が減り、職を求めて町や海外に移住せざるを得なくなったのだ。売り家の広告を見てみれば現実的な状況がよくわかる。例えばスラヴォニア地方では、条件の良い家が中古車一台分の七〇〇〇ユーロで売られている。過去八年間で地価は五〇%も下落した。現在は高齢者だけしか残っておらず、彼らが亡くなるとタダ同然で売却されてしまうのが普通である。

若者が離れていくのは仕事がないからだ。仕事がなければ住宅ローンも組めないし安い家も買えない。この地域の若者、特に男性は稼ぐ機会もないために親と同居しているが、その割合はクロアチアの若者の八四・六%にも及ぶ。平均して三三歳で親元を離れている。「単純にここには生き甲斐も何もないのです」とスラヴォニアの小さな町、ジャコヴォの不動産業者は言う。

休暇明けの日曜日の夕方は特に、さびれゆく町のバス乗り場が大混雑する。ドイツやオーストリアに向けたバスが毎日出ていて、移民(彼らは再びガストアルバイターとなったのだろうか)用の特別チャーター便もある。乗客は残していく家族と抱き合ったりキスを交わしたりしている。泣いている人もたくさんだ。涙を流して別れを惜しむ姿は、一般の乗客とは一線を画している。なにしろ次に家族が会うのはイースターなのだから。

ヴコヴァル、スラヴォンスキ・ブロッド、オシイェクのバス停には小さな子どもを連れた若い女性が多く立ち、ミュンヘンやシュトゥットガルトなどのドイツの都市に向かうバスに乗る夫に手を振って別れを告げている。ドイツはそれほど遠くなく、夫たちはすでにドイツへ渡ってIT企業に就職した親戚や友人の家に滞在する。あるいは、看護師資格を持つ娘に別れを告げる高齢の叔母や母の姿もある。

当局の統計によると、一〇年前の二・五%に比べ、現在EUの人口の約四%に相当する労働年齢にあたる約二〇〇〇万人（二〇〜六四歳）が他の加盟国で暮らしをしている。共産主義後の加盟国の中で、いわゆるモバイル市民[2]が最も多いのはルーマニア（一九・七％）、次いでリトアニア、クロアチア、ラトビア、ブルガリア、ポーランド、スロヴァキア、ハンガリーとなっている。現役世代が移住する傾向がないEU加盟国は、ドイツ（一・〇％）、ブレグジット前のイギリス（一・一％）、スウェーデンとフランス（ともに一・三％）である。

EU加盟国間の貧しい国から豊かな国への移住は、送り出す国だけでなく、受け入れる国にとっても問題となり得る。イギリスではブレグジットの国民投票で「離脱」票が投じられた理由として、主権やアイデンティティの問題のほかに、東欧諸国からの移民が最重視されたのではないか。保守党と労働党の有権者にとって、移民や国民健康保険制度のあり方が最大の関心事であって、信じ難い話かもしれないが失業や貧困は優先順位が低かった。BBCの記者がイギリスがEUから離脱すべき理由を四〇歳前後の女性に尋ねたところ、移民の受け入れや国民健康保険であると躊躇なく答えている。この女性の意味する移民とは、他の加盟国からの移住者を指している。二〇一三〜一四年だけでも約五六万人が入国しているが、上位三位に入っているのはポーランド人だ。さらに、多くのイギリス人は移民労働者が国民健康保険制度を悪用し、納めている税金以上にサービスや給付金という形でお金を受け取っていると考えている。外国人労働者が必要であるという事実や、彼らが国から受け取る金額は納税額より少ないとい

（2）EU域内を移動し、自国以外で働く人々を指す。出身国以外に住むEUモバイル市民の基本的な権利を保障する政策、最近では政治参加を促進させるプロフェクトも進んでいる。

うデータがあっても、思い込みというものは事実に基づいていないためほとんど意味をなさない。

この一五〇年間で、貧困、飢餓、戦争、民族浄化などにより東欧は移民の地となった。だが一九八九年に民主化が始まって三〇年が過ぎた今、なぜ再び移民を増やす結果となってしまったのか。EU加盟で東欧の市民が西側に出て働く権利を与えられるや否や、多くの人が移住してしまった。どの国でも同じ状況というわけではないが、抱える問題は似ている。汚職、失業、低賃金、それから公共の利益のためは動かない、利権にまみれた政治家への不信などはどの国にも存在するし、こうした問題がどれだけ社会に浸透しているかの差でしかない。移行期の困難さは人々の予想を超えたものであり、成功とは言えなかった。これまで移行に応分の年月を要したが、民主化初期に生まれた世代の多くが国を離れている。共産主義時代に生まれた親とは違い、彼らはノスタルジーを持たない。親世代といえば、現在の経済状況の中で雇用不安に直面すると、旧体制下で安定した暮らしを送っていた記憶を呼び起こしてロマンチックに語り出すような人々だ（政治体制については同じことは言えないが）。子ども世代の主張は経済一般の問題だけでなく、心理的な要素も含まれている。自国に希望を見出せず、諦め、鬱屈し、無気力感が若者の間で支配的である。今、彼らが国外に拠点を移すのを妨げるものは何もない。

クロアチア大統領のコリンダ・グラバル＝キタロヴィッチは、膨大な数のクロアチア人が国外に流出している件について意見を問われた際、「移住は好ましくありません」と答えた。即座にキタロヴィッチは移動の自由を制限しようとする独裁者という烙印を押された。人口四〇〇万人弱の小国が、活力ある若者を何十万人も失うのは民族主義者にとって悪夢でしかない。

しかし、以前は農民や非熟練・低技能労働者が出て行ったのに対し、現在では移住者の約三分の一にも及ぶ高等教育や大学教育を受けた人々が流出している。正確には、EUのモバイル市民の三二・四%が大学卒業資格を持っている。ITスペシャリスト、エンジニア、看護師、検査技師、化学系の専攻者、コンピュータ技術者、機械工、数学者、物理学者など、若いプロフェッショナルが流出するのも経験したことのない事態だ。自然科学の学位を取得していれば就職に有利になる。もちろん非熟練労働者も流出している。とはいえ、東欧では初めて頭脳流出という現象が起きているのである。

つい先日歯科クリニックに予約の電話をしたところ、秘書から担当歯科医はもうそこでは働いていないと告げられた。スイスへ渡ってしまったらしい。彼はクロアチアで最大の私立クリニックに勤務していたし、歯科医や看護師は高給だと言われていたので少し驚いた。だが私の担当医は若く博士号をもつスペシャリストで、数カ国語を話し結婚もしていない。給料の問題だけで辞める気になったとは思えず、自身の専門家としてのステータスを向上させるためにクリニックを辞めたのだと想像する。彼のようなケースには、生物医学研究の第一人者であるイゴール・ルダン博士[3]の事例が参考になりそうだ。博士号を取得し、公衆衛生学を専門としていたルダンは、二つ目の博士号を取得するためにスコットランドへ渡った。一六年後エジンバラ

(3) Igor Rudan 一九七一年、ザグレブに生まれる。ザグレブ大学医学部卒業。人類学と疫学の修士号、公共衛生学と遺伝疫学の博士号を持つ。WHO、ユニセフ、世界銀行などのコンサルタントを務めクロアチアやイギリスに学会や研究施設を創設するなど幅広く活動している。

大学で国際保健学と分子医学の教授に就任し、王立学会の特別研究員となる。これは一八世紀の著明な物理学者、天文学者で数学者でもあるルジェル・ボシュコヴィッチ以来のクロアチア人の快挙である。ルダンは国外での成功についてインタビューに応じ、「何のコネもなく」達成したと強調している。クロアチアをはじめ東欧諸国では縁故主義のネットワークがなければほとんど何もできず、実力はほとんど意味がない。さらにクロアチアに帰国する気はあるかと問われると、「まったくありません！　プロフェッショナルとして成長する可能性はゼロだからです」と率直に答えている。

しかし、すべての高学歴の人々が外国へ出て自分の選んだ職業で働くチャンスがあるわけではない。国に残った者は大別して二つのカテゴリーに分けられる。境遇に恵まれていてもそうでなくても、残るしかない人たちである。とは言え、機会さえあれば国民全員が移住してしまうというわけではなく、若手や中堅の専門家の中には国を離れたいと思っても残らざるを得ない人もいる。人文社会科学を専攻し、言語と直接関係のある仕事をしている人々もそうだ。例えば、ジャーナリスト、教師、作家、弁護士、俳優。彼らには西欧ではキャリアを争うチャンスはほとんどない。ウェイターや宅配業者、清掃員などとして働かない限り、一般的には必要とされないのだ。しかしながら国内でも彼らの状況は不安定で、低賃金の臨時雇用が当たり前となっていることが多い。

高学歴失業者が存在することは知られている。ＥＵの助成金の広告を熱心に見ては様々な活動の申請書に記入し、自分たちの置かれた状況を改善しようと希望の光を必死で求めて疲れ果てている人々。これらも東欧ではどこでも同じである。

ヤナはスロヴァキア出身の社会学者で、フェミニスト史の博士号を持つ。昨年、アムステルダム大学での三年間の助成金による研究期間が終了した。その期間イギリスで本を出版し、国際的にも認められるようになった。三九歳のヤナは、助成金から助成金へ、短期のプロジェクトから次のプロジェクトへと常に安定した仕事を得るためにEU内を転々とし続けている。アムステルダムの後はウィーンに六ヶ月滞在し、さらに短期間の助成金を受けてブダペストに移った。家庭を持っていなかったので、移動しながらの生活も可能であった。だが子どもを産むなら定住しなければならない。最後に会ったとき、ヤナはもう以前のようにはいかない、新しい本の執筆も、社会学でのキャリアもあきらめると言っていた。現在、生計を立てられるように別途取得していた学位を生かし、ＩＴ関連の仕事を探している。

一方、ザグレブに住む三六歳の女性カタリーナは、家庭を持ち子どももいて、多くの低賃金の仕事を渡り歩くだけで定職には就いていない。国を離れようとは考えておらず、家庭の事情ではなく職業的にも正社員になるのが難しい。世界文学の学位を持ち三冊の本を出版している。だがカタリーナは、これまで病気休暇や産休に入った人の代わりに数ヶ月間講師や教師として臨時の仕事をしただけなのだ。

「どの求人広告を見ても最低一年の職歴が求められているのに、どうやってまともな仕事に就けるのでしょうか。数ヶ月の職場経験しかないのに、その経験すら積めません」と彼女は言う。

カタリーナが適任だと思われるポストが空いたときには、採用者があらかじめ決まっている場合が多い。往々にしていとこや娘、特別な知り合い向けにあつらえた求人広告なのだ。クロアチア語で「ウフリェブ」という汚職と失業を組み合わせた造語が誕生した。直訳はできないが、無資格、無能の人物のためにあつらえた仕事に縁故で採用されるといった意味である。大抵は何もせずに座っていて毎月の給料を得るような、地方の取るに足らない事務だが、政府機関や公共テレビなどの重要な仕事の場合もある。クロアチアでは行政の仕事はすべてこの造語による蔑称で呼ばれており、職員本人が有能かどうかは関係がない。共産主義時代のように誰もが雇用されなければならず、皆を雇うために多くの無駄な仕事が生み出されるのだ。新旧の雇用システムのせいでこの国では地方行政や国家行政の悪質な肥大化が進行している。しかし質の低い学校や病院から、お粗末なメディア、非効率的な法制度まで、雇用市場における汚職の影響は目に見えている。政治の世界においても三流官僚がやっとの思いで権力を握り、無能ぶりを発揮している始末だ。

今日あらゆる職業が不安定であるが、語学力が必須の仕事は最も安定していないと言えよう。東欧に限った話ではない。ミラノに住むイタリアの友人の三〇歳になる息子には就職経験がない。ジャーナリストといっても、依頼された仕事があるだけで報酬も低い。彼は無料で執筆し、オンラインで出版していたが、ついに他の方法でお金を稼ごうと決めたのだった。高学歴でありながら貧困にあえぎ、将来が予測できない不安定な若者たちは、言ってみれば知的プロレタリアートである「プレカリアート」[4]に属している。その多くが人生設計を立てられず、親と同居し、経済的にも頼り、結婚もせず子どももいない。

ルーマニアやブルガリアでは、二〇〇七年にEUに加盟すると同時に高学歴の若い専門家が移住を開始した。まず博士課程の学生が助成金を得て出ていき、次いで医師をはじめとする各種の専門家の番となった。ブカレストの旧友アンドレイは心臓病を患い、八年ほど前にアメリカで手術を受けていた。アメリカでの治療を選択し費用を自己負担したのである。建前の上ではルーマニアの医療制度を利用して同じ治療を受けられるはずだった。だがその分野の専門家がいなかったため考え直したそうだ。EU加盟によって多くのことが変化し、改善されたのは間違いないが、友人は今でも自国で専門医を見つけられないでいる。多くの医師がEU諸国に流出し、単純に医師不足なのだ。それも過去一〇年間でおよそ一万四〇〇〇人、つまりルーマニアの医師数の約半分にもなる。残った医師のうち五人に四人が移住を考えている。医師はドイツ、フランス、イタリア、イギリスなどで、ルーマニアの月給の少なくとも三倍の収入を得られるのだから、憂慮すべき事態ながらも理解はできる。一方、同時期に二万八〇〇〇人の看護師がルーマニアを離れ外国で働いており、同国の患者が近い将来看護師がいなくなってしまうのではないかと心配するのは当然である。元保健大臣は、ルーマニアの医療制度は汚職よりも財政不足に苦しんでいると述べている。結局のところ、医療従事者の出世にも政治が関与しているのだ。以前と同様、正しい政党に所属しているかどうかですべてが変わる。二〇一八年一一月、ルーマニアの財務大臣が国民に他のEU諸国での労働許可を最大で五年に限定するという「解決策」を提案したと報じられた。その後発言を修正したものの多大な反響を招いた。

（4）雇用の保証がない状態に苦しむ人々によって形成される社会階級を指す新造語。ヨーロッパにおいても若いプレカリアートが増えており問題化している。EU域内で職を求めて移動するモバイル市民も、正規雇用とは格差がある雇用形態であるケースも多い。

商業紙『ジアルール・フィナンチアール』は、「共産主義への原点回帰を提案する大臣が現れたことは、ルーマニアにとって良い兆候ではない。要するに、同志諸君、とうもろこしとジャガイモの収穫に戻りなさい。土地は君達を必要としている！と同じ意味なのだ」とコメントしている。また、ニュースサイトG4メディアも、機会均等の欠如、教育や医療への不十分なアクセス、蔓延した汚職の水準を考えてみても権力者が免責されていることについて批判的な立場をとっている。一方で、モバイル市民を多く抱えるすべての国の政治家がルーマニアのような「解決策」を提示する傾向にある。

欧州委員会の統計機関ユーロスタットによれば、ルーマニアとクロアチアの他にブルガリアもEUの労働力輸出国の上位に入っている。二〇一九年の一年間で、約五五万人のブルガリア人が母国以外で働いており、うち三〇%が大学卒業者である。ブルガリアの人口は七〇〇万人だ。ラトビアでは労働力不足と教育を受けた若者の移住の両面から、ブルガリアやクロアチアよりも状況は良くない。どの国でも人々はこうした環境下に置かれると同じような反応をする。仕事が欲しい、まともな給料を手にしたい、就職するチャンスを、住宅ローンやアパート、子どもを持つ機会を与えてほしい……。私たちは、政治が自分たちの生活のあらゆる側面に浸透しプライバシーを侵害することにも嫌気がさしているし、汚職や嘘、無能によって未来が奪われることにもうんざりしていると言わんばかりだ。

EU内での流動性、つまり自分にとって最適な場所に住み働く機会は、EUの大きな功績の一つである。しかし、ラトビア、クロアチア、リトアニアなどの小国では深刻な過疎化に直面している。ある日最後の一人が自身の背後の電気を消し、村が空っぽになるかもしれない。イタリア人、スペイン人、ポルトガル人などの若い世代さえも、職を求めて大量に自国を離れている。若者の減少は人口の高齢化と少子化も意味している。クロアチアでは二〇一九年に出生者数よりも死亡者数が一万五〇〇〇人も上回ったのであるが、要するに言語や文化がゆっくりと死につつあることを意味する。若者が国を離れるとき、自分の未来だけでなく国の未来も一緒に持ち去る。それなのに人口四〇〇万人のうち一〇〇万人がすでに退職している小国から、ほとんどが若者からなる二五万人が出て行ってしまうのだ。ルーマニアのような人口二〇〇〇万人の国から四〇〇万人が離れるのとでは、たとえ移民に占める若者の割合が同じであっても損失は同じではない。どちらの場合でも劇的な結果を迎えてしまい、憂慮すべき事態である。しかし移住は特段新しい現象ではないため、何をしなければならないかは解き難き謎ではない。答えは普遍的なものである。人々が去る必要のないようにまともな生活を営むための条件を整え、移住の必要性をなくすのだ。クロアチアが取った行動は、チェコのコメディの脚本に似ている。人口統計省を設立したのである！　このような省が、悲観的な統計の代わりに雇用や銀行融資、アパートを提供できるといわんばかりだ。同省は一連の提案を行いはしたものの、例えば産休の延長や完全有給育児休暇には莫大な資金が必要であるため、措置が机上の空論となるのは間違い無いだろう。この「解決策」の不毛さは、ルーマニアが国外での労働を五年に限定した手段を彷彿とさせる。

民族主義的なポピュリスト政権の持つ哀れなパラドックスは、移民に悩まされている政治家たちが、人々が国を出ていってしまう状況を作り出している立場にあることだ。政治家たちは自国民が生きていけないような約束しかしていない。

ＥＵ内での移動が自国の若者の流出という問題を引き起こすのであれば、難民の流入については どうだろうか。難民が解決の糸口となるのではなかろうか。二〇一五年から二〇一六年にかけて、合計で約二〇〇万人がヨーロッパ外からＥＵに入国した。そのほとんどがイスラム圏の国々からで、中東の戦争による難民や亡命希望者であった。

難民を加盟国間で比例分配（クオータ制）するべきであるという考えに、ＥＵ加盟国内で最も声高に反対したのはハンガリーのオルバーン・ヴィクトル首相を筆頭とする東欧の政治家である。次いでヴィシェグラード・グループ（ハンガリーのほか、ポーランド、チェコ、スロヴァキア）などからも声が上がった。オルバーンは自国の伝統的なキリスト教の価値観と文化への危惧を主張して自身の判断を正当化し、クオータ制を拒否した最初の人物であった。また、難民がハンガリーに入るのを防ぐために、セルビア、クロアチア、ハンガリーの国境に鉄条網を設置した。当初は東西ヨーロッパの分裂のように見えた。というのも西側の加盟国のほとんどが、国境閉鎖のような過激な措置に対し道徳的に反対していたからである。しかしすぐに加盟国自身が何らかの形で国境を強化し始めた。パスポートチェックが再び導入され移動の自由が損なわれるようになった。

東欧の人々にとって、難民問題が労働力不足や過疎化の解決策になるかもしれないという考えは、外国人排斥だけでなく人種差別的なまでに嫌悪感を抱かせるものであった。ユーゴスラヴィアが民族国家を求めた紛争で崩壊したのは、それほど昔のことではない。チェコスロヴァキアはチェコとスロヴァキアに分裂したし、ルーマニアは相当数のハンガリー人とロマの少数民族問題を抱え、ブルガリアでは一九八九年以前からトルコ人をブルガリア人に変えようとする行政措置があり、ハンガリーは自国の少数民族であるロマに対する暴力を長年にわたりEUから処罰されないでいる。こうした行動の背景には少数民族をできるだけ排除し、民族的に均質な独立国家を構築したいという願望がある。

東欧の人々は見知らぬ他人を受け入れるためにソ連圏からの独立を勝ち取ったわけでも、別々の道を歩んだわけでも隣国と戦争をしたわけでもない。しかしようやく自分たちの国家を持った今、ＥＵへの連帯を示すために被害者意識と民族的同質性を放棄するよう求められているのである。果たして共産主義の全体主義体制の下で過ごした数十年間は何だったたったのであろうか。東欧の人々は被害者として、その苦しみに対する補償（西側からの経済援助など）を受ける権利を持つ資格は十分にあったはずだ。ところが東欧の人々は、被害者としての地位をヨーロッパ以外の国から来た難民やイスラム教徒と取り合う準備ができていなかった。イスラム難民の流入に抵抗する旧共産主義国の中には、トルコ人、つまりイスラム教徒の支配下で数世紀を過ごした国もある。そうした国々は、トルコからキリスト教ヨーロッパを守るためにしばしば戦ってきたのだと考えるきらいがある。旧ユーゴスラヴィアで勃発した戦争（一九九一～一九九五年）もそうした戦いの新版であり、民族浄化と最低でも一〇〇万人の戦争難民と避難民こそ戦争の本質なのであった。

そう、つまり東欧に難民を移住させるのは、自国民の移住問題や少子化の解決策とはみなされていないということだ。オルバーン・ヴィクトルは二〇一九年の一般教書演説で、「我々はヨーロッパ全土で起きている少子化の時代を生きている。西欧では不足分を移民で補えばいい、そうすれば数が整うとして少子化に対応している。ハンガリー人は別の角度から少子化問題を見ている。必要なのは数ではなくハンガリー人の子どもたちなのだ。我々の考えでは、移民受け入れは降伏を意味する。自分たちの種を存続させることができないという事実に甘んじてしまうならば、その行為によって自分自身で自らの価値を否定してしまうだろう。無価値となった我々は世界にとって重要ではない。そのような民族の運命はゆっくりと、しかし確実に消滅していくものであり、国家間の高速道路の上の砂埃と化すまでだ」と述べている。

オルバーンのような民族主義的で過激な言葉は、人々が国を出ていくのを阻止するのに十分なのだろうか。東から西への新たな移民、頭脳流出、過疎化の広がりに直面している東欧の指導者たちは、自国の運命を嘆き、移民への恐怖を広め、実現不可能な規制や利益を提案する以上のやり方を知らない。かくして政治家は急な変革と発展を自ら否定しているのだ。東欧の多くの高学歴の若者にとって、移動の自由は不確実性から逃れるための自由でしかない。そしてこうした状況が続く限り、どんなに愛国的な言論であっても若い世代を止められはしない。ナショナリズムに取り憑かれた政府が、自ら表明した国益に反して動いているのはもう一つのパラドックスと言えよう。なぜならヨーロッパ合州国の創設には、ゆっくりだが確実に貢献する合州国民の存在が不可欠からである。

# 未来の音楽

## 二〇一一年イタリア：古きヨーロッパ、新たなヨーロッパ、変わりゆくヨーロッパ

一八世紀に描かれたカナレットの「ヴェドゥータ」のように、遠くから眺めるヴェネツィアは住民にとって最も美しい風景だろう。ある秋の午後、水面に映る壮麗な宮殿の姿は非現実的な美しさをたたえ、まるで映画のセットのよう。

いかにも現在のヴェネツィアは、舞台装置の域を出ない。

部屋を借りていたパラッツォの一階に住む隣人が最後に階段を降りてきて、私は重厚な門を閉める。八〇代後半の恋する淑女（シニョーラ・インマコラータ）は杖をついて歩いていた[1]。最寄りのスーパーマーケットを教えてもらいながら、共にディ・ファッブリ小道を目指す。シニョーラだけのせいではなく、リアルト橋からサン・マルコ広場へと続く通りは朝の九時にはすでに観光客で賑わっていたため私たちの歩みは遅かった。小柄で猫背、黒い服を着たシニョーラ・インマコラータはショッ

---

（1）ジャン・パオロ・ロスミーノ監督のイタリア映画『恋する乙女』（原題：La signora innamorata　一九二〇年）になぞらえた呼び名だと推測される。アパートに住んでいる貴婦人を「恋する乙女」と洒落ている。

ピングカートを引きずりながら人混みの中をやっとの思いで進んでいく。最初の小さな橋に差し掛かかると老婦人は立ち止まる。それから手すりをつかんで引っ張り、よいしょと橋にのぼった。

スーパーマーケットに向かう途中の、運河に架かる二つの橋には段差がある。サンタ・マリア・フォルモーザ広場の近くにある生協のスーパーマーケットは、アパートからゆっくり歩いて五、六分の場所にあるにもかかわらず、シニョーラの足ではたどり着くのに少なくとも二〇分はかかる。到着してみればレジには長蛇の列ができていて、どうやら節約志向の観光客は皆このスーパーに来ているようだ。シニョーラが買い物をするにはなんだかんだで一時間はかかるだろう。「毎日こんな調子なのよ」とシニョーラはため息をつく。足はまだ動きはするものの、階段で物を運ぶのは到底無理な話だ。幸いなことに世話をする「バダンテ」［ケアラー］のクロアチア人女性がすぐに戻ってくる予定だそうだ。

かつてシニョーラが住んでいたコルテ・グラゴリーナのアパートの近くには、パン屋も小さな雑貨屋も、肉屋、八百屋、新聞屋、靴屋などがあり生活必需品はすべて身近に存在していた。それが今では土産屋に姿を変えてしまっている。彼女が住む通りには偽ムラーノ・ガラスを売る小さな店や、一切れがやたら高いピザ屋、観光客向けのレストラン、バー、菓子店などが立ち並んでいる。サン・マルコ広場の周辺には小さなスーパーマーケットが二軒と、郵便局がたったの一軒しかなく見つけるのに苦労した。

「ヴェネツィアはもう普通に暮らせる街ではありませんよ」と言うのは、向かいの建物に住む銀行員だ。「朝の出勤や約束の時間に間に合いません。あまりに混雑していて、私ぐらいの年齢の人間が小舟のヴァポレットに乗り込む余地なんてないからです。お店やレストランの価格帯、英語による演劇の上演、バロック様式の衣装を身にまとった教会でのクラシック音楽のコンサートなど、すべてのインフラが観光客向けになっているのです。不動産も非常に高額で、スーパーマーケットや学校、幼稚園、クリニック、病院もどんどん減っています」とぼやく。

隣人の発言は至ってまともだ。ヴェネツィアでは過去五〇年の間に人口の六五％を失い、街の歴史地区に住んでいるのは高齢者を中心とした二三％に過ぎない。ほんの数十年前までは一五万人が旧市街に住んでいたが、今では四万人に満たない程で、その数は着実に減っている。ヴェネツィアは物価が高過ぎてメストレなどの郊外へ移り住む人が多いのと、若くて高学歴の若者に仕事がないためである。ヴェネツィアには優秀な大学があり、多くの若者が勉強にやってくるものの定着には程遠い。

「ウェイターやメイド、介護などの仕事が嫌なら他に選択肢はないでしょう。その仕事でさえ外国人や移民に奪われてしまっているのです」と、隣人は諦めたように言う。

それでもヴェネツィアの人々のために涙を流す必要はない。アパートを貸してかなりの収入を得ている人もいれば、不動産売却による蓄えを切り崩して生活している人もいる。しかし高齢化社会を迎えたこの地に住む人にとっては、ますます生活が苦しくなっているのも事実だ。運河と幅三、四メートルほどの路地が入り組む壮麗な都市に、毎年何百万人もの観光客が押し寄せており、現地の人はその猛攻撃に耐えなくてはならないのである。だがヴェネツィアの人々は、自分たちが住んでいる場所が都市ではなく博物館であるのをよくわかっている。ヴェネツィアは生きた都市ではなく、ヨーロッパの過ぎ去りし時代の栄光、富、権力、美、芸術を体現する博物館になりつつあるのだ。何百万人もの観光客が訪れる理由はここにある。ヴェネツィアの素晴らしさだけではなく、野外博物館としての重要性にいち早く気づいたマス・ツーリズム業界は、金儲けができると気づいたわけだ。

しかし同時に今日のヴェネツィアは、かつてヨーロッパ人が誓い、誇りに思い、守りたいと願う文化や価値観を持つヨーロッパの完璧なメタファーでもある。

イタリアの最南端に位置するバーリは、ヴェネツィアとはまったく違った表情を見せてくれる。まだ暑い。九月末だと言うのに行楽客はもういない。たまたま訪れた観光客は、日曜日の夕方旧市街にあるデラ・フェッラレッセ広場で地元の人たちが低い塀に腰を下ろし、小さなカフェでビールを飲み、遊歩道「コルソ」のような広場を散歩している姿を見かけるであろう。広場に集まった多くの人々はまるで皆が知り合いであるかのよう。夜の九時に鬼ごっこをする子どもたち、アイスクリームを食べて涼んでいる一〇代の少年少女、そして美しく着飾った彼らの両親や祖父母が、ヴィットーリオ・デ・シーカ監督の一九六〇年代のモノクロ映画のように大声で身振り手振りを交えて話している。活気のある町。ヴェネツィアが古いヨーロッパの死に場所だとしたら、バーリは新しいヨーロッパが生まれる場所だ。そして移民のヨーロッパへの玄関口の一つである。

一九九一年の夏、アルバニアの貨物船ヴロラ号が二万人以上の難民を乗せてバーリ港に入港した。年配の読者ならアルバニア人が「ビロード革命」を起こす前にアドリア海を渡ったときのことを覚えているかもしれない。当時人間が詰め込まれた巨大な貨物船の写真が世界中を駆け巡った。ときとして一枚の写真が特定の時代や歴史的な出来事を象徴する。天安門広場で列をなす戦車と対峙する一人の男を撮影したジェフ・ワイドナーの写真もしかり。ニック・ウットによるナパーム弾で火傷をしたベトナムの裸の少女と兄弟の写真、エディ・アダムスによるサイゴンの警察総監がピストルでベトコンを射殺する写真、そして最近のアブグレイブで拷問を受けている囚人の写真などもそうだ。そしてルカ・トゥーリの撮った有名なヴロラの写真も加わる。同年九月にバーリのペトゥルッツェッリ劇場のホワイエで、トゥーリの作品展「鷹の飛行」が始まったばかりであった。

展示の一部として公開された代表的な写真には、入港しているヴロラ号のデッキや手すりに殺到し、煙突やロープ、マストにぶら下がっている群衆が写っている。次の写真では人々がもう岸に手が届きそうなところにいて、陸が逃れてしまうのを恐れるかのように飛び込み泳いでいる。それから上空から撮影された、下船した群衆が海岸で灼熱の太陽の下で立っているという、秀逸だが恐ろしい写真も並んでいる。二万人が乾いた土地にたどり着いたとたん身動きが取れなくなるという光景は、ドラマチックで聖書を彷彿とさせる。[2]

その頃、何十万人というアルバニア人の波がイタリアに流れ込んだ。現在では約五〇万人に達している。ルーマニアがEUに加盟してからも、一〇〇万人近いルーマニア人の波がEUに押し寄せている。そのルーマニア人のおよそ一〇%がロマと言われ、ヨーロッパの反移民政策のスケープゴートとなっている。ロマは西欧では強制送還や、滞在許可証の取り消しなどを

(2)『出エジプト記』一四章。葦の海の奇跡のことであろう。

受け（イタリアやフランスで）、スロヴァキア、チェコ、ハンガリーでは特定の居住区に囲い込まれ、ときに暴行を受け殺害されたりもする。

ところが一〇年ほど前までは、イタリアで、いやヨーロッパでも外国人が現在のような問題を起こすことはなかった。二〇〇五年に出版された預言者ムハンマドの風刺画が物議を醸してからというもの、移民排斥やとりわけ反イスラムの感情は激化していき、二〇〇八年の不況の到来に伴って深刻な事態を迎えた。バーリの人々は協力的で親切だった。一九世紀の終わりにバーリやプーリア地方から何百万人ものイタリアの貧民層が、約束の地であるアメリカへ移住し、二、三世代で完全に同化してしまったからである。その一〇〇年後、イタリアが他の移民にとって約束の地となったのだ。

バーリは近年、経済移民というよりも難民の中継地としての役割を担っている。移民はチュニジアやリビアの政変を受けてランペドゥーザ島に流れ着いた新たな約四万人の難民の一部で、バーリ空港付近に収容されている。当局が新たな移民を亡命希望者のための受付センター（イタリア語の頭文字をとってＣＡＲＡと呼ばれている）[3]のいずれかに収容し、後に委員会が移民の運命を決定する。イタリアにはこうしたＣＡＲＡセンターが八ヶ所、身元確認・国外追放センター（ＣＩＥ）[4]が一三ヶ所、早期支援・収容センター（ＣＰＳＡ）[5]が七ヶ所あり、移民の運命を決めるのはわずか数人の委員会だけだ。実は二〇一五年から一六年の難民危機のずっと前から、バーリは難民で、もっと正確に言えばＣＩＥからの亡命希望者のために世間から注目を集めていた。八月の初めには難民数百人が郊外の町で街頭に出たり、列車を止めたりして警察と衝突している。八〇人以上が負傷し、二九人が逮捕される結果となった。

私は新しくできた知人にバーリで起きた事件について尋ねてみた。毎日ランチタイムになるとロッシ通りとヴィットーリオ・エマヌエーレ通りの角にあるバー、イル・ボルゲーゼに皆で集まる。移民に法律相談を行っている団体ジラッフェの弁護士ダリオ・ベルッチオとマリア・ピア・ヴィジランテ、地元紙『コリエーレ・デル・メッゾジョルノ』の編集者マッダレーナ・トゥランティ、ソーシャルワーカーのシルヴァーナ・セリーニ、現地の移民相談所のエルミニア・リッツィなどである。「これは非常に難しい問題なのです」と人権活動家で、弁護士もジャーナリストも立ち入り禁止のCIEにアクセスできる数少ない人物の一人であるダリオは言う。リビアから移民が来る場合、ガーナやナイジェリア、マリ、ブルキナ・ファソなどのアフリカ諸国出身で、リビアで何年も働き住んでいた人々が少ないながら含まれています。法律上、彼らのような人たちはリビア人のような戦争難民の資格は与えられず、リビアでの生活や労働の期間に関係なく出身国に応じた扱いを受けるのです。つまり人道的な理由で一時的に滞在許可を得るチャンスはありません。こうした事例は解決に非常に時間がかかるだけでなく、その間当局は彼らを犯罪者と同じように扱っています。外部との接触を断たれた生活環境は刑務所よりも劣悪なのです、とダリオは言う。移民たちは街頭で、自分たちの置かれている状況に目を向けさせようとしたのである。

(3) Centro di Accoglienza per Richiedenti Asilo 身元確認後、亡命の申請手続きを開始する施設。
(4) Centri di identificazione ed espulsione 国外追放の可能性のある移民を身元調査する、あるいは追放が保留されている人々を抑留する一時滞在センター。
(5) Centri di primo soccorso e accoglienza 到着した移民に必要な医療支援等を行う施設。

ランペドゥーザ島の難民には子どもも多い。シルヴァーナは同伴者のいない未成年者、つまり親のいない子どもの難民を担当している。一〇代の頃にアフガニスタンからやって来た戦争難民の二人の兄弟の話をしてくれた。文盲だった兄弟が学校を卒業し今では働いています、とシルヴァーナは誇らしげに言う。それから週刊誌『レスプレッソ』の最新号を取り出して見せてくれた。ファブリツィオ・ガッティによる「子どもたちの監獄」と題するレポートが掲載されている。ランペドゥーザ島のCPSAキャンプで大人と一緒に暮らすおよそ二二五人の子どもと青年に関する記事だ。彼らのなかには親の暴力的な死を目の当たりにしただけでなく、何日も飢えや渇きに耐えたというトラウマを抱えた子どもたちがいるのにもかかわらず、最低限のケアも受けられず劣悪な環境で暮らしているというのだ。二〇一一年の三月から八月末までの六ヶ月間で七〇七人の子どもたちが島に上陸したが、なかには幼児や乳児もいればランペドゥーザ島で生まれた子どももいる。子どもたちの状況は悪化の一途であるうえ、先も見えない。

サン・サビーノ教会（パーネ・エ・ポマドーロの市営ビーチに隣接）の神父ドン・アンジェロは、難民が助けを必要としているときに真っ先に尋ねるべき人物だと言われている。ドン・アンジェロが神学校を卒業したばかりの頃、アルバニア人の上陸が始まった。海岸やスタジアムで一万人の難民が収容されるのを目撃している。当局は、ドン・トニーノ（高名な平和主義者で司教のアントニオ・ベッロ）による介入を受けはじめて難民を解放した。ドン・アンジェロはボスニアやコソボでの紛争においても人道的な任務に携わっている。

この赤髪で人懐こい笑みをたたえる長身の男性は、「制度化された人種差別」や、リビア人やチュニジア人と比べて肌の色でも徹底的に差別されていると感じているバーリの暴徒たち(6)の不満の原因を語ってくれた。難民は自分たちが受ける法的手続きの期間や審査の結果がわからないというあり得ない状態で暮らしている、というダリオの評価をドン・アンジェロは支持し、「難民の怒りは伝染し、他のセンターにも広がっていくでしょう。もはやパンの耳をありがたく受け取り、黙って待っているような状況ではなくなったのです。彼らは答えを求めているのです」と言う。現にバーリ以前にも当局の対応に憤慨した移民たちが、北イタリアのミネオとクロトーネで抗議活動を行っている。

「これは絶望の話であって、外部から仕組まれた反乱ではないのです。難民の怒りに当局が気づかないなんて信じられません」とドン・アンジェロは言う。

難民と当局の間に広がる溝は問題の一面に過ぎないが、地元住民と難民の間にも大きな隔りが生じている。シチリア島よりもチュニジアに近く、人口が五〇〇〇人余りのランペドゥーザ島の住民は、当初は溺れる人々を海から引き上げ何百人もの命を救い、難民の生存を支援していた。だが二〇一〇年、四万人を下らない難民が島に入ってくるようになると事態は悪化した。およそ一〇〇〇人の難民が収容されていた（最初に設立されたこの難民センターの収容人数をはるかに超える）CPSAに難民が火を放つと、今度は地元の人々が反旗を翻したのである。

地元住人は当局に事態への対処を急ぐように望んだが、警察との衝突で二〇人ほどが負傷した。

事実、政府は本土への移送や強制送還の公約を守るのが遅すぎた。そのため暴動が起きた。

（6）バーリの難民にはガーナなどからやってきたブラック・アフリンカンが含まれる。

後、市長が今後難民は一人たりとも島に入れないと宣言するに至った。その結果、孤立し放置されたランペドゥーザ島は、言ってみれば犠牲者となり、当局の策略の人質となったのである。だが数ヶ月のうちに地元住人が連帯から嫌悪へと変わってしまうのには、何か大きな問題があったはずだ。溺れている何百人もの難民に真っ先に手を差し伸べ、いち早く救助したランペドゥーザ島の人々が、今度は石を投げつけ「海に投げ返せ。あいつらは皆犯罪者だ！」と叫んだのである。

すでに困難な状況にあるこの小さな島の自治体が、国の援助なくして重荷を背負えないのは明らかだった。

二〇一一年のヴェネツィア映画祭で特別賞を受賞したエマヌエーレ・クリアレーゼ監督の『海と大陸』［原題：Terraferma　乾いた大地の意］は、名もなき小島に到着した難民の一団が、人道原則と法律との間で衝突する様子を描いた作品である。私はこの映画をプレミア上映の翌日にバーリで観た。夕方の上映では観客はわずか一〇人だった。映画を観るには早すぎたのか、はたまた暑すぎたのか。あるいは、テーマがテーマだけに観客が少なかったのかもしれない。

映画の舞台となった島には漁師が住む。しかし漁業だけでは暮らせないため夏場は観光業で生計を立てている。北アフリカからの最初の難民が漁師たちの住む島に流されたことで、彼らの生活は複雑に込み入っていく。家族関係は蝕まれ、道徳的なジレンマに苛まれる。難民はこの小さな観光地の「最悪な宣伝」であるだけでなく、地元の人々にとって不慣れで理解しがたい問題をもたらしたのだ。ある漁師は「海から人を救い出す行為を国が禁止しているのかい？私たちはもうずっと逆のことをしてきたし、これがその結果だとしたら、私たちのやり方は脱法だと言うのかね」と言っている。

映画館を出たところで、年配の紳士がふと「美しく、とても人間味のある映画ですね」、と感想を洩らした。

同年のヴェネツィア映画祭では、アンドレア・セグレ監督の『ある海辺の詩人 小さなヴェニスで』〔原題：Io sono Li 私はそこにいるの意〕、フランチェスコ・パティエルノ監督の『別世界からの民族たち』〔原題：Cose Dell'Altro Mondo〕、イタリアの巨匠エルマンノ・オルミ監督の『楽園からの旅人』〔原題：Il villaggio di cartone 段ボール村の意〕など、難民をテーマとした映画が数本上映された。また、移民や難民の問題についても著名なコメンテーターのみならず社会学者や政治学者、ガブリエーレ・デル・グランデやルカ・ラステッロのような作家が多く筆を執っている。ただし、イタリアにとどまったり執筆している難民もいる。ボスニア出身のエルヴィラ・ムイチッチや、両親がソマリア出身のイジャーバ・シェーゴのような作家たちだ。イタリアでは難民や移民に対する社会的、特に芸術に対する意識は政府の政策よりも格段に高いようだ。

イタリアでは、今でも多くの人々が二〇世紀初頭に国中を襲った国民の大流出のことを覚えている。イタリア人は純粋な冒険心で自分の国や文化、言語を捨てる人はほとんどいないと知っている。皆必要に迫られて移住したのであり、通常は戦争や経済的な貧困から逃れるために、自らの命さえも危険に晒す覚悟で未知の世界へ移住してきたのである。今日の北アフリカからの移民とよく似ている。過去一五〇年間にイタリアから移住した人は一八〇〇万人で、ヨーロッパの中堅国の人口に相当する数だ。そのうち五〇〇万人以上がアメリカへ移住しており、アイルランドからアメリカへの移民の数をはるかに超えている。

ローマのイタリア移民博物館を訪れ、私は移民（および移住）を記録する行為が国の歴史や移住の根本的な理由を理解する上で重要であると実感した。ヴィットーリオ・エマヌエーレ二世記念碑の脇、アラコエリ広場の博物館入り口は目立たず、観光客の集団が大勢いるような場所ではない。いや、ここで見かけるのはほとんどがイタリア人で、皆ビデオアーカイブや図書室、擦り切れたスーツケースや黄ばんだ航路図、乗客リストや身分証明書、パスポート、故郷の色褪せた写真、遠く離れた新しい国や大陸に到着した時に新しく撮った写真などが展示されている部屋を見て回っている。訪れた人々は自分の祖先を偲んでいるのだろうし、名簿の中から自分の苗字を探しているのかもしれない。手紙、日記、スポーツクラブ、民族芸能のグループなどの資料は、わずか一四歳で南部を離れ、未知の世界へ向かって旅立った貧しい農民たちの絶望と希望の物語なのだ。今日難民が抱えている絶望と同じように。これはほんの数世代前の話である。親や親戚が桟橋に立ち、地平線上の点になるまで手を振ってくれていた、とカメラの前で旅立ちのドラマを語る人たちは今でも存在している。

私は館内を歩きながら、ベルリンのチェックポイント・チャーリー博物館を思い浮かべていた。一四〇キロメートルもの長い壁に囲まれた西ベルリンに逃れようとした、東ドイツの人々の試行錯誤を見学する場所だ。熱気球で飛ぶ、壁の下にトンネルを掘る、車のトランクに入って密航したり、バルト海峡を泳ぐなど、実に驚くべき試みもあった。

映画『海と大陸』の冒頭は、過密状態の古くみすぼらしい船が沈没し、手紙や写真、書類や歯ブラシなどが水面に浮ぶシーンで始まる。乗船者の持ち物はアイデンティティの象徴として集められ、北アフリカの難民のための博物館に展示されるべきではないだろうか。甲板で窒息死した人、生き延びるために飲尿した人、生きている人間を手すりから投げ落とした人たちの苦難の証言を集めるべきであろう。もちろん苦しみに特化した博物館となるのは間違いない。だが、難民がどの国から来るにせよ、展示されるだけの価値はある。

だからこそ私は、一週間も経たないうちにイタリアの新聞である小さな記事を見つけてうれしかった。「木片、家族写真、破れたコーラン、靴、食料箱、音楽カセット……。毎年地中海を渡ってくる何千人もの移民を乗せた船に残されたり、海から引き上げられた品々。遺留品はすべてアスカブーザ協会のボランティアがランペドゥーザに設立した移民博物館の中心部にある、一〇平方メートルの小さな部屋の中で見られるようになった」とある。これはジャコモ・スフェラッツォが、他の人々にも取り組みに参加してもらいたいと願って立ち上げた活動だ。

また、イタリア移民博物館では統計も展示されている。イタリアには三九〇万人の移民がおり、人口の六・五%を占めている。カリタス・ミグランテスは別の数字を示しており、およそ五〇〇万人、つまり人口の七%を移民が占めているという。私がこれまで出会った多くの人々によって裏付けられているのだが、興味深いことにイタリアではイスラム恐怖症が一般的ではなく、大陸北部のようにイスラム教徒への恐怖がプロパガンダの手段として使われることもない。しかしながらドン・アンジェロのような活動家や一部のジャーナリストは、法律もメディアも難民というだけで犯罪者扱いするというまた別の一般化が働いていると警告している。たとえ難民が何もしていなくても、概して当局は彼らを普通の犯罪者のように扱っている。こうした偏見が、難民が抗議している理由の一つなのだ。ヨーロッパが難民による抗議行動に慣れていないことも問題である。ヨーロッパの人々は難民からの感謝の気持ちだけを期待している。恐怖心を煽り、政策を生み出すために公共テレビは特に役立っている。イタリアの新聞『ラ・レプッブリカ』はデモス&ピ社が実施した調査を引用し、二〇一一年の前半四ヶ月で国内のTG1のニュース番組の一三・九%が移民に関するニュースが占めていたと書いている。比較のために言えば、フランス2では一・六%、ドイツのARDでは〇・六%である。だが注目すべきは、当時のイタリアがいわゆる移民の侵略を受けていた点である。それでもやはり報道が視聴者に決定的な影響を与えはしなかった。同じ情報源によると、イタリア人の六%が移民問題を主な関心事として挙げたのに対し、五五%が生活費を憂慮していたのだった。

「不安は政治やマスメディアによって作り上げられた『構築物』であり、『他者への恐怖』をもたらして人々を扇動し、経済的・(非)雇用上の理由から既に存在する不安感を増大させている」と、作家イルヴォ・ディアマンティは書いている。

フォートレス・ヨーロッパのような、移民の権利を擁護し具体的支援を行っている人道的な市民団体が数多く存在する。こうした団体は、規制が強化され、非道徳的ですらある法律、壁、その他の障害が待ち受けていようとも移民は次々にやってくるだろうと考えている。移民の出身地次第で事態はさらに悪化する。移民政策は合理的である必要があり、恐怖に基づいて行われるべきではない。後者で利益を得るのは、不可能を約束する政治家と政党だけだからだ。移民に対する恐れは、政治家が支持者を増やすための酵母菌なのである。

ローマでは、テルミニ駅の裏手にあるエスクイリーノと呼ばれる地区に難民が住んでいる。カルロ・アルベルト通りをヴィットーリオ・エマヌエーレ広場へ向かって歩いていると、エスクイリーノが他の地域といかに違うかがわかる。そこで私は路上包丁研ぎを見かけた。五〇年ほど前にユーゴスラヴィアで見たのが最後だっただろうか。浅黒い肌の青年が大きな砥石の上にかがみ込み、戸口に寄りかかって煙草を吸いながら作業が終わるのを待っている女性のためにナイフを研いでいる。二人はルーマニア語で話していた。

この地区には友人のアレッサンドラが住んでいる。友人のアパートの最上階、五階の部屋の大きなバルコニーからはヴィットーリオ・エマヌエーレ広場の群衆はまったく見えない。広場にはありとあらゆる物を売る店が軒を連ねているが、買い手はあまりいないようだ。店主はほぼ中国人。だがアパートを出た途端、アレッサンドラは諸大陸から来た、異なる肌の色をしたさまざまな言語を話す人々に囲まれていると気づく。アレッサンドラはカメルーンからダヴィドという名の男の子を引き取ったが、数年後実母によって連れ戻された。私は机の上に置かれた子どもの写真を見ながら、ヨーロッパとアメリカの違いに思いをめぐらせる。もしダヴィドがイタリアではなくアメリカにいたら、この小さな男の子はアメリカ人になっていただろう。イタリアでは、ダヴィドも彼の子孫もイタリア人、つまりイタリア国民にはなることはない。だが、アルバニアやボスニア出身の両親を持つ白人の仲間はイタリア人になり、その子孫もそうなるに違いない。

アレッサンドラは心理学者で、移民が新しい環境に適応し、溶け込めるよう言語の習得や学校への通学、就職などを支援するプロジェクトにボランティアとして参加している。移民の社会的包摂のための基金は、このようなプログラムや活動を全面的に支援している。アレッサンドラは移民の子どもたちである第二世代に焦点を当てたプロジェクトの成果である、『私の半分』（原題：La meta di me）という本とDVDを見せてくれた。こうした取り組みは数多くある。アレッサンドラは、第二世代の多くはイタリアに残るだろうし、できるだけ早く同等の市民となる機会を与える必要があると経験をもとに言う。移民政策がすべて間違っていると考えているのだ。移民の家族帯同を認める法律が廃止された。そのため経済移民と戦争難民のほとんどを占める若い男性は、うつ病、アルコール依存症、薬物依存症、犯罪など様々な問題に直面している。彼らにはモチベーションも目標もない。肉体的に生存を続けることは動機付けとしては不十分である。

アレッサンドラは、私も以前耳にしたことがあるアメリカでのイタリア人の経験についてふれた。ある社会で自立するための機会を与えると、移民は大抵そのチャンスを利用する。確かにアメリカの人種のるつぼは異なるタイプの統合モデルを示している。だが同様に、移民政策は連帯と人間主義的な原則、そして相互利益の原則の双方に基づくべきである、とアレッサンドラは言うのだ。

相互扶助の一例としては、スレブレニツァからの難民としてイタリアにやって来たときはまだ一三歳にもみたなかった、若き作家エルビラ・ムイチッチが挙げられる。高校、大学を卒業したエルビラは、現在イタリアの作家として活躍している（イタリア語で執筆しているのだから）。ボスケット通りにある小さなレストランで、茄子のパルミジャーナを食べながら、私たちはアイデンティティについて語り合った。ムイチッチ[7]はボスニア出身である自分の出自と、イタリア語での執筆との間に何ら矛盾は感じてはない。母語よりもイタリア語の方が上手だし、会話の中で定期的にそのことを謝っている。アイデンティティとは硬い型にはまるかはまらないかというような堅苦しいものではない。それどころか、例えばボスニア人としてのアイデンティティがあるからといって、イタリア人であるという意識が排除されるわけでもない。ムイチッチはボスニア料理が好きだが、イタリア語も好きだそうだ。そしてもはや生まれ故郷には住みたいとも思っていない。もちろんボスニアには仕事がないからというだけではない。ムイチッチはここが自分の場所だと感じているのだ。つまり、イタリアこそが彼女が学校に通い、生活し、仕事をする場所であり、愛する場所でもあるのだ。

それでもやはり、ムイチッチは難民であってもヨーロッパ人であるため同化するのは易しかった。だがヴィットーリオ・エマヌエーレ広場界隈の、特に異なる文化圏や他の大陸から来ている人たちにとって同化はより困難である。しかしこの場合も成功例はある。ヴィットーリオ広場のオーケストラの興味深い話を紹介しよう。アルバム三枚をリリースし、世界中でおよそ三〇〇回のコンサートを行い、ドキュメンタリー映画も制作されるなど今日ではかなり有名になっている。チュニジア、ブラジル、キューバ、アメリカ、ハンガリー、エクアドル、アルゼンチン、セネガル、インド、そしてもちろんイタリアの音楽家が参加しているが、その構成は変化している。指揮者のマリオ・トロンコがアポロという映画館を救うためのプロジェクトの一環として二〇〇二年に結成されたオーケストラである。

オーケストラの結成秘話以上に興味深いのは、演奏される音楽である。ローマのオリンピア

---

（7）Bosanski jezik　ムイチッチの母語は、ボスニア・ヘルツェゴヴィナの公用語の一つであるボスニア語だと推測される。ユーゴ時代はセルビア・クロアチア語の一方言とされていた。歴史的に見ればボシュニャク人はオスマン帝国支配下でイスラムに改修した南スラヴ人の末裔であり、イスラムとの繋がりが強い。

劇場で催された『魔笛』の初演のチケットを私は苦労の末手に入れた。コンサートの夜、ローマ政界のやり手エリートたちが出席していたのも（私にも見覚えのある多くの著名人たち）見逃せないイベントとなったからだ。オーケストラのこともオペラのことも何も知らずに気軽に足を運んだ聴衆には、コンサートとオペラが混じった演奏のように見えただろう。演奏者たちはクラシック、民族音楽、ジャズ、ポップス、ラップ、レゲエ、マンバなどを織り交ぜていた。チュニジアの歌手とアラブ・リュートやコラ、ジャンベ、ドゥンドゥン、サバラなどのアフリカの楽器のソロセクションの間に、『魔笛』から「復讐の炎は地獄のように我が心に燃え」、「パパゲーノ」、「ザラストロ」、「パミーナ」など人気の高いアリアの抜粋を聴くことができた。オーケストラによるオペラのメランジュは、アラビア語、ポルトガル語、スペイン語、ドイツ語、英語、ウォロフ語(8)の六つの言語で上演された。しかもストーリーは台本通りではなく、結末はまったくの予想外。確かにオペラのパフォーマンスではない。ポスターにも「ヴィットーリオ広場のオーケストラによる『魔笛』」であり、演奏は一つの解釈だと注意書きがある。

ピアニストのマリオ・トロンコは、モーツァルトの曲を忠実に演奏するためのコンサートではないと言う。「私たちは譜面を自由に解釈し、自分たちのオーケストラに合う物だけを選んでいます。ですからパフォーマンスは異文化への言及に満ちているのです。演奏家は遠い国の出身者ですが、それは単に地理的な意味だけで言っているのではありません。メンバー一人一人が自分の文化と言語をこのオペラに持ち込んでいるのです」と。また、トロンコはモーツァルトのオペラが「かつてはどうであったか」を描いているのに対し、自分たちのオーケストラの演奏は「将来どうなっているか」を描いたものである、と付け加える。確かに当夜の初演で、私はオーケストラがヨーロッパの未来への扉を開いてくれたように感じた。モーツァルトの音楽は、私たちが考えるヨーロッパの文化遺産の中核を成している。ヨーロッパ人の多くは、オーケストラが原曲を完璧に演奏するのを聴きたいと思うのだろうし、それが統合の証明となるのだろう。モーツァルトをテーマにしたオーケストラの解釈、編曲、即興は、どんなに演奏がうまくて刺激的であっても、正統性を好む人々の耳には冒涜に聞こえる。しかし、ヨーロッパ外から来た移民もまた、独自な何かを持ち込むだろうし、モーツァルトをはじめとする何か他のヨーロッパの神聖なものにしてみても、私たちは文化の混合に一層直面することになるだろう。

異文化からの新来者が必ずしも期待されているように私たちの支配的な文化に完全に適応するわけではない、ということがオーケストラによるモーツァルトの解釈で明らかになった。それどころか移民たちは、出会った文化のあらゆる要素を自分たちの文化に適応させようとする。芸術面においても生活面においてもだ。ここでは統計が決め手となるだろう。つまり、アフリカやアジアからの移民の数が増えるほど、食べ物、音楽、ファッション、習慣だけでなく、ヨーロッパの法律も変わるかもしれないのだ。だが、現在のヨーロッパで公然と「そうだけれど、何か問題でも?」と言う人はほとんどいない。

移民の統合と同化(という、たった二つのモデルしか議論されてこなかった)について語ること

(8)セネガル、モーリタニア、ガンビアのウォロフ族の言語。母語、第二言語含めて一〇〇〇万人以上の話者がいる。セネガルとで最も広く話されており、旧宗主国のフランス語と共に、ある種の共通語として機能している。

は、ある程度までしか意味をなさないようだ。このモデルが当てはまるのはヨーロッパ、例えばアルバニア人やボスニア人など東欧からの新来者に関する場合だけであって、同じ地域から来たものの同じ文化や歴史を共有していないロマなどは考慮されていない。だが南方のランペドゥーザ島、シチリア、スペインの海岸や、東方のアフガニスタン、トルコ、ギリシャ、ブルガリアの国境を経由して、大多数の非ヨーロッパ系移民が押し寄せている点はどうだろうか。ヨーロッパ人は移民に賛成であろうとなかろうと、新しく入ってくる人々、とりわけ異文化圏からの移民が超えてはならない文明の最低ライン、つまり女性の解放、人権の尊重、民主主義などについては意見がまとまっている。では芸術は？　芸術は、その定義からしてあらゆる境界を越えてしまう性質を持つ。

モーツァルト、バッハ、ベートーヴェンのような偉大な音楽家たちが、将来どのように響くのかに意識を向けた方がいいのかもしれない。しかし私たちが大切にしている他の多くの伝統がまだ変わっていないのであれば、変化の過程も知っておく必要がある。例えばムラーノ・ガラスの製造だ。一三世紀末からガラスの産地として有名だったムラーノ島は、現在では嘆かわしい姿となってしまった。工場はほとんど閉鎖されてしまっている。ヴェネツィアの何百もの土産店で大量に販売されているジュエリー、置物、鉢、ランプ、ペーパーホルダー、デキャンタの栓などは中国製だ。確かに購入したネックレスがムラーノ・ガラスであるという証明書は付いているが、中国製である可能性が高い。一般の観光客は両者の違いに気づきもしない。前日に訪れた小さな島ではガラスが大量生産されてはいないし、なぜこれほどまでの大量の土産物を生産できるのか疑問にさえ思わないだろう。また、このような素晴らしいガラスの指輪やブレスレットが、わずか数ユーロで手に入ることに対しても。そして何より商品の大半が同じもの、つまり大量生産品である点も重要だ。なぜなら小さなムラーノ島では手作業で作られた製品には二つとして同じものはないからだ。それがムラーノ・ガラスの特徴であり、精巧な作りは唯一無二である。

ヴェネツィアに滞在している間、アパートの裏手フュベロ通りの角の店で、自分の目で真贋を確かめる機会があった。店主のアンドレアは私をアトリエに案内してくれ、ペーパーホルダーから素敵なジュエリーまでさまざまな物を見せてくれた。曰く、ムラーノ製のオリジナルと中国製のコピーを見分けるのは難しいそうだ。インターネット上では見分け方について注意書きや情報が掲載されているものの、中国で製造されたムラーノ・ガラスの広告も見受けられる。もちろんムラーノとは特定のガラス製造技術の名称だけでなく、ムラーノ島で作られたガラスのオブジェの名前でもあるためナンセンスな話だ。アンドレアは二つのブレスレットを手に取った。一つは精密で完璧な出来栄えだったが、もう一方は少し目を凝らせば粗雑で近似した模造品だとわかる。マス・ツーリズムは、ムラーノがフル稼働しても応えきれないほどの需要をもたらした。アンドレアが言うように、中国人はオリジナルに対する理解も、模造品を製造することに対する道徳的なジレンマも持ち合わせてない。だが私が最も気分を害したのは、ムラーノ製の「ミルフィオリ」のパールネックレスと中国製のものを比較したときだ。悲しきかな、前日に別の店で買ったネックレスがよくある偽物だとわかったのである！

ヨーロッパの政治家が誇張する「侵略の脅威」は、移民の数だけでなく（どのみちイタリアには中国人が二〇万人、ヴェネツィアにはおよそ二〇〇〇人しかいない）、投資や不動産を買い占めにもある。移民の数よりもお金の方が早い変化をもたらす。ヴェネツィアの中国人はまず小さな店を買い取り、「ムラーノ」ガラスの土産や革製品の店にした。それからバーやレストランを購入し、今ではパラッツィ［邸宅］をホテルにしている。

ある晩、ヴァポレットの二番に乗ってアッカデーミア橋からスキアヴォーニ海岸にあるサン・マルコ停留所に向かっていると、ウダイ運河の一部区間が無灯火であることに気づいた。巨大な邸宅群は、まるで誰も住んでいないかのごとく闇に包まれている。建物は金持ちの夏の別荘だ。なかには市が所有し売却しようとしている邸宅もあるのだとここに住む友人が説明してくれた。ランペドゥーザ島やその他のイタリアの土地に無事に辿り着いた哀れな人々からだけではない。食べ物やファッション、習慣や音楽だけでなく、銀行、投資、マネーロンダリング、地方行政の汚職などを通じても変化はもたらされる。ヨーロッパ人が未来の変化に思いを馳せ、ヨーロッパの周囲に壁を設けるかどうか（その境界線がわかっていればいいのだが）、その想像上の国境に移民を封じ込め、ヨーロッパの文化や守るべき価値観（グローバル化、つまりアメリカ化によってすでにまったく変わってしまっているが）について対策を検討している間にも、中国人は投資を行い、ヴェネツィアの邸宅を購入してホテルに変え、ヨーロッパの文化遺産から荒稼ぎしている。ヴェネツィアで起きている中国人の投資に比べれば、フランスやドイツ、さらに北の地域におけるイスラム系移民に対する恐れなど感傷的にも見える。

向かいの建物に住む銀行員は、ヴェネツィアは私がロマンチックだと思っていたような博物館ではなく、中国人だけが儲かるディズニーランドのような遊園地になりつつあると言う。確かに彼の言う通りだろう。遅かろうが早かろうが、合法であろうが違法であろうが、金があろうが無かろうが、難民だろうが何だろうが移民はやってくるのだ。ヴィットーリオ広場のオーケストラの演奏を聴きながら、偽物のムラーノ製ネックレスを手にヴェネツィアを後にする私は、そう遠くない未来に中国のオーケストラによってフェニーチェ劇場でモーツァルトが演奏され、脚色もされるのだとしたら、それはどんな音になるのだろうかと想像してみるのである。

政治家や専門家が何と言おうと、ブレグジットはEUとイギリスの双方にとって損失である。しかしブレグジットをヨーロッパの西側から見るのか、それとも東側から見るのかによって利害関係に対する見方は違ってくるのではないか、と私は考えている。東欧の中でもユーゴスラヴィアは他の共産主義国とは多少事情が違っていた。私たちは幼少の頃から学校で英語を学びハリウッド映画を観ていたし、一九六〇年代半ばからは自由に外国旅行ができるようになっていた。イギリス文化は西側世界ものだけではなく、色々な意味で私たちのものでもあったのだ。特に音楽。私が育った六〇年代半ばには、イギリスのロックやポップミュージックが両国の文化をつなぐ大きな架け橋となっていたのである。

高校一年生のクラスで一番人気のあったのは、ゾランという男子だった。特別格好良いわけでもなければ、取り立てて頭が良いというわけでもなかった。しかし彼には特別な「何か」があった。長髪である。耳に少しかかる程度でそれほど長くはない。その髪型は「ビトルシツァ」（ビートルズ・カット）と呼ばれていて、もちろんビートルズのバンドメンバーがモデルだった。一九六四年当時にあって、私たちの国ではあまり見かけないスタイルだった。教師たちは西欧の流行だとその髪型を認めなかったし、父母にも不評でクラスの男子の中にはゾランをいじめる子もいたくらいだ。男子はゾランが女子全員からモテているのを妬んだのだろう。だがゾランは年配の人の考えなど意にも介さず、ガレージバンドでエレキギターを弾き、ギタリストはこうあるべきだと言わんばかりであった。

当時私たちは一五歳で、ビートルズ風の外見とビートルズの音楽は自分たちのものだった。ラジオでは「自分たち」好みの音楽を聴いていた。レコードプレーヤーという、高価で手間のかかるレコード盤を聴く機械が大抵の家になかった時代、ラジオは魔法の泉のごとく音楽を届けてくれた。毎日正午から午後一時までラジオ・ザグレブの「リスナーズ・チョイス」という番組を私たちはいつも聴いていて、そこで初めてビートルズを耳にした日のことは忘れられない。最新のヒット曲を放送していた伝説のラジオ・ルクセンブルクにも耳を傾けていた。一九六八年からは毎週月曜日の夕方、ラジオ・ベオグラード「第一」がユーゴスラヴィアのロックンロールを専門に取り上げていた。

イギリスや世界の音楽シーンに登場したこの新星バンドは、コミュニケーションの手段はもとより世界と一体化するツールとなり、親とは違う個人主義の感覚を私たちに与えてくれた。単なる流行りの音楽というよりもライフスタイルだったのである。ジョン、ジョージ、ポール、リンゴの写真を日々新聞やテレビ画面で見かけた。もちろん、一〇代の少女たちが悲鳴をあげながらビートルズの行く先々を追いかけるという現象は、スキャンダラスで退廃的な子どもたちの集団ヒステリーとして描かれた。実際そうだったのかもしれない。しかし、ミュージシャンのバンドがこれほどまでに人気を博すのは（ビートルマニアとしても知られていた）、私たちにとっては斬新だった。なにしろ大勢で集まるなんて、立ちっぱなしで延々と演説を聞く何かの祝日だけだった。あるいはサッカーの試合くらいだ。まだ大規模なロックコンサートは私たちの地域では開催されていなかったのである。

ところがすぐに、男子はビートルズのように女子にモテたいとばかりに髪を伸ばし始めた。田舎では髪が長いだけで殴られ、強制的に切られたりもした。しかしそれも束の間、私が大学に入学した七〇年代にはビートルズのファッションも音楽も大流行となっていた。男子は長髪、私たち女子は同じ頃イギリスのデザイナー、マリー・クワントが世に送り出したミニスカートがマストだった。このスカートはかなりミニ丈だったので、両親は男の子の長髪よりもはるかに頭を悩ませていた。そんな両親の不安を理解できるようになったのは自分に娘ができてからだ。多くの親がそうであるように、私の父も女子がそんな服装をしていれば性的暴力にさらされる可能性が高くなると考え、ミニスカートを厳しく禁じていた。他の国でも問題は同じだと想像に難くないが、ユーゴスラヴィアでもミニスカートを学生カバンに忍ばせ、後で着替えるやり方で簡単に解決させていた。学校では適正な長さのスカートを履き、パーティや映画など、外出にはミニが必須だったのだ。

ユーゴスラヴィアではロックンロールのミュージシャン、「ロッカーズ」と呼ばれる若者のほとんどが支配階級、いわゆる赤いブルジョア[1]の陸軍将校の息子であったのは逆説的で興味深い。青年たちは特権を持ち、楽器やレコードを買う余裕もあり、旅行や情報収集に長けていたのかもしれない。一方で長髪や洋楽は父親の権威に対する反抗心の表れであったのは明らかだった。外見は以前とは違いどうでも良いものでなくなり、メッセージそのものと化したのだ。

ファッションが反抗の証でもあるという発想自体、私たちには初めての経験だったのかもしれない。随分と長い間、長髪は政治的な挑発行為とまではいかないにしても、少なくとも悪い影響を与えるものだとみなされてきた。しかしながら外見、つまりファッションが「逸脱」の唯一の証であったため、体制に対する脅威とはみなされなかった。ミニスカートを履き「ビトルシツァ」の髪型をした多くの若者がやがて共産党員となっていった。六〇年代の終わりには、共産主義国で初めてミュージカル『ヘア』がベオグラードで上演された。一九七五年にはディープ・パープル、一九七六年にはローリング・ストーンズのコンサートが開かれた。地元のロックンロールとして知られるユーゴ・ロック（Yu-rock）を演奏する地元のバンドが爆発的に増えたのは必然であった。

しかし、ビートルズを初めて聴いた当時はカフェもクラブもなく、ダンスホール以外に私たちのような若者が集まれる場所はなかった。ダンスは学校が主催するもので、どちらかというとダンススクールとしての側面が強く娯楽の場ではないと考えられており、私は両親の許可を得て参加していた。壁一面にベンチが並べられたダンスホールは、体操やバレエの練習、卓球大会、時にはアマチュアのリサイタル公演の会場としても使われていると思しき寂しい場所だった。汗と床磨き剤の匂いも漂っていた。冷たい壁に背を向けて座り、パチパチというレコードの音を聞きながら、接近して踊ったり何か不作法な振る舞いをするのではないかと監視

（1）ユーゴスラヴィア元副大統領を務め、その後反体制派となったジラスによる概念。平等を理念としたはずの社会主義国家で特権的な党官僚からなる新階級が形成されたと指摘した。ミロヴァン・ジラス『新しい階級』、原子林二郎訳、時事通信社、一九五七年。

する教師の目を気にするのはあまり愉快ではなかった。私たちの中でダンスが上手な人はとても少なかったし、ワルツやタンゴのステップを踏めるほど自分の身体に自信はなかった。それにホールではロックもツイストもかからなかった。ロックンロールがダンスホールやクラブ、プライベートパーティーを席巻し、自分たちの身体がまったく違う種類のビートに合わせて動くようになるにはしばらく時間が必要だった。

アングロサクソン系の音楽、何はともあれロックンロールを受け入れる上で重要な要素の一つは言葉だった。ユーゴスラヴィアの子どもたちは一五歳になるまでに学校で基礎英語を学んでいた。外国語は必須で、通常は英語、ドイツ語、フランス語から選択することになっていた。私の世代ではドイツ語を選択する人はごくわずかたっだ。第二次世界大戦中のファシスト・ドイツの役割など歴史の授業で学んだ内容とは調和しなかったのだ。フランス語のグループはさらに少なく、一番多かったのが英語である。ロシア語を教えている小学校もあったものの、勉強する子どもはことさら少なかった。テレビが家庭に普及し、白黒の小さな画面がついた大仰な装置でセルビア・クロアチア語（と当時呼ばれていた）の字幕をつけた映画を観られるようになっていた。映画館へ行っても同じで、映画はすべて原語で上映されていたし、大半はハリウッド映画だった。だからアメリカ英語の発音ではあったものの、私たちは英語の音に慣れ語彙を増やしていけたのである。ビートルズの曲を聴いて歌詞を理解できたときの快感は忘れられない。その経験は自信や誇りさえも与えてくれた。エルビス・プレスリーやチャック・ベリー、あるいはロックンロール全般も、私の数年前に生まれた人たちにとっては同じだったのだろう。しかし何故か私たちの世代はビートルズやローリング・ストーンズの音楽がより大きな意味を持っていた。彼らがまさに自分たちの青春時代に登場し、自分たちのものだと思っていたからかもしれない。歌詞は平凡だし、メロディーもShe loves me, yeah, yeahやI can't get no satisfactionのように単純だったが、メンバーは別の意味で刺激的だった。これまでにないタイプの踊りを要する独特の音だった。突然全身に興奮が走るような、熱病のような感覚。思わず手足を動かしたくなる音楽だった。

その最大の価値は、六〇年代にユーゴスラヴィアで聴いていた音楽とはかけ離れていた点にあるだろう。以前は音楽祭が軽音楽を発表する最も一般的な場で、広く大衆に親しまれていた。スターダムにのぼりつめた歌手たちは、私たちがはじめて憧れを抱いた存在だった。イヴォ・ロビッチ、ズデンカ・ヴチコヴィッチ、ヴィツェ・ヴコヴ、テレザ・ケソヴィヤらの名前は今でも覚えている。一九世紀、オーストリア・ハンガリー帝国の貴族の間で流行した、海辺の小さなリゾート地オパティヤで開催された音楽祭は一大イベントだった。クロアチアが帝国の一部であった時代に音楽祭はアッバツィアと呼ばれていた。フェスティバルは一九五八年に始まり、国家機関のユーゴスラヴィア・ラジオ・テレビジョンが主催し生中継されていた。

共産主義的なやり方で音楽祭に華やかさが演出されていた。女性は髪を結い上げステージメイクを施し、マイクの後ろにじっと立っていた。まるでリズムに合わせて動くと凝った髪型が崩れるのを恐れているかのようだった。しかしそれ以上に刺激的だったのは、高いハイヒールを履く、女性たちのイタリアで購入したと思しきドレスである。女性ならイブニングドレス、男性ならスーツで、今では金持ちしか買えないようなオーダーメイドの代物だった。国営店ではそのようなエレガントな衣類は購入できなかった。フェスティバルは音楽と同様、ファッションのイベントでもあったのだ。シルク、シフォン、サテン、オーガンジーなどのロングボールガウンや優雅なイブニングウェアを見ることができた。カラーテレビでなくてもファッションのインパクトは絶大だった。女性は衣装を真似してお祝いの席で着ていたほどだ。私の母も黒いシルクのイブニングドレスを持っていた。ウェストはタイトにカットされ、チュールと煌めくスパンコールで覆われており、細いストラップが二本肩に掛かるようになっていた。私には母が映画スターのエヴァ・ガードナーのように輝いて見えた。このドレスを大晦日の士官クラブのパーティーに来て行くと、男性たちは皆彼女と踊りたがったものだと母はよく言っていた。

私たちが慣れ親しんだ音楽祭は、イタリアのサン・レモで行われていた少し古いカンツォーネの音楽祭をモデルにしたもので、テレビでも生放送されていた。私が初めて観たのは一九六一年のこと。家にはテレビがなかったので隣人の家で観ていたのだが、モノクロで鮮明さにかける映像だった。自分たち子どもにとっては魔法のような体験であると同時に、特別な社交の場でもあった。例えばテレビの所有者が隣人に音楽祭の番組を見せないなんてもってのほかだった。一〇人から一五人が居間に押し寄せたし、子どもたちは床に座っていたものだ。サッカーの大きな試合があるときもそうで、男性たちがやってきては歓声と煙草の煙を部屋中に充満させていた。当時は家でも職場でも、バスや列車、飛行機の中でも皆煙草を吸っていた。自国の歌手と同じように、イタリア人歌手の名前を私は今でも覚えている。ドメニコ・モドゥーニョ、アドリアーノ・チェレンターノ、ミルヴァ、ジリオラ・チンクェッティ……。イタリア語を理解している人は少なかったものの、私たちはその歌に耳を傾けていたのだった。

あの頃生まれ育った私たちにとって、ビートルズの音楽が自分たちの慣れ親しんだ音楽祭の流行曲とは正反対だったということが、一番重要だったように思う。音楽的なスタイルというよりも（ビートルズのメロディーには大なり小なりシュラーガー音楽[2]や軽快なダンスの旋律に通じるものがある）、メンバーのルックスや演奏方法と切り離せない、独自のスタイルを確立していたのである。

今となってはオパティヤの音楽祭と同時期にビートルズを聴けたのは、同志チトーの国でミッキーマウスのアニメや映画『カサブランカ』を観るのと同じくらい奇妙なことのように思える。東西二つの世界が混在するユーゴスラヴィアは、良い意味でも悪い意味でも自分たちの世代を永遠に彩ってくれた。私たちが隣国よりも大きな自由を享受していた点では良かった。しかし私たちはその自由で十分満足してしまったのだ。だから先を見ようとも、さらなる自由を要求しようともせず、八〇年代後半に必要な場面で立ち上がりもしないで、民主的な政治的野党を作り上げなかったのである。一九八九年にヨーロッパ全体が共産主義の崩壊を祝うなか、ユーゴスラヴィアだけがヨーロッパの国で唯一崩壊と戦争へと向かって突き進んでいた……。

ビートルズの時代からずっと、私とイギリスの関係は必ずと言ってもいいほど感情に訴えるものになってしまう。イギリスの音楽は自分のものとなった。ファッション、文化、テレビド

---

（2）Slager ABBAなどヨーロッパで流行している、わかりやすい歌詞にキャッチーな楽器伴奏をつけたポピュラー楽曲。典型的には一九五六年から毎年開催されるユーロビジョン・ソング・コンテストで一世を風靡したスタイル。

ラマ、そして奇妙で素晴らしいユーモアのセンスもしかりだ。気候と食べ物以外のすべてが自分の内にある。

六〇年代半ばから後半にかけてのロンドンは、パリやアムステルダムよりも魅力的で（「クール」という言葉はまだクールではなかった）、プロヴォと呼ばれる初期のヒッピーの若者たちが反逆者さながら定住しない生活を送り、ロックを聴き、マリファナも吸っていた（私たちはまだだった！）。一〇代にとっては楽園のように思えたのだった。ロンドンは巡礼の地であり、資金面で余裕のある人は誰もが聖地に行き最新のレコードを持ち帰った。ただし道路の左側、つまり「間違った」側を運転しても生き残り、止むことのない霧雨や、理解し難いイギリスの摩訶不思議な通貨[3]に耐えられればの話ではあったが。帰国すると、巡礼者はあらゆるパーティの中心となり羨望の的となった。レコードを聴きに家に来ない？というのが定番の誘い文句だった。

ヒースロー空港に初めて降り立ったとき、パスポートを見ながらビザ免除の国のリストを再確認していた審査官の顔が今でも思い出される。ユーゴスラヴィアからの訪問者が西側諸国へ行くのにビザが必要でない事実に驚きを隠せない様子だったが、もしかしたら私は彼にとって初めてのユーゴスラヴィア人観光客だったのかもしれない。西側諸国の国境警備隊はほぼ、共産主義国の人間がただの観光客として入国してくるとは思っておらず、長期滞在のチャンスを探っているのではないかと疑ってかかっていた。しかしそんな疑念をよそにユーゴの人々は観光に出かけていった。とは言え、博物館やショッピング街を訪れる以外にも理由があった。本場のレコード店やロックコンサートに行くことで、その国の文化や言語を知る重要な入り口となることができたからだ。

しかしながらその間にも私の興味は本に移っていた。世界文学を学び、翻訳された小説を数多く読んだ。原書で読めるようになると、ジェーン・オースティンやチャールズ・ディケンズ、そして後には現代文学を掘り下げることに特別な思いを抱くようになった。まずチャリング・クロス・ロードにある一九〇六年創業の老舗書店フォイルズに行き、本棚の間を歩き回ってそこにいるのをただ楽しんだ。今でも地下鉄のトッテナム・コート・ロード駅から目隠しでもたどり着けるだろう。しかし高揚感を味わった後にはいつも、一生のうちに一体何冊読めるのだろうと切なさに打ちひしがれた。どうせ大部分は読もうとも思わない本ばかりなのだろうとは、まだ私は思いもしなかった。

それに、イギリス特有のユーモアも好きになった。イギリス人の冗談がわかるようになったのはいつだったかよく覚えていないが、たぶん七〇年代後半を過ぎてからだと思う。カラーテレビで『オンリーフールズ&ホーセズ』、『ブラックアダー』、『キーピング・アップ・アピアランセス』、大好きな『アロ、アロ』、伝説の『空飛ぶモンティ・パイソン』といったテレビドラマを観るようになってからだ。バルカンのユーモアは荒っぽく、腹黒くて単純だし、皮肉や嫌味はもちろん、自分自身を笑いとばすセンスもない。モンティ・パイソンに通じるシュールな筋書きや、『アロ、アロ』のような戦場での笑いは別格だ。

(3) イギリスの通貨は一九七一年まで一二進法が採用されていたため、一〇進法を導入している国の人々は計算に戸惑ったという話。今でもビールのパイントなど名残がある。

必須アイテムだったマリー・クワントの時代から、私は別のデザイナーが好きになった。ヴィヴィアン・ウエストウッドでもパンクでもなく、当然の選択であったと思う。そう、ローラ・アシュレイだ。日常のアイテムになるまでミニスカートは反発、破廉恥、侮辱の象徴であった。ロンドンに滞在していたとき、私はローラ・アシュレイのワンピースに出会った。ロマンティックな花柄が人気を博したのは、七〇年代後半から八〇年代初頭にかけてのことだったであろうか。ローラ・アシュレイのワンピースは非常にシンプルなカットではあるが色は鮮やかで、バリエーション豊かな花が上質なコットンにプリントされており、少し素朴ではあるものの上品できちんとした印象を与えていた。このようなワンピースや生き生きとした柄が、当時自分の国では手に入らなかったという事実より上手い説明を今日に至るまで思いつかない。

しかし、アイコンの花柄が心に残った理由は別にある。ローラ・アシュレイのブティックでは、ワンピースの他にもシーツやベッドカバー、カーテンやタオル、さらには同じデザインの壁紙も売っていた。私は華やかな花の壁に囲まれた生活に魅力を感じたのである。それから数年後、一九九一年の春に再びロンドンを訪れた私は、壁紙をザグレブに持ち帰って寝室のデザインを一新することにした。それはそれで良かったのだがタイミングが悪かった。国家がバラバラになりそうなときに、壁紙を変えたいと思ったのだから。そのわずか一ヶ月ほど前の三月三一日、クロアチアでは「血の復活祭」として知られる殺戮が始まっていた。最初の犠牲者はプリトヴィッツェ国立公園で殺された警察官だった。クロアチアがユーゴスラヴィアからの独立を宣言した後、反乱を起こした少数派のセルビア系住民が自治権を宣言した領土を奪還するために、警察官の乗ったバスが出動したときのことだった。警官の名前はヨシプ・ヨヴィッチで、私の娘と一歳しか違わなかった。人は戦争の始まりの犠牲者を忘れないものだ。

それでも私は一ヶ月ほどして壁紙を持ち帰った。戦争が始まっても自分には関係ないと思ってしまう。防衛本能なのだろうが、事実、ザグレブに住んでいた私たちは前線から四五キロメートルしか離れていないことを十分に理解していなかった。念願のローラ・アシュレイの壁紙を貼った場所から車で三〇分。外では本当の殺戮が始まっていたが、家の中は華やかで明るい雰囲気を保っていた。私は意図的に目をつぶっていたのだろうか。ナイーブさの表れだったのか、それとも無意識のうちに災いを回避しようとしていたのだろうか。

確かにローラ・アシュレイの小さな繭に横たわっている間、戦争は私を傷つけなかったし、少しの間だけでも花が守ってくれているかのようだった。

その後は劇的な状況下にあり、ロンドンに訪問する機会もなくなってしまった。戦争が終わると私はロンドンの出版社と契約し、作家やジャーナリストの世界に身を置くようになった。BBCラジオでインタビューを受け、現代美術館で朗読会を開くなどして馴染みつつあった。そして縁あって、とある作家が潜伏していた隠れ家に泊めてもらうという計らいを受けた。戦争以外でも人はさまざまな意味で苦しみ、傷つけ合っている。作家サルマン・ラシュディもその一人だ。一九八九年にイランの宗教指導者アーヤトッラー・ホメイニーが、「神を冒涜する」小説『悪魔の詩』を理由にファトワー（死刑命令）を発令したことで、イスラム教徒なら誰でもラシュディの命を奪う権利を与えられた。ノッティング・ヒルにある似通った白いファサードの建物が立ち並ぶ一画に、当時の妻で小説家のマリアンヌ・ウィギンズが所有する小さなアトリエがあった。アメリカ旅行中に知り合ったマリアンヌが快く泊めてくれたのである。一階のアトリエには裏口があり、ラシュディは庭をすり抜けて逃亡することも可能だったようだ。部屋には美しい絨毯が敷かれ、中央にベッドがレイアウトされていた。赤い天蓋の下、眠れず通りの物音に不安と死の恐怖を感じながら耳を欹てる二人の姿が目に浮かぶようだった。ラシュディは狩られる側の人間の恐怖を味わったに違いない。ソ連をはじめとする共産主義国では、オシップ・マンデリシュターム、ヴァラーム・サルモフ、アレクサンドル・ソルジェニーツィン、ヴァーツラフ・ハヴェルやミラン・クンデラといった反体制派の作家は禁じられ、追放され、グーラグ［ソ連の強制労働収容所］で刑に服すか、死を遂げていたのである。ラシュディの場合、事実上どんな刺客に殺害されてもおかしな話ではなくなってしまっていた。

イギリス人は、ヨーロッパという小さな世界で大きな存在になるのではなく、大きな世界で小さな存在になることを本当に望んでいるのだろうか。島民には島民の奇妙なやり方や習慣、譲れないこだわりがあるのだと思う。私の母もアドリア海に浮かぶ小さな島の人間だったのでわかる。

今日イギリスの作家や著名人がヨーロッパに向けて手紙を書いているのを見ると、まるで自分たちの島がすでに大陸から出航してしまっているかのようだ。イギリスの政治家はヨーロッパに対する漠然とした恐怖感や想像上の脅威を、誰しも想像していなかったレベルで利用したということだ。もしかしたらこうした手紙は旧大陸を訪問したことを思い出し、喪失感を味わいながら別れを告げるという、出発に向けた心の準備なのかもしれない。手紙はラブレターに違いない。

J・K・ローリング[4]は二〇一九年一〇月二六日に『ガーディアン』に長文の手紙「親愛なるヨーロッパへ」を書いている。「この文章を執筆している時点では、次の世代が私たちにあった自由を享受できるかどうかは定かではありません。それがどれほど深い喪失であるかを正確に理解している私たちは、旧来の絆が断ち切られそうになることへの落胆に加え、死別の感覚を身を持って味わっているのです」と。

ヨーロッパの作家たちもまた、「親愛なる連合王国へ(Dear United Kingdom)」、あるいはより親密に「親愛なるイギリスへ(Dear Britain)」と手紙を書いているが、同様のやり方で抑制と均衡を働かせ、失ったものを確認し、得たものを忘れないようと努める時期に来ているのだろう。イギリスは私にとって大いに感情的な意味を持つ国であり、青春とは切っても切り離せないものとなった。イギリスはもはやEUに加盟していない。しかし、ブレグジットによってすべてが失われるわけではない。イギリスはすでに私のアイデンティティの一部なのだ。ヨーロッパにとってもまったく同じだ。政治的・経済的な結びつきは別として、ヨーロッパがイギリスを失うなどあり得ない。イギリス人とその文化はヨーロッパのアイデンティティに深く根付いており、離れてしまった時でさえ私たちはイギリスの良さを享受するし、これからもそうし続けるだろう。ヨーロッパ文化という色とりどりの織物から、イギリスという糸を引き抜くことが可能な政治家はこの世にはいない。ブレグジットで、私たちの心からもイギリスが離脱してしまうなんてあり得ない話だ。

---

(4)『ハリー・ポッター』の作者。

# 謝辞

執筆は孤独な仕事だ。来る日も来る日も、何ヶ月にも渡って独り机に向かい続ける。孤独に身を置く必要もあるけれど、女性であればむしろそうありたいとさえ思うのではないだろうか。他に気を配らなければならない事柄が多くあり、一人時間を設けたり、執筆に専念することがより困難になってしまうから。しかし私自身が書いた文章であるとはいえ、結局は自分の作品、考え、意見だけで執筆が成立するわけではないのだと気づく。長年私の編集者であり、友人でもあるキャサリン・コートの助力、そしてある秋の午後、グリニッジ・ヴィレッジでコーヒーを飲みながら交わした会話なくしては本書の実現は叶わなかったであろう。コートと副編集長のヴィクトリア・サヴァーンの熱意に私は心地よい驚きを味わった。しかしやはり夫のリチャード・シュワルツや、友人のカール・ヘンリク・フレドリクソンに相談するときもあった。皆の助言や意見はとても刺激的だった。マーシー・ショア、ムリエル・ブライフ、アナ・ミシュコヴスカ・カイェヴスカ、オクサーナ・ザブジュコ、オクサーナ・フォロスティナといった友人知人にも執筆中の原稿に目を通してもらったし、助けられもした。アシスタントのマリヤ・フラノリッチ、娘のルヤナ・イェーガーには有益な寸評を寄せてもらった。それから、英語での執筆を支えてくれたベンジャミン・D・テンドラーを忘れてはならない。一九六八年に撮影された写真の物語をシェアし、私の本への掲載を許可してくれたサミュエル・アブラハムに心からの感謝を捧げたい。

本書の実現に尽力してくださった方々に御礼申し上げる。

# 訳者あとがき

本書は Slavenka Drakulić, *Café Europe Revisited: How to Survive Post-Communism*, Penguin Books, New York, 2021. の全訳である。

ヨーロッパにおいてカフェとは議論の場であり、社会の中で重要な役割を果たしてきた。第一作『カフェ・ヨーロッパ』でスラヴェンカ・ドラクリッチはこれに応え、ポスト共産主義の東欧世界を見事に描き出し、話題を提供した。本書『ポスト・ヨーロッパ　共産主義後をどう生き抜くか』（原題は『カフェ・ヨーロッパ、ふたたび』）はその続編にあたる。一五のエッセイ（序文と日本語版への寄稿文が加わる）は、ベルリンの壁崩壊から三〇年経った最新のヨーロッパ論である。東西ヨーロッパの分断、ウクライナ問題、ブレグジット、#MeToo 運動、移民問題、ポピュリズムの台頭など新たに生まれた政治、経済、文化の問題を「カフェ・ヨーロッパ」でふたたび読者と語り合おうと呼びかけていると言えよう。ドラクリッチを囲んで飲むコーヒーには、東欧地域の複雑な歴史・文化、人々の記憶や感情、そしてＥＵに対する憧れや幻滅までも溶け込んでいるのではなかろうか。トルコ・コーヒーのように未来を占うこともできるかもしれない。

ジャーナリストで作家、フェミニストのドラクリッチは、一九四六年、旧ユーゴスラヴィアの港湾都市リエカに生まれた。父親はリエカ郊外のペーリン、母親はクルク島のオミサルジ出身。ユーゴスラヴィア人民軍の将校であった父親の仕事のため、各地を転々としていたという。ヒッピーに憧れ一六歳でヨーロッパ旅行(いわゆる家出)を始め、二二歳で一人娘を出産、そして離婚。一九七六年にザグレブ大学で比較文学と社会学を修めた後、『スタルト』誌(ユーゴ版『プレイボーイ』)や『ダナス』紙でジャーナリストとしてキャリアを歩み始める。旧ユーゴスラヴィア初のフェミニスト団体「女性と社会」の創設に携わるなど精力的に活動し、東欧初のフェミニストの本『フェミニズムの大罪』(*Smrtni grijesi feminizma* 一九八四年)を発表する。旧ユーゴスラヴィアの家父長制が色濃く残る「女性が声をあげる習慣のなかった」社会において、女性の地位、ジェンダー不平等、性差別の問題などを追求する行為は一石を投じる以上の意味を持っていたに違いない。東欧のボーヴォワールと言われた所以であり、その後の人生においてドラクリッチは常にフェミニストであり続けている。

一九九〇年代初頭、ユーゴ紛争が勃発すると母国を離れスウェーデンに向かう。ドラクリッチ自身は「愛の移民」と呼んでいるが、背景にはクロアチアで台頭した民族主義者による弾圧が存在している。「民族主義に忠実な政権(クロアチア民主同盟HDZ)、そして仲間を含めたメディアから『魔女』と呼ばれ、敵あるいは反逆者であるという烙印を押されてしまいました。ですからクロアチアのメディアで記事を書けなくなり、海外に目を向けなければなりませんでした」(訳者によるインタビューより)と振り返っている。実はドラクリッチには、一九九

アイスランド
北海
ノルウェー
スウェーデン
フィンランド
エストニア
バルト海
ラトビア
ロシア
デンマーク
リトアニア
ベラルーシ
アイルランド
イギリス
オランダ
ドイツ
ポーランド
ベルギー
ルクセンブルク
チェコ
ウクライナ
スロヴァキア
モルドバ
オーストリア
ハンガリー
スイス
スロヴェニア
フランス
ルーマニア
クロアチア
イタリア
ボスニアヘルツェゴヴィナ
セルビア
アドリア海
モンテネグロ
ブルガリア
黒海
アンドラ
マケドニア
アルバニア
ポルトガル
スペイン
リエカ
地中海
ギリシャ
トルコ
キプロス

二年の『グローブス』誌に掲載の匿名記事「リオの魔女」で「フェミニストがクロアチアをレイプ」という強烈な言葉で糾弾され、メディアから裏切り者として吊し上げられた過去がある（後に編集者に対して訴訟を起こし勝訴）。槍玉に挙げられたのはエレナ・ロヴリッチ、ラドゥ・イヴェコヴィッチ、ヴェスナ・ケシッチ、ドゥブラフカ・ウグレシッチ、スラヴェンカ・ドラクリッチの五人である。民族主義に傾倒しなかった作家やジャーナリストに対する魔女狩りであったが、当時のユーゴスラヴィアでは自由亡命した知識人も少なくなかった。

しかしその後の活躍は目を見張るばかりで、『恐怖のホログラム』（*Holograms of Fear* 一九九二年）、『大理石の肌』（*Marble Skin* 一九九三年）、『男の味』（*The Taste of a Man* 一九九七年）ではフィクションとノンフィクションを巧みに織り交ぜながら作品へと昇華するスタイルが確立された。ボスニア戦争時の女性への集団レイプを題材とした小説『エス：バルカン半島をめぐる小説』（*S.: A Novel About the Balkans* 一九九九年）は、ファニタ・ウィルソン監督により『まるで私がそこにいないかのように』（*As If I Am Not There*）として映画化もされ世界に衝撃を与えている。

それからドラクリッチの持ち味が発揮された文学的ルポタージュの発表も続く。エッセイ『共産主義を笑っていかに生き抜いたか』（*How We Survived Communism and Even Laughed* 一九九二年）、『バルカン・エクスプレス』（三省堂、一九九五年）、『カフェ・ヨーロッパ』（恒文社、一九九八年）、ハーグの旧ユーゴスラヴィア国際刑事裁判所での取材をもとにした『彼らは蠅を傷つけはしない』（*They Would Never Hurt a Fly* 二〇〇四年）は欧米で好評を博した。クロアチアを去り、英語で書かざるを得ない環境に身を置くことで獲得した精緻なまなざし。

ユーゴ紛争で更なる高みを迎えることとなった、目前の出来事を鋭い観察眼で捉え論じていくスタイルが遺憾無く発揮されたのが本作『ポスト・ヨーロッパ』である。

ドラクリッチの視点を借り、多角的に東西ヨーロッパを眺めてみよう。社会主義から「脱し」、民主主義の到来と繁栄を期待した人々が対峙せねばならなかった厳しい現実はいかなるものだったのか。ユーゴスラヴィアからスウェーデンまで、あるいはイギリスからウクライナまでヨーロッパを縦横無尽に飛び回り論じていくなかで、読者は議論の発展を導くヒントが随所に散りばめられていると気づくはずだ。

本書でドラクリッチは、政治、ナショナリズム、戦争犯罪、フェミニズムなどをテーマに共産主義崩壊後の東欧を日常生活から理解しようと試みている。共産主義崩壊から三〇年が過ぎ、人々が美しく心に描いていた憧れの対象が実は幻に過ぎなかったのだと感じていると口火を切り、ソ連崩壊から三〇年後の東欧の抱える問題に鋭く切り込む。東西の狭間で深まり続ける溝。熱狂に沸いた東欧諸国のEU加盟の後に強まった失望と不満。再び台頭しつつあるナショナリズムはハンガリーを筆頭として東欧諸国で散見されるばかりか、スウェーデンやドイツなど西側も同じ傾向を示すようになった。イタリアではメローニ党首率いる極右「イタリアの同胞（FDI）」による政権が誕生した。右派のポピュリスト勢力の台頭の引き金となった移民問題は、展望を見いだせないままEU内で燻り続けている。あえて他者と同化しようとしない移民との関係において、ヨーロッパは変容を受け入れることはできるのであろうか。ドラクリッチによる中国人移民へのある意味正直な反応も見逃せない。

だがヨーロッパは内省的であろうとすることで多くの問題を克服してきた。植民地主義から反植民地主義へ、ヨーロッパ中心主義からその相対化へ向かった歴史がヨーロッパを統合へと導いたのである。本書に見られるある種のオプティミスティックな未来への展望は、ヨーロッパの長きにわたる努力を背景にしたものなのかもしれない。ドラクリッチはヨーロッパの理念の存続を願い随所で訴えている。

また、日本語版の刊行を受け特別寄稿いただいた「日本語版に寄せて」では、本書にも登場するオクサーナ・ザブジュコとの往復メールを中軸としてウクライナの現状を語っている。もちろんボスニア紛争やコソボ問題、ウクライナ情勢を同列に語ることはできないし、ヨーロッパの対応もそれぞれまったく異なっているが、ドラクリッチは各地で起こっている戦争に多くの類似性を見出している。この寄稿文は近年出版されたエッセイ集『戦争はどこでも同じ』(*Rat je svugdje isti* 二〇二二年)へと繋がっており、併せて参照されたい。

かつては母国で激しい批判を受けたドラクリッチだったが、近年英語で執筆された作品のクロアチア語への翻訳が進み、国内でも好評を博している。作者自身も「二〇〇〇年以降、私の文章が再び出版・翻訳され、熱心な読者もついたと思います。『ユータルニィ・リスト』紙にも寄稿し始めましたが、クロアチアの政治的な状況も、メディアや社会における私の評価も変化したことを意味します」(同インタビューより)と認めている。内省的であると同時に批評的でもある作品の中には、新国家誕生とEU加盟の熱狂に沸いたクロアチアの人々にとって、時に耳の痛い内容も含まれるであろう。だがドラクリッチのエッセイの逆輸入現象は、クロアチア社会の成熟度を示しているとも言える。「しかし、自分の作品が評価されなくても（それも時代とともに変化しますが）、私の仕事と立場を評価する上で考慮せねばならない事実なのだと思います」と言い添えるドラクリッチの思慮深さに読者は思わず膝を打つ。あらゆる事象を多面的に分析し、評価を繰り返すスタンスこそがドラクリッチのエッセイの真髄なのである。

ポスト・ヨーロッパの時代において、次々と表面化する問題にEUはいかに対峙していくべきなのか。またEUに対する東欧の幻滅は東西ヨーロッパ間にある溝をさらに深め、ポピュリズムの台頭や連合の分裂を決定的にしてしまうのだろうか。ヨーロッパへの憧れや希望を失ってもなおその未来に希望が持てるのだとしたら、かつて共産主義や母国ユーゴスラヴィアの崩壊を目の当たりにしたドラクリッチの言葉にヒントが見つかるのではないか。タイトルを『ポスト・ヨーロッパ』としたのは、著者の語りから浮かび上がるEUの未来像とヨーロッパ観を反映させたいと考えたからである。本書は再び迎えた激動のヨーロッパの諸問題を予見する、至極のエッセイ集となっていると言えよう。

本書の翻訳は多くの方々の協力によって完成した。特に中部大学特任教授の小島亮先生の細部にわたるご指導なくしては実現できなかった。この場を借りて厚く御礼申し上げたい。また、格段の配慮をもって刊行に導いてくださった人文書院の井上裕美氏に心より感謝いたします。

二〇二三年一月

栃井裕美

ポスト・ヨーロッパ　共産主義後をどう生き抜くか

2023年2月20日　初版第1刷印刷
2023年2月28日　初版第1刷発行

著　者　スラヴェンカ・ドラクリッチ
訳　者　栃井裕美
発行者　渡辺博史
発行所　人文書院
〒612-8447
京都市伏見区竹田西内畑町9
電話　075-603-1344
振替 01000-8-1103
装　幀　鎌内　文
印刷・製本所　モリモト印刷株式会社

落丁・乱丁本は小社送料負担にてお取り替えいたします

ISBN978-4-409-24151-6 C0036

## 著者略歴

Slavenka Drakulić（スラヴェンカ・ドラクリッチ）
クロアチアのジャーナリスト、作家。1949年アドリア海の港町リエカに生まれる。ザグレブ大学で比較文学と社会学を専攻。旧ユーゴ初のフェミニスト団体「女性と社会」を創設し、東欧初のフェミニストの本『フェミニズムの大罪』（1984年）を発表する。ユーゴ紛争を機にスウェーデンへ移住。文学的ルポタージュ『バルカン・エクスプレス』（1993年／邦訳1995年、三省堂）や『カフェ・ヨーロッパ』（1996年／邦訳1998年、恒文社）は欧米で大評判となる。ボスニア戦争時の集団レイプを題材とした小説『エス：バルカン半島をめぐる小説』（1999年）は映画化もされた。ウクライナ侵攻を受けて発表された『戦争はどこでも同じ』（2022年）は、かつての当事者として同じ過ちを繰り返さないよう問いかける渾身の一作。各著ヨーロッパ各国をはじめ、アメリカやアジアで翻訳されている。

## 訳者略歴

栃井裕美（とちい・ひろみ）
2003年～2007年セルビア共和国留学。2007年ベオグラード大学哲学部修士課程修了。2010年～2013年日本学術振興会特別研究員。5年間のシンガポール滞在の後帰国。共著書に『学問の森へ―若き探求者による誘い』（中部大学、2001年）。